最後の記憶

綾辻行人

角川文庫
14422

——いなくなってしまった彼らに——

＊＊＊

ここはどこ？

ここは——

ここは、どこでもないところ
ここは、どこでもあるところ
ここは、どこにでもあるところ

今はいつ？

いまは——

いまは、いつでもないとき
いまは、いつでもあるとき
いまは、げんざい、かこ、みらい……

そのすべて

君は、君たちは誰？

わたしは――
ぼくは――
わたしは、わたし
ぼくは、ぼく
わたしは、ぼく
ぼくは、わたし……

さあ、いっしょにあそぼうよ

＊　＊　＊

I

第1章

1

幼い日の夏の夕暮れに見た太陽はとても巨大で、熟れきったオレンジとリンゴをどろどろに溶かし合わせたような色をしていた。線香花火の最後に残る丸い火の塊にも似て見えたけれど、花火が涙の雫のような火の粉を散らしながらだんだん萎んでいくのに対して、夕陽の方は眺めているうちにいよいよその巨大さを増し、ついにはみずからの重みに耐えきれなくなって町に落ちてきてしまうのではないかと、そんな恐れを僕に抱かせもした。

西の空を鮮やかに染め上げた夕陽のその色を指して、「あれはヒトの血の色」と教えてくれたのは、確か母だったように思う。

そのころ家族が住んでいた町の、家の近くを流れていた大きな川の土手を並んで歩きな

がら……そう、母は教えてくれた。

――あれはヒトの血の色。

――ヒトの身体の中を流れている血の、あの真っ赤な色と同じ。

「ぼくの中にも『血』があるの？」

そんな質問をした記憶がある。

「母さんの中にも？」

――そうね。

山の端に沈もうとしている夕陽に目を馳せたまま、母は静かに答えた。

――森吾ちゃんの中にも母さんの中にも、同じ赤い血が。

「ミナちゃんの中にも？」

――そう。ミナちゃんの中にも。

「ミナちゃん」というのは、僕の三つ年下の妹のことだった。波多野水那子。今は結婚して、浅井という苗字になっている。

――お父さんにもお兄ちゃんにも……みんなの身体の中に血は流れているのよ。

母さんの肌はこんなに白いのに。髪の毛はこんなに真っ黒なのに。……なのに、中には夕陽と同じ色の「血」があるのだという、それが僕には何だか不思議だった。

いくつの時だったのかは分からない。

赤い「血」の存在に不思議を感じたということは、それまで僕は人が怪我をするのを見た経験がなかったわけだろうか。自分が怪我をした経験もなかったのだろうか。——ひょっとするとそうだったのかもしれない。あるいは、経験はあっても意味がまるで理解できていなかったのかもしれない。

「『血』って何をするもの」

そんな質問をした記憶も、ある。

——大切なものよ。血がちゃんと流れているから、わたしたちは生きていられるの。

そう答えてから、母はぎゅっと目を閉じて緩く首を振ったように思う。

——怪我をして、身体からたくさん血が外に出ちゃうとね、ヒトは死んでしまうの。

「死」という言葉の意味も、もちろんその頃の僕には満足に理解できていなかったに違いない。

——死んでしまうの。血まみれになって、動かなくなってしまって。

そう云いながら、母は僕の手を握っていた指に力を込めた。あの時の母の手はひどく震えていたように思う。——寒くもないのに。

幼い日の冬の夜空に浮かんだ月はとても冴え冴えときれいだったけれど、見るたびに違う形をしているのが僕には何だか気味悪く思えた。同じ月なのにどうして、円かったり細かったりするのだろう。月と太陽とは実は同一のもので、夜になると、いったん隠れた太陽が色と形を変えて姿を現わすのだと考えたりしたこともあった。

月にはウサギがいるという話を初めて聞いた時も、僕は少し気味が悪かった。それならばウサギもきっと、月の変化に合わせてぐにゃぐにゃといろんな形に変わるのだろうと、そんな想像をしてしまったから。

暗い中天に昇った半欠けの月を指して、「あれは上弦の月」と教えてくれたのは、それも母だったように思う。

——あれは上弦の月。

——これからだんだん円くなっていって、満月になるの。

そのころ住んでいた家の二階の窓から、僕たちは夜空を見上げていた。同じ部屋で、まだ赤ん坊だった水那子が眠っていた。

——ヒトの身体の中にはね、あのお月さまと同じ名前の骨があるのよ。

母はそんなことを云ったようにも思う。

「骨？」

——そう。膝(ひざ)の関節のところにね、半月板っていう軟骨があって。

「じゃあ、お月さまも骨みたいに固いの？」

そんな質問をした記憶がある。「軟骨」という言葉の意味を、当然ながらその頃の僕はまだ知らなかったに違いない。

「固いのに、どうしてお月さまは形が変わるの」

——不思議ねえ。どうしてかしらね。

僕と一緒になって首を傾げながら、母は楽しそうに微笑んでいたように思う。蒼く透きとおった月光を浴びて、その時の母の横顔もまた蒼く透きとおって見えた。


幼い日に見た母の笑顔は、いつもとても美しかった。そして彼女は、いつもとても優しかった。誰に対しても、分け隔てなく。——僕はそう記憶している。

けれど、今。

母は昔のように笑うことがほとんどない。美しくもなければ優しくもない。ベッドに横たわって、日がな一日ぼんやりとしている。表情らしい表情が欠落してしまった彼女の顔。何かの折りに、ふとそこに滲み出してくる色は、

——バッタが。

激しい恐怖。

——バッタの飛ぶ音が。

とてつもなく激しい、物狂おしいほどの恐怖。もはやそれだけのようにさえ、僕には思える。

2

破滅が来る破滅が来ると、ことあるごとに騒がれつづけてきた世紀末のその年の夏が、結局のところさほど破滅的な大惨事も起こらぬままに過ぎ去ろうとしていた、八月最後の日曜日の夕刻——。

この春から講師を務めている学習塾の「夏期特別講習」を終えた帰り、僕はさんざん迷った末、母が入院している病院に立ち寄ることにした。

西新宿(にししんじゅく)の外れにあるT＊＊医科大学病院の、精神神経科の病棟。その中の「特室」と呼ばれる個室に、母は昨年の十二月から入っている。

特室というだけあって、普通の個室よりふたまわりほども広い部屋の設備はほとんどシティホテル並みで、トイレに浴室、冷蔵庫やテレビはもちろんのこと、付き添いの者が泊まり込むための別室まで付属している。当然ながら相応に高額の料金が請求されるわけだけれども、それは彼女の入院以来ずっと、兄の駿一(しゅんいち)が全額を負担してくれていた。

「波多野千鶴(ちづる)」という名札の掛かった、その病室のドアを開けるのはずいぶんと久しぶりだった。前に来てからもう一ヵ月は経つだろうか。

忙しくて時間がなくて、というわけではまったくないのだ。来たくないから——そこにい母の姿を見たくないから、声を聞きたくないから、病状の進行を目の当たりにしたくないから、だから……というのが、たぶん僕の本音のかなりの部分を占めている。病室に足を踏み入れた時にまず感じたのはやはり、決して小さくはない後ろめたさだった。

誰が持ってきたのだろうか、窓辺に置かれた花瓶に白いユリの花が生けてある。その甘ったるい香りと、どこの病院にもつきものの薬臭さとが混じり、そこに病床の母の身体から発せられる異臭も加わって、室内には何とも云えない臭気が漂っていた。

ちょくちょく見舞いにやって来ているらしい兄夫婦や妹の姿はなかった。こちらも顔を憶えている若い看護婦が一人いて、ちょうど母に食事を摂らせているところだった。

「あっ……息子さん、でしたね」

振り向いて僕の顔を認めると、看護婦はスプーンを握っていた手を止め、ベッドの上で上半身を起こしている母に向かって、いくらか声を大きくして告げた。

「波多野さん、波多野さん。息子さん——二番目の息子さんが来られましたよ」

母の反応はしかし、鈍かった。

看護婦の顔を見上げ、ちょっと首を傾げ、それからのろのろと僕の方へ目を向ける。

「森吾だよ、母さん。分かるかい」

ベッドに近づいて話しかけると、彼女はまたちょっと首を傾げ、ややあって「ああ」と低く洩らした。

「ああ、そう。……しんごちゃん」

抑揚の乏しい、それこそまるで魂が抜けたような声。

視線はしばらくじっと僕の顔に注がれていたが、瞳に宿る光は虚ろだ。かろうじて、いま眼前にいるこの男が自分に関係のある人間だと分かる、その程度の認識能力しか、もはや彼女には持てていないのかもしれなかった。

「お食事、森吾さんが食べさせてあげますか」

と、看護婦が云った。きっと親切心ゆえの申し出だったのだろうが、

「あ、いえ。お願いします」

僕は慌ててそう答え、ベッドのそばから退いた。

「そうですか」

と応えて、看護婦はすいと僕から目をそらす。冷たい息子だと思われたことだろう。

僕は窓辺に寄って花瓶のユリを背に立ち、看護婦が母に食事を与える様子を黙って見守っていた。窓の外では雨が降っている。日没にはまだ少し間があるはずだけれど、空を覆った分厚い雨雲のせいで、もう夜のような暗さだった。

若い頃の母——波多野千鶴は、いつもとても美しくて優しかった。誰に対しても、分け隔てなく。けれど今、この病室にいる彼女はまるで違う。

美しくもなければ優しくもない。本を読んだり文章を書いたりすることはおろか、人と当たり前な会話をすることもままならない。自分の息子の名前すらはっきり分からないこともあれば、ここ何ヵ月かで神経系の障害もかなり程度が進んできているらしく、こうして誰かの手を借りないと満足に食事を摂ることもできない。ベッドを離れて自力で歩きまわることも難しいという。

母の髪は頭頂部のあたりを中心にすっかり薄くなってきていて、なおかつ真っ白だった。皺や染みの数だけを取り出せば、老人と呼ぶには早すぎるという判断ができるのだが、表情らしい表情の欠け落ちた全体の顔つきは、まるで九十歳の老婆のように見える。

実際のところはしかし、彼女はまだ五十になったばかりの年齢なのだ。

食事が終わると、看護婦は「何かあれば呼んでくださいね」と云い置いて、足速に病室から出ていった。僕はそろそろとベッドに近寄り、上半身を倒して枕に頭を載せた母の顔を覗き込んだ。

「水那子のお見舞いかい、あの花は」

と、窓辺を指さして訊いた。母は虚ろな眼差しで僕を見上げたが、指さした方向に目をやることはせず、僕の質問に答えることもせずに、「はああ」という大仰な溜息を幾度か繰り返した。

「来月には生まれるってさ、子供」

続けて僕が云うと、母は枕に頭を載せたまま、またちょっと首を傾げ、

「……こども」

「水那子の子供だよ。母さんの孫」

「……まご」

そうしてしばらく口を噤んでいたかと思うと、やがてふと気がついたように、

「ああ、そう。みなこの、まご……」

抑揚の乏しい声で応えるのだった。

齢五十にして、こんなにも知性の輝きを失ってしまった母の瞳、こんなにも真っ白になってしまった母の髪……。

それ以上話しかける言葉も見つからず、僕は彼女の萎びた顔に目を落とす。

薄い白髪の下に地肌が透けて見える。額の髪の生え際と頭頂部との中間あたりに、生まれつきそこに付いていたという、星のような形をした淡い色のほくろがある。この地肌のさらに下――頭蓋骨の中に収まった彼女の脳は今、どんな色と形をしているのだろうか。

想像しようとすると、おのずからそこに、昨年の十二月にこの病院で見せられたＭＲＩの画像が重なって浮かび上がってくる。その際に聞かされた医師の説明が耳に蘇ってくる。

病室に足を踏み入れた時に感じた後ろめたさをじわりと押しのけながら、どうしようもない悲しみが、いたたまれなさが、さらには惑いが、恐れが、怒りが……綯い交ぜになっ

て広がってきて、僕の昏く狭い心の中に極彩色の糸を吐き散らす。

3

幼い日の春の昼下がりに見た花はとても可憐な赤紫色で、それが数限りなく集まってあたり一面を覆い尽くしていた。強い風が吹き過ぎると花々はいっせいに揺れ、仄かに甘い香りを振りまいてさざめいた。花弁の赤紫と葉の緑とが妙に規則正しい配分で交ざり合いながら動き、全体がまるで波立つ小さな海原に見えた。

その花の名を「あれはレンゲ草」と教えてくれたのは、それも母だったように思う。

——あれはレンゲ草。

——田圃の肥料にするために種を蒔くんですって。あんなにいっぱい……きれいねえ。

そう云いながら風景に目を細める母のそばには、水那子を乗せたピンク色のベビーカーがあった。

——あっちにはほら、黄色い花がたくさん咲いているでしょ。あれは菜の花。菜の花畑になっているのね、あそこは。

そのころ家族が住んでいたのは、海に面して扇状に広がったそこそこの規模の町で、僕たちの家はその山手の方に建っていた。年々着実に都市化が進む一方、近所には田圃や畑がまだまだたくさんあった。空き地や林もたくさん残っていたし、ちょっと足を延ばせばすぐに手軽なハイキングが楽しめた。縁側から家の中へ、チョウやハチや甲虫の類(たぐい)が迷い込んでくるのも、決して珍しい出来事ではなかった。

手近に伸びていた雑草の葉っぱを一枚ちぎり取って、そのとき母は草笛を吹いてみせてくれたように思う。僕も見よう見まねで同じ草の葉を唇に当ててみたのだけれど、いくらやってもうまく鳴らなかった。

レンゲの花が一面に咲き盛る――その田圃の中では、何人かの男の子が元気の良い声を上げながら駆けまわっていた。当時の僕よりもいくつか年上の少年たちだったが、どうやら彼らはそこで、鬼ごっこか何かをして遊んでいる様子だった。

草笛の音がふいと止まり、僕は母の方を振り向いた。

彼女は水那子のベビーカーから一歩離れたところに立ち、田圃で駆けまわる少年たちの方をじっと見ていた。その視線はしかし、彼らの動きを追いかけているというふうでもなく……。

……母さんは何を見ているのだろう。

そう思った記憶がある。

赤紫と緑の海原で戯れる少年たちの姿を通り越して、あの時の母は、どう云えばいいだろうか、それよりもずっと向こうの何かへと目を馳(は)せていたような気がする。何か……どこかずっと遠くにある、彼女だけが知っている風景へと。

草笛を鳴らすのを諦めた僕は、足許でこそこそと動いていたちっぽけな緑色の昆虫を捕まえて掌に載せ、「ほら」と母に示した。

「これ、何ていうの」

その時の母の反応を、僕は今でもはっきりと思い出すことができる。

──駄目よ、森吾ちゃん。

母は文字どおり血相を変えて、いきなり僕を叱りつけたのだった。

──やめなさい、森吾ちゃん。捨ててしまいなさい、そんな……。

僕が捕まえたのは、まだ羽根の生えていない小さなバッタだった。イナゴやトノサマバッタの類ではなく、頭が尖っていて、胴体は何となくエンドウ豆の莢のような形をしていて……思い返すに、たぶんあれはオンブバッタの子供だったのだろう。

どうして母がそんなに怒るのか、その時の僕にはまるで分からず、命じられるままにあたふたと、掌のバッタを田圃に向かって放り捨てた。母はその瞬間、両手で自分の耳を塞ぎ、強く目を瞑っていた。何も聞くまい、何も見まい、とするように。

ただならぬ気配を察したのだろうか、ベビーカーの中の水那子が、そこで急に声を上げて泣きはじめた。そんな記憶がある。

幼い日の秋の黄昏時に見た祭りの光景は、いまだに忘れることができない。

そのころ家族が住んでいたのと同じ町の、家から車で三十分余りのところに、母の実家があった。母の両親と弟、つまり僕の祖父母と叔父がそこには住んでいたのだけれど、普段はそれほど頻繁な行き来もなくて、せいぜい盆や暮れ正月にこっちからちらっと顔を出す程度だったように思う。

決して僕や妹のことを可愛がってくれなかったわけではないのだが、祖父母や叔父の印象は何故か希薄だ。後に家族が町を離れて東京に越してからは、つきあいはいっそう疎遠になった。

いくつの時のことだったのかは、やはりよく分からない。母の実家の近所にある神社の、ささやかな秋祭りの日に、僕たちは珍しく家族揃って祖父母を訪れたのだった。

「ささやかな」と云っても、神社の近辺にはいろいろな露店が並び、夕刻になると多くの人出で賑わっていた。境内から響いてくる和太鼓の音に歩調を合わせるようにしながら、僕は母に手を引かれて暮れなずむ町を歩いた。父の幸助と、それから兄の駿一も一緒だった。水那子の姿がなかったのは、恐らく祖父母の許に預けてきていたのだろう。

駿一は僕より十歳も年上の兄で、父が母と結婚する前に、最初の妻との間にもうけた子だった。要するに駿一は再婚した父の連れ子だったわけだが、新しい家族の中でその存在が浮いてしまうようなことはほとんどなかった——と思う。母は常に、僕や水那子に接するのとまったく同じ優しさで駿一にも接していたし、駿一は駿一で、彼は当時からすでになかなかの人格者だったから、そんな母に対してひねくれた態度を取ったりすることもついぞなかったのだ。

街路に所狭しと連なった露店は、どれもがそのとき初めて見るものばかりだった。金魚掬(すく)いにヨーヨー釣り、射的にスマートボール、カルメ焼、飴(あめ)細工、風船売り……すべての店の前で足を止めて、アセチレン灯の眩(まぶ)しい光に照らし出されたそれらを、いつまでも見物していたい気持ちになった。父が大きな綿飴を買ってくれた。頬ばった途端に口の中で溶けて消えて、得も云われぬ甘さだけがふわりと広がってくる、あの不思議な感覚を味わったのも、その時が初めてだったように思う。

浮かれた心地で歩いてまわるうち、ふと気づくと僕は、夕暮れの薄闇の中に独り佇(たたず)んでいた。

祭りで賑わう街路からはちょっと外れた場所だった。口上を述べる的屋(てきや)たちの声も、神社で鳴りつづける和太鼓の響きも……世界の物音すべてが、けれどもずいぶん遠く小さく聞こえた。

僕は狭い路地の入口に立ち、その奥に澱(よど)んだ濃厚な闇を覗(のぞ)き込んでいた。

何かがそこで——路地奥の闇の狭間(はざま)で——動いた。

何か——誰か、人間の影だった。

せいいっぱい目を凝らすと、薄茶色のキツネの顔が見えた。プラスティック製の安物の面だった。誰かがそんな面を付けて、こちらを向いて立っているのだ。

——ねえ君、一人なの？

と、キツネが問いかけてきた。面のせいで声はひどくくぐもっていて、男なのか女なのかも、大人なのか子供なのかも、それだけでは判別がつかなかった。

——ねえ君、お母さんはいないの？　はぐれちゃったのかい。

「いるよ」

僕はぶるんと首を左右に振りながら、そう答えたように思う。

——どこにいるの。そこにはいないじゃないか。ねえ君……。

「いるもん、母さん」

僕はむきになってさらに首を振った。キツネはすると、喉の奥深くから絞り出すような低い笑い声を洩らし、

——ねえ君、お祭りは楽しいかい。

「うん」

——とても楽しい？

「うん」

——ねえ君、生きているのは楽しいかい。

「……うん」

――本当に楽しい？

「………」

――ねえ君、もっと楽しいことを教えてあげようか。どうだい。もっともっと楽しい、もっともっと素敵な……。

くつくつと忍び笑う声が、暗い路地の奥から幾重にもなって聞こえてくる。おもむろに、そして、キツネの後ろから新たに二つの人影が滲み出た。

どちらもやはり面を付けていた。片方は何だか名前の分からない、テレビアニメに出てくるような女の子の顔。もう片方は……そうだ、仮面ライダーか何かだったように思う。

くつくつというくぐもった忍び笑いが、彼らそれぞれの口許から洩れ出していた。

――ねえ君。

と、やがてキツネが云いかけた時。

――森吾ちゃん？

脇からぐいと僕の腕を摑んだ白い手があった。母の右手だった。

――何をしてるの。急にいなくなるから、びっくりしちゃったでしょ。

「……母さん」

僕は路地の奥を見やった。そこには濃厚な闇がねっとりと澱んでいるばかりで、もう何者の姿もなかった。キツネも女の子も仮面ライダーも……まるで幻のように、一瞬で消え失せてしまったように思えた。

——駄目よ、森吾ちゃん。一人でうろうろしちゃあ。

腕を掴んだ母の手の力は、爪が喰い込んできそうなくらいに強かった。

——特にそう、お祭りの日の、こんな夕暮れ時にはね。大勢の人たちが集まってくるところには、必ず怖い人が混じっているのよ。だから……。

「怖い人？」

——そうよ。とっても怖い人が。

母は僕の腕から右手を離すと、同じ手でそっと僕の頬を撫でる。指先がわずかに震えていた。

何を怯えているのだろう、母さんは。

子供心に僕は、そんな疑問を感じていたように思う。

——だから気をつけてね。いいわね、森吾ちゃん。

「……うん」

頬を撫でつづける母の右手、その二の腕に大きな古い傷があることを、その頃すでに僕は知っていた。いつ、どうしてそんな怪我をしたのかは、何だか悪いような気がして、まだ訊けないでいたのだけれど。

4

外で雷鳴が轟いた。窓辺の花瓶やベッドサイドのワゴンテーブルに置かれたグラス類が、超低音のその響きに合わせてほんのかすかに震え鳴く。いきなりのことだったので僕はけっこう驚いたのだが、母の反応はそれどころではなかった。

ひぃ……と、かぼそい声を発し、彼女はベッドの上で跳ねるように身を起こした。さっきまでの退行的な緩慢さとは打って変わった、条件反射めいた素速い動きだった。両腕を交差させてみずからの両肩を抱き込むような姿勢を取り、そのままきょろきょろと眼球だけを動かす。頰がひどく引きつっている。唇をきつく嚙みしめている。——緊張しているのだ。身構えているのだ。

そんな母の様子は、このとき初めて見るものではなかった。

昔から母は雷を非常に嫌がった。今のような病的な反応ではなかったが、雷鳴が聞こえてくると必ず、緊張をあらわにして身構えていた。顔には強い怯えの気色があった。

けれども、彼女が真に怯えていたのは雷鳴そのものではないということを、やがて僕は知った。雷の〝音〟ではなく、その〝光〟の方、つまり稲妻の閃光こそが、彼女の恐怖する対象だったのだ。

外でまた、低く長く雷鳴が轟き渡った。稲光は見えなかった。母はしかし、いよいよ身をこわばらせる。しっかりと肩を抱き込んだまま、おどおどと目を動かしている。

「母さん」

見かねて、僕は声をかけた。

「母さん、大丈夫……」

大丈夫だから——と云おうとした、その時だった。

嵌め殺しの窓ガラスを染めていた闇が一瞬、強烈な白い光に反転した。部屋の中にもちろん、その閃光が飛び込んできた。

「ひっ……ひいっ！」

母の叫びが、ワンテンポ遅れて響いてきた雷鳴とともに、病室の澱んだ空気を震わせた。

「……いや。いやよ」

母は両手で顔を覆い、しゃにむに頭を振り動かした。

「いやよ。いやよ。いやよ。いやよ。いやよ。いや……」

「母さん？」

「いやよ。いや……来ないで。こっちに来ないで。やめて。殺さないで」

「母さん！」

僕の声などまるで耳に入っていないに違いない。顔から手を離したかと思うと母は、今度はむちゃくちゃに腕を振りまわしはじめる。恐らく、そこにいて自分に襲いかかってくる——と彼女が認識している——何ものかに対し、そうやって必死で抵抗しようとしているのだ。

「来ないで。殺さないで。ああ、いやっ……」

そのうち母は掛布団をはねのけ、ベッドから飛び出そうとした。が、うまく立つことができなくて、そのままずるりと床にくずおれてしまう。

「母さん……」

僕は母に駆け寄った。

稲妻の閃光が、そこでまた瞬く。雷鳴が轟く。母が狂おしい叫びを上げる。

「母さん、しっかりして」

床に片膝を突き、僕は母を抱き起こそうとする。だが、彼女の恐慌は続いていた。

「やめて。放して！」

ヒステリックな声で喚き立て、僕の手を振りほどこうとする。病が運動神経をも冒しつつあるその肉体のどこから、こんな力が湧いてくるのか。そう訝りたくなるほどの、頑強な抵抗だった。

「大丈夫だよ。母さん」

一語一語をはっきりと区切って、僕は彼女に云い聞かせた。

「僕だよ。森吾だよ。もう大丈夫。大丈夫だから。ね？」

母の呼吸は全力疾走のあとのように荒くなっていた。顔は激しい恐怖に歪(ゆが)んでいた。

「大丈夫だ。母さん、さあ」

僕はやっとの思いで彼女の痩(や)せ衰えた身体(からだ)を抱え上げることに成功し、元どおりベッドの上に寝かせた。

「……あ、い、つが、来る」

乱れた息で、掠(かす)れた声で、母はしきりにそう訴えた。

「あいつが来る。追いかけてくる。あいつが……」

「大丈夫だよ、母さん。ここには来ない。怖い人は誰も来ないから。僕は森吾だよ。母さんの息子だよ。ね？　分かるよね」

「……しんご、ちゃん」

母は小首を傾げて僕を見る。

「……ああ、そう」

ようやくいくぶん声の調子が落ち着いてきた。しかし、彼女の顔に滲んだ恐怖の色は消え去ることなく、

「バッタが」

やがてそんな呟(つぶや)きを吐き落とした。

「バッタの飛ぶ音が……ああ、いやよ。いや。いや……」

「大丈夫。心配しなくても大丈夫」

僕は彼女の額に掌を当ててやりながら、

「大丈夫だから」

と、もう一度念を押した。

「ここにはバッタはいない。ここは病院の部屋の中だよ。だから、ね?」

「バッタが」

それでもなお母の顔は恐怖に歪みつづけ、譫言のように同じ文句を繰り返すのだった。

「バッタの飛ぶ音が……」

いったい母が何をこんなにも恐れているのか、僕は知っている。いや、すべてを知っているわけではないのだが、少なくともその大まかな事情は承知している。

彼女がまだ若くて美しくて優しかった頃から、僕は何度も何度も、その話を聞かされてきたのだから。もっとも母の方は、それを——僕にその話を語ったこと自体を、もはやこれっぽっちも憶えてはいないのだろうけれど。

突然の白い閃光。

バッタの飛ぶ音。

血飛沫と悲鳴。

追いかけてくる「あいつ」……。

母が子供の時分に経験したという、その恐ろしい出来事。病状がこの段階まで進んできてもいまだに欠け落ちることのない、それが彼女の、恐らくはこれまでの人生で最大の〝恐怖の記憶〟なのだ。

第2章

1

雷雨はいっときずいぶんと激しさを増したが、夕立のようなものではあったらしい。怯える母をなだめるうちに雷は去り、まもなく雨も小降りになってきた。ほとんど逃げ出すような気分で病室をあとにすると、僕はロビーの片隅の喫煙コーナーで煙草を一本吸い、自分自身の心を多少なりとも鎮めてから病院を出た。

傘を差す必要も感じず、小雨の中を歩きはじめた。が、北通りの歩道を新宿駅方向へいくらか進んだところで、ふと強いためらいに囚われた。この時間の駅や電車の人混みを想像して、どうにも憂鬱になってきたのだ。

ある程度を超えて多くの他人が集まっているような場所が、僕はとても苦手だ。街路の雑踏ならそれでも、心を閉ざして通り過ぎればいい。いくらたくさんの人間がそこに溢れていようと、それぞれとのすれ違いは一瞬で済む。けれども、電車に乗るとなると話が違う。見も知らぬ大勢の他人たちと何分も何十分もの間、同じ密閉された空間を共有しなければならないのだから。

今のこの気分のまま満員の電車に乗ったなら、きっと僕は、せめてこの乗客のうちの半分が世界から消え失せてくれないものかと願ってしまうだろう。さらにはきっと、彼らが消えてくれないのならばいっそ自分の方が、という気持ちにすらなってしまうだろう。

いっそ自分の方が……。

今日に限ったことではない。それは昔から——ひょっとするとまだ年端も行かぬ子供の頃から——ずっと、何かの拍子で心の奥底から首をもたげてくる危険な呪文だった。

いっそ自分の方が、この世界から消え去ってしまいたい。

しかしそうして——この世界から消えてしまって——、いったい僕はどこへ行こうというのか。どこにどのような行き場があるというのか。

——ねえ君。

そんな声がふいに、幼い日の記憶から抜け出してきて耳の奥で響いた。

——生きているのは楽しいかい。

秋祭りの日の黄昏時、暗い路地の闇に潜んでいたあのキツネの面。

——ねえ君。もっと楽しいことを教えてあげようか。どうだい。もっともっと楽しい、もっともっと素敵な……。

あの時あのキツネは、どんなことを僕に教えようとしたのだろう。どこへ僕を連れていこうとしたのだろうか。

今にして思えばもちろん、あの時の連中はたとえば祭りに遊びにきていた近所の若者たちで、親とはぐれて独りぼっちでいる子供をたまたま見つけたものだから、面白半分であんなふうにからかってみただけのことだったのだろう。あるいは、何か善からぬ悪戯が目的で、とも考えられるが。

——ねえ君。

頭を振って追い払おうとしても、男女の別も定かでない、くぐもったその声は執拗に続いた。

——生きているのは楽しいかい。

——本当に楽しい？

大きくもう一度頭を振って、僕は駅に向かおうとしていた足を止める。

ここしばらくうんざりするほどの猛暑が続いていたのだが、さっきの雷雨のおかげで大気はだいぶ熱を奪われ、存外に過ごしやすい夜が訪れていた。高層ビル群の谷間を吹き抜ける風も涼しくて、珍しく心地好いものに感じられる。

このまま歩いて帰ろうか、と考えた。

急ぎの用が待っているわけでもない。大学時代からの住みかがある高田馬場まで、山手線で二駅。覚悟を決めなければ歩けないような距離では全然ない。

僕は踵を返し、とりあえず青梅街道を渡って北新宿方面へ向かうことにした。

2

母、千鶴の様子が変だという話を最初に聞いたのは、昨年の六月中旬のことだった。その月の終わりに婚礼を控えていた水那子からの電話で、僕はそれを知らされた。

母は当時、二十代の終わりに結婚してすでに二児の父である駿一の家族に水那子を加えた六人で、吉祥寺の家に住んでいた。今から五年と八ヵ月前に他界した父、幸助が遺した、なかなか立派な庭付きの一戸建て。高校卒業までは僕も、そこで皆と一緒に暮らしていた。

大学に入るとすぐにその家を出て独り暮らしを始めたのは、これは半ば以上、父の意向でもあった。学生時代は親許を離れて自立生活の基本を身に付けるべきだ、というのが息子に対する彼の教育方針だったらしい。

その同じ方針が、三年後には高校を卒業する予定の水那子に対しても適用されるかどうかは、少々興味深い問題だった。末娘の水那子のことを、父はそれこそ猫可愛がりに可愛がっていたから。「女の子は話が別だ」などと急に云いだしてもまったく不思議じゃない気がする一方で、水那子がそう望めば、内心どれほど心配でも決して反対はしないんじゃないか、という気もしたものだった。どちらの予想が正しかったのか、結局のところ知ることはできなかったのだけれど。

せっかく都内にある第一志望校に受かったのに、と母はずいぶん難色を示したのだが、僕は一も二もなく父の意見に賛同した。吉祥寺の家そのものに大きな不満があったわけではない。とにかくその頃の僕は、家族の――とりわけ母の――目の届かない場所で暮らしたくて仕方がなかったのだった。

と云っても、とりたてて彼女が、息子の生活にうるさく嘴（くちばし）を突っ込んでくるような母親であったわけでもない。要は僕の方がそういう年頃だったのだ、と今は思う。

某大手都市銀行に勤め、支店長クラスまで昇進したところでみずから中途退職し、経営コンサルティングの事務所を立ち上げて十二分な成功を収めていた父は、僕が大学三年に上がる年の初めに心筋梗塞（こうそく）で倒れ、いとも呆気（あっけ）なくこの世を去った。享年六十一。母とは十六も年の離れた夫婦だった。

父の急死はもちろん人並みにショックだったし、残された母についても人並みに心配ではあったのだが、僕はその後も同じ場所で独り暮らしを続けることにした。

吉祥寺の家に同居する駿一夫妻と母との折り合いは、すこぶる良かった。駿一は父の片腕として優秀な働きをしてきた才覚の持ち主でもあるから、事務所の経営や家のことは彼に任せておけば心配ない。水那子は父の死後、都内の某女子短大に入学したのだが、そのまま家にいて自宅通学することになった。そんな状況だったので、特にそこで僕が実家へ戻る必要も生じなかったのだった。離れて住んでいると云っても同じ東京都内だから、大事があればいつでも駆けつけられる。

その頃の僕にとっての最優先課題は、何よりもまず大学での研究生活だった。学部を卒業したあとは同じ大学の院へ進むことを、早くから僕は希望していた。そのための勉強や実験、さらには進学後に取り組むつもりでいる研究テーマの問題などなどで、正直云って頭がいっぱいだったのだ。感謝すべきことに、そういった現在と近未来の生活が充分に保障されるだけの財産を、父は僕にも遺してくれていた。

僕は希望どおり大学院に進み、やりたかった研究を続けることができた。修士課程を優秀な成績で終え、去年の春には博士課程への進学を認められた。その間に恋人もでき、いずれは結婚しようという話も持ち上がってきていた。

ところが……。

「お母さんの様子がね、何だか変なの」

昨年六月のあの日の夜、突然かかってきた水那子からの電話。

「駿一兄さんは、そんなに大騒ぎしなくても大丈夫だろうって云うんだけどね、あたしは少し心配で[illegible]お兄ちゃん、一度こっちに来てみてくれないかな」
その訴えに、僕はまず何と応えたのだったか。どのような言葉の組み合わせでも[illegible]て、それに応じたのだったか。

正確には思い出せない。

一年以上も前のことなのだから当たり前だろう、とは思う。思うのだが、しかし――。

正確には思い出せない。正確には……ただそれだけのことなのに、そんなのは誰にでもあることだと重々分かってるのに、今の僕はどうしても、そこに過剰な〝意味〟を見出そうとしてしまう。半ば妄想めいた不安と焦りが、そうして僕の昏く狭い心の中にまた一つ、歪んだ小さな波紋を描いてしまうのだ。

3

何がどう変なのか――と、恐らく僕は訊き返したのだろうと思う。

「何がどう変なんだい」

……そう。きっと僕はそのように云ったのだ。正確にそのとおりの言葉だったのか、確信はやはり持てないけれど。

「あのね、今日の夕方にお母さん、優太君のことを『森吾ちゃん』って呼んでたの」

と、水那子は事態を告げた。

優太というのは駿一が妻、文子(あやこ)との間にもうけた一番目の子供の名前だった。母にとっては孫――血のつながりはないわけだが――、僕や水那子にとっては甥(おい)っ子。去年の春、小学校に入学した優太には、ひかりという名の二歳下の妹がいる。

「ちょっと呼び間違えただけだろう」

とりあえず僕は、そんなふうに云ったように思う。

「ぼんやりしていて、単に」

「何度もそう呼んでたんだよ。優太君、きょとんとしちゃって。どこに森吾叔父(おじ)さんがいるんだろう、って」

「ふうん。けどそれは……」

「それだけじゃないの。お母さんったらね、一緒にいたひかりちゃんのことを、今度は『ミナちゃん』って。あたしを昔そう呼んでたみたいに」

目の前にいる孫たちの名前と、すでに成人している息子と娘の名前を取り違えて呼んでいた、ということか。確かにまあ、そんな場面を目撃してしまえば、水那子が不安な気持ちになるのも致し方ないかもしれない。そう思った。

「[illegible]見て水那子、母さんに何か云ったわけ」

「うん[illegible]でしょ、お母さん』って。『優太君とひかりちゃんでしょ。どうしちゃったの』って訊いたの」

「そしたら？」

「そしたら――」

水那子は浮かない口調で答えた。

「『えっ』って声を上げて、一瞬ぽかんとした顔で……それからね、何だか憂鬱そうに首を傾げながら、『あらあら、そんなこと云った？』って」

「――ううん」

僕は低く唸ったように思う。

「やっぱり単にぼんやりしてて間違えただけなんじゃあ？　たとえば別の考えごとをしていたりして、何かのタイミングでとんでもない錯覚をしてしまうみたいなこと、僕もよくあるけどな」

「――うん。でも」

「他にも何か」

「どうもこの頃、妙に物忘れが激しいような気がするの、お母さん」

「来年の八月でもう五十なんだから、物忘れもだんだん多くなってくるさ。父さんが死んでまる四年半経って、やっといろんな面で落ち着いてきて、それでホーッと気が抜けちゃったんじゃないかな」

「そんなものかなあ」

「度忘れは誰にでもあることだろう。いつだったかほら、父さんが家の中で眼鏡を探しまわってたことがあったろ。自分がいま掛けている眼鏡を探して、『私の眼鏡はどこだ』ってさ。みんなで大笑いしたの、憶えてないかい」

「あ、うん。それ、あたしが中学の時だっけ。そりゃあね、あたしだって、その手の莫迦みたいな探し物をしちゃうことはたまにあるけど」

「だろ？」

「でもね、そういうのとはちょっと様子が違うように思えるの、お母さん。こないだの夜も、その日はもうみんなお風呂に入ったあとだったのに、またお風呂の用意を始めようとしたり。どうしたのって訊いたら、やっぱりちょっとぽかんとして、『ああ、そうだったわねえ』って、憂鬱そうな声で。あたしの結婚式の日取りにしても、最近になってしょっちゅう何日だったか訊き直されるしさ。普通忘れないと思わない？」

「――ううん」

「つい一、二ヵ月前には、こっちがびっくりするくらいお母さん、いろんなことをよく憶えてたんだよね。あたしや駿一兄さんが忘れているような話をあれこれ、凄く細かいところまで思い出して聞かせてくれたり。昔のことだけじゃなくて最近のことも。先週の何曜日の何時に誰それがああしたこうした……みたいな感じで、何だかほんとにびっくりしちゃうくらい、正確に。ほら、ゴールデンウィークに帰ってきた時、お兄ちゃんも驚いてたじゃない。お母さんから何か昔の話を聞いて……」

——バッタが。

「——ああ」

その時のことを思い出しながら、

——バッタの飛ぶ音が。

僕は拍子遅れの応答をした。

「うん、そう云えば」

「それが急に……だからね、よけい心配になっちゃって」

「心配っていうのは、つまり——」

まさか、と内心呟きながら、僕は訊いたように思う。

「母さんがもう惚けはじめたんじゃないか、とか？　四十代の終わりで、もう？」

「よく知らないんだけど、そういうのもあるんでしょ、病気」

……そう。そんな会話をひとしきりしたことを、僕は憶えている。憶えている。

これは重要な問題だ。一言一句正確に、というわけにはやはりいかないけれども、こうしてちゃんと詳しく思い出すことができる。思い出せる。僕の脳が正常に機能している、その証拠だ。

とにかくもう少し様子を見てみよう、という無難な結論を二人の合意として、その電話での水那子との話は終わった。「一度こっちに来てみて」という彼女の要請に対しては、結局うやむやな返事しかしなかった。

実験や論文や学会や恋愛や……自分自身の生活がとても忙しかったから。面倒臭かったわけだ、要するに。水那子の挙式の際にどうせ会うことになるから、という気持ちもあった。あの時はだから、近い将来に今のような事態が待ち受けていようとは、ゆめゆめ思っていなかったのだった。

母のおかしな言動・挙動は、その月の末に水那子が結婚して吉祥寺の家を離れた後、目に見えてエスカレートしていったという。

近しい人間の名前を間違えたり思い出せなかったり、いつも同じ場所にしまってある家の鍵や自分の財布をえんえんと探しまわったり、その日にみずからが行なったばかりのことや人と話したことを簡単に忘れてしまったり……。

夜中にいきなり電話がかかってきて、「水那子が学校へ行ったきり戻ってこない」と泣きつかれたこともある。夏が終わり、季節が秋に移ろう頃にはとうとう、父がまだ生きているという思い込みに従って、「もうすぐ会社から帰ってくるから駅まで迎えにいく」などと云いだしたりして、これはいよいよ放っておけないという話になった。

駿一夫婦と相談の上、とにかく医者に診てもらおうと決めた。昨年の十月初めのことだった。その際に連れていったのは三鷹市内にある某公立病院で、まず内科の診察を受け、そこから同じ病院の老人科に回され……そうしてその結果。

「いわゆる初老期痴呆の一典型」

「恐らくは早発性のアルツハイマー病」

そんな診断が、担当医の口から告げられたのだった。

4

――〈痴呆〉とは？

いったん正常に発達した知能が、後天的な脳の器質的障害のせいで持続的に低下した状態。記憶、計算、見当識、判断力などの知能低下を基底として、感情面・意欲面の低下も伴い、さらには言語機能も低下する。経過は一般に非可逆的で、種々の行動異常や精神病様症状を起こすことも多い。

――〈初老期痴呆〉とは？

四十代から五十代のいわゆる初老期に起こり、進行性の痴呆症状を呈する脳変性疾患の一群。早発性アルツハイマー病、ピック病、クロイツフェルト＝ヤコブ病などがこれに含まれる。

大学の図書館の、普段利用する専門分野とはまるで異なる書架の前に立ってとりあえず得た、ささやかな知識――。

初老期痴呆の中でもピック病は、記憶障害より先に人格変化が起きることを特徴とする原因不明の疾患だという。それまで正常だった人が急に不潔で怠惰になったり、反社会的行為に及んだりといった人格水準低下の状態を示すようになるわけだが、これは母の症状とは明らかに違う。

クロイツフェルト＝ヤコブ病はヨーロッパの狂牛病騒ぎで一般にも名が知られるようになった痴呆症で、その原因はプリオンという感染性を持った特殊蛋白質にあることが、近年の研究によって判明してきているという。症状の進行が相当に速いことから、当初はこの病気の可能性も検討されたらしいが、脳の画像診断や脳波の検査などの結果、それはすぐに否定された。

他にも瀰漫性レビー小体病とかクレペリン病、進行性皮質下膠質症、進行性核上麻痺などといった見慣れない病名が医学書には並んでいたが、どれも母の症状には当てはまらないという。頭部外傷や中毒性障害、内分泌障害などの既往症も、母にはない。ＭＲＩによる詳細な検査で、脳血管にも異常がないと確認された。

そうすると残る可能性はアルツハイマー病だけということになる。実際、昨年の六月以降の母の変化は、医学書に記述されているその病気の臨床経過をほぼ忠実になぞったものであるように、僕には思えた。

――〈アルツハイマー病〉とは？

　そもそもは一九〇七年、ドイツの医師アロイス・アルツハイマー氏が記載した症例に付けられた名称。大脳組織に老人斑（はん）と神経原線維変化が生ずることで痴呆化が進行する原因不明の変性疾患で、四十代から五十代にかけて発病する。当初これは、それまで〈老年痴呆〉と呼ばれてきた老年期の痴呆症とは別物として扱われたが、後に老年痴呆の患者の脳にもアルツハイマー病と同様の病変が存在すると判明し、両者は基本的に同じ病気ではないかと見られるようになった。以来、両者を合わせて〈アルツハイマー病〉とし、前者を〈早発性アルツハイマー病〉、後者を〈晩発性アルツハイマー病〉と呼び分ける立場がある一方で、両者を合わせて〈アルツハイマー型痴呆〉とし、前者を〈アルツハイマー病〉、後者を〈アルツハイマー型老年痴呆〉と呼び分ける立場もある。

――〈早発性アルツハイマー病〉とは？

　六十四歳以前に発病するアルツハイマー病のことを早発性アルツハイマー病と呼ぶ。平均発病年齢は五十二・二歳で、女性にやや多い。比較的急速に進行する痴呆と人格崩壊を主症状とし、大まかに云って以下のような経過を辿る。

第一期＝次第に記銘・記憶障害を中心とする知的障害が出はじめ、空間失見当、多動、徘徊などが現われる。

第二期＝失語、失行、失認などの巣症状が顕著になり、筋固縮、歩行障害、痙攣などの神経学的症状も目立つ。

第三期＝高度の痴呆に陥り、寝たきりになり、失外套症状に近い状態になり、全身衰弱などで死亡する。

「波多野さんの場合、多動や徘徊などの症状はほとんど出ていないようですが、その辺は患者さんによってたいへん個人差があるものですから」

駿一夫婦と僕と、事情を知らされて嫁ぎ先から駆けつけた水那子の前で、担当の医師はそのように語った。十月も下旬に入ったある日のことだった。

「晩発性に比べて早発性のアルツハイマー病は進行が速い、というのも事実です。かつてはまったく原因不明で治療方法もなかったのですが、最近ではだいぶ研究が進んできていて、ある程度進行を遅らせる効果を持った薬も開発されています。と云っても、それで治るわけではない。あくまでも進行を遅らせるだけで……ですから、基本的にはやはり不治の病だという話になります。最終的に死に至ることは避けられないという」

「あとどのくらいの時間が、彼女には——母には残されているのでしょうか」

と、質問したのは駿一だった。医師はわざと感情を押し殺したような声で答えた。

「全経過に四年から六年、という例が多いようです。しかしこれも個人差が著しいので、一年で亡くなってしまう場合もあれば、二十年も生きられる場合もある」

「母の場合は？」

「まだ何とも云えませんね。一般的なケースに比べると、かなり進行が速いようにも思えますが」

「——そうですか」

苦しげに唇を嚙む駿一の隣で、義姉の文子は黙って俯いていた。僕の隣では水那子が、しきりにハンカチで目頭を押さえていた。そう記憶している。

「当面は在宅で介護を、ということになるわけですか」

まっすぐに背筋を伸ばし、駿一が訊いた。医師はいったん頷いたが、そのあとちょっと首を捻りながら僕たちの方を見直し、

「ただ——」

慎重に言葉を選ぶ調子で告げた。

「波多野さんについては、多少その、気に懸かる所見が二、三ありまして」

「と云いますと」

「念のために、と云うべきでしょうか、一度別の先生に診てもらった方が良いのではないかと」

そして医師が紹介してくれたのが、T＊＊医科大学病院の精神神経科だったわけだ。

主治医は若林研太郎(わかばやしけんたろう)という名の、駿一よりひとまわりほど年上の助教授だった。縁なしの丸い眼鏡を掛け口髭(くちひげ)を伸ばし、少々偏屈な学者然とした風貌(ふうぼう)の彼は、紹介状を持って初めて僕たちが病院を訪れたその時から、非常に興味深げな眼差(まなざ)しで母を見ていた。

何日もにわたるあれこれの検査の後、若林助教授から母の入院を勧められたのは、約一ヵ月後——町がそろそろクリスマスに向けて賑(にぎ)わいはじめる時季のことだった。

5

どの道をどのように辿(たど)ってきたのか、よく憶(おぼ)えていない。いや、憶えていない、のではない。考えごとをしながら、どの道をどのように、という問題はあまり意識せずに歩いてきたから。だからはっきりとは分からない。それだけのことだ。——そうだ。

人通りや車通りの多いエリアを避けつつ、漠然とした方向感覚を頼りに歩きつづけるうち、やがて何となく見憶えのある公園沿いの道に出た。時刻は午後八時前。まだ夜は始まったばかりという頃だった。

先ほどの激しい雷雨のせいもあるのだろう、あたりは閑散としている。たむろする若者たちの姿も浮浪者の姿もない。街灯の白々とした光の下、公園内に立ち並んだ木々や植え込みはすべて真っ黒なシルエットに見えた。

そんな中、体内時計の狂ったアブラゼミが何匹か鳴いている。この夜に決して静寂をもたらすまいとするかのように。目に映る風景とその鳴き声との不協和がいったん気になりはじめると、僕の心の内側でも何かしら嫌な軋み音がしはじめる。

しばらく公園に沿って歩いていくと、セミの声に混じって、何だろうか、人のざわめきのような音が聞こえてきた。見やると、公園の隅の一画の、あれはたぶん公衆トイレの建物だろう、その手前あたりにいくつもの人影がある。そこに集まって、何ごとか騒いでいるふうなのだ。

何だろう。

何か喧嘩か、あるいは事故でもあったのだろうか。

僕は速足になって先へ進み、いくらかためらいを覚えつつも、人影の集まっているその場所に近寄っていった。

「……ひでえな」

「救急車はまだ……」

「警察にはもう……」

飛び交う男たちの声が。

「……助かるのか」

「いやあ、こりゃあもうどうしようもなかろう」

「おい、下手に動かさない方がいいぞ」

何だ？　やはり何か……。

集まっていたのは六、七人だった。ある地点を中心に、それをやや遠巻きに取り囲むような形で輪を作っている。

僕はその輪の間に黙って身を滑り込ませ、そして……見た。

真っ先に目に飛び込んできたのは、よりによってその顔だった。

いったいどんな凶器によって傷つけられたのか、口の両端が頬にかけて、見るも無惨に切り裂かれている。否応(いやおう)なくあらわになった歯や歯茎はもちろん、頬も鼻も額も、完全に白眼を剝(む)いてしまった両の目も、傷口から噴き出した大量の血で赤黒く染まっている。

「子供だぜ、まだ。小学生だろう」

「……ひでえ」

「可哀想になあ」

「何でこんな……」

「救急車はまだかぁ」

「無駄さ。とっくに死んじまってる」

「ったく、ひでえことしやがる」

「まともな人間の仕業じゃないな」

「誰か見た奴はいねえのか」

「おおい、警察ぅ……」

血みどろになって仰向けに倒れている子供の身体が、そこにはあった。――死んでいる。あんなに顔をずたずたにされて、その上、とどめとばかりに首の動脈をざっくりと断ち切られて。

呻き声すら出せなかった。

片手で口許を押さえながら、僕はよろりとあとずさる。宙を泳ぐような恰好で後ろを振り返ると、公園の上の夜空が目に入った。風に流された雲の合間から今、ぼんやりと月影が覗いている。

――あれは上弦の月。

若くて美しかった母の声が、遠い日の記憶の中から。

――あれは上弦の……。

ああ、違う。あれは上弦の月じゃない。ほとんど満月に近い形の、あれは……。

雲間から緩やかに降り注ぐ月光。その下に広がる公園の暗がり。そこかしこにひっそり

　　　　　　　　　　　　　　　　　――バッタが。

とうずくまった闇のどこかにふと、子供を切り刻んだ何者かがまだ潜んでいるような気がしてきて、

　　　　　　　　　　　　　　　　――バッタの飛ぶ音が。

僕は思わず両手で耳を塞ぐ。

――あれはヒトの血の色。

――ヒトの身体の中を流れている血の、あの真っ赤な色と同じ。

ああ、違う。それは月じゃない。夕陽だ。熟れきったオレンジとリンゴをどろどろに溶かし合わせたような色の、あの。

――怪我をして、身体からたくさん血が外に出ちゃうとね、ヒトは死んでしまうの。

――死んでしまうの。血まみれになって、動かなくなってしまって。

血まみれになって、動かなくなってしまった子供が、今そこにいる。子供をそんな目に遭わせた何者かも、今そこに、その闇のどこかに……。

　　　　　　　　　　　　　　　　――バッタが。

……そいつはきっと、汚れた黒い服を身にまとっている。そしてそいつにはきっと、そうだ、首がないのだ。そいつはみんなを切り裂きにやって来る。そいつは母さんを、いや、今度はこの僕を切り裂きにやって来る。そいつは……。

——バッタの飛ぶ音が。

バッタの音が——ショウリョウバッタが飛ぶ時のあの音が、血に染まった夜のどこかから突然、けたたましく響き出し、響き渡る。

うわあっ！　と度を失った悲鳴を上げ、僕はその場から駆けだしていた。「何だ」「どうした」という人々の声が背後で交錯する。甲高いサイレンの音が接近してくる。鋭利な赤いライトの回転が見えてくる。するとそこに、

——光が。

いきなり目も眩むような白い閃光が降りかかり……。

——真っ白な閃光が。

……僕は逃げる。

物狂おしいほどの恐怖に憑かれて、必死で逃げる。

第3章

1

クラクションの音が続けざまに二度、短く鳴り響いた。何かと思って振り向くと、黄色いハザードランプを点滅させたスポーツカーが一台、歩道沿いに停まっている。個性的なオレンジ色のボディに黒い幌、左ハンドルの小洒落たオープン2シーター。フィアット・バルケッタ、か。

無視して先へ進もうとすると、今度は人の声が聞こえてきた。

「波多野君？」

はたのくん……僕を呼ぶ声？

「ねえ、波多野君じゃないの」

誰だろう。聞き憶えがあるようなないような、それは若い女性の声だった。

再び振り向くと、同じスポーツカーの窓から運転者が顔を突き出している。どうやら声の主はあの人らしいけれど……あんな車に乗っている知り合いなんていただろうか。

「ああ、やっぱりそうだ」

と云って、運転者はこちらに向かって手を振った。

「おーい波多野。波多野森吾ぉ」

ゆっくりと車が前進し、僕の真横まで来て停まる。そうしてまた運転席の窓から突き出された顔は――。

「うっす。お久しぶり」

若い――たぶん僕と同い年くらいの――女性の顔。赤茶に染めたショートヘアに、薄くレンズに色の入った小振りな眼鏡が、ちょっと嫌味なくらいさまになっている。立ち止まった僕の方をまっすぐに見て、愉快そうに微笑んでいる。

この顔、そして声……確かに僕は知っている。彼女は、しかし誰だったろうか。――思い、い、い出せない？　まさか。そんな。

「どうしたの。幽霊でも見たような目で」

小首を傾げながら云って、彼女は運転席のドアを開ける。通りを走ってくる別の車のヘッドライトが逆光になって、歩道に降り立ったその姿が一瞬、何か得体の知れないものの影に見えてしまう。

僕は慌てて首を振り、視線を上方へと逃がす。夜空の雲間で、月が蒼い光を滲ませている。そう。もちろんあれは上弦の月ではない。ほとんど満月に近い形をした、あれは……。

そこで、記憶がつながった。呆気ないほどにすんなりと。——大丈夫。大丈夫だ。あまりにも突然だったから、とっさには思い出せなかっただけだ。誰にだってあることだ。気にする必要はない。

膨れ上がった不安と焦りがすっと消え、同時に「ああ」と声が洩れた。

「何が『ああ』よ。波多野君でしょ。それともわたしの人違いかな」

「——いや」

僕は緩くかぶりを振り、やや目を伏せ気味にして応えた。

「悪い。髪、染めたりしてるから……ぴんと来なかった」

彼女の名は唯、藍川唯という。小学校時代の同級生であり、なおかつ同じ大学の同期生——学部は全然違ったが——でもあった。大学卒業後は某中堅出版社に就職して、前に会った時には確か文芸書籍の編集部にいると云っていた。

「ふうん。こんなところでこんなふうにして出会っちゃうものなんだなあ。狭いね、東京も」

「——ああ、うん」

「にしても、ほんとにどうしたの。何だか呆然としちゃってさ」

軽く腕組みをして、唯は僕を見据えた。

「顔色、良くないみたいだけど。どこか具合でも悪いの」

「いや。そういうわけじゃあ」

答えながら、僕はそっと胸に手を押し当てる。心臓の鼓動がまだ速い。さっきの公園を飛び出してこの大通りに出るまで、無我夢中で走ってきたためだった。

どこをどう走ってきたのかは分からない。冷静になって振り返ってみれば、バッタの飛ぶ音も白い閃光も、きっと僕の気のせいだったに違いない。あんな凄惨な事件現場にいきなり出くわしてしまった、そのショックがもたらした幻聴・幻覚の類だったのだろうが、さっきはとにかく怖くて、恐ろしくて、あの場から逃げ出したい衝動をどうしても抑えることができなかったのだった。あそこにいた他の人々は皆、そんな僕を見ていったい何ごとかと訝しんだに違いない。

「これから何か用事？」

訊かれて、僕はまた緩くかぶりを振り、

「別に」

と言葉を付け加えた。

「そっか。じゃあまあ、車に乗って」

「え？」

「せっかく久しぶりに遭遇したんだからさ、お茶くらいつきあってよ。住んでるところは今も高田馬場界隈？」

「――うん。ずっと同じ部屋に」

「あとでちゃんと送り届けてあげるから。さあさ、乗って乗って」

否も応もなく背を押され、バルケッタ――確かイタリア語で「小舟」という意味だ――の助手席に坐らされた。

きびきびと運転席に着いてハンドルを握る唯の横顔を窺いながら、相変わらずだな、と僕は思う。

彼女は昔から――小学校で同じクラスだった頃から――こんなふうだった。元気が良くて押しが強くて、何ごとにもポジティヴで行動的で、時々の状況と折り合いをつけるのが上手で……そんな彼女のありようが時として、僕にはたいそう羨ましくも思えたものだった。

もしも彼女が今の僕の立場に立たされたならば、いったいどのようにして状況と折り合いをつけるだろうか。教えてもらいたい気が、ふとした。

2

「バイクにはもう乗ってないの？」

「——あ、うん」

「どうして」

「——何となく」

「前に乗ってたアメリカンは？　ホンダのSTEED」

「手放したよ。車検通すのが面倒でもあったし。——半年以上前になるかな」

「あんなに好きだったのに、バイク。ふうん、そんなものか」

「まあ、いろいろと心境の変化もあって。バイクは今でも好きだけど」

唯が運転する車の中での会話。小気味の良いハンドル捌(さば)きで「小舟(バルケッタ)」を操りながら、彼女は以前とまるで変わるところのない屈託のなさで、あれこれと話を振ってきた。

「いつ以来だっけ、会うの」

「ええと、それは」

「就職してから一度、波多野君の研究室に行ったこと、あったでしょ。担当していた作家先生の、取材のお供で。あれからずっと会ってなかったよね。電話で何度か喋(しゃべ)っただけ」

「一年と十ヵ月ほど前だね。一昨年(おととし)の十一月初め。僕が修士論文で苦労していた時期だったから」

「ほとんど二年、か」

そう呟（つぶや）くと、唯はハンドルから片手を離して口に当て、大きな欠伸（あくび）を一つした。

「早いなあ、時間経つの。やんなっちゃう」

「眠いの？」

「慢性的睡眠不足。編集者の職業病かもね。あ、でも運転は大丈夫だから。心配しないで」

「いや、心配は別に」

「何か元気ないね、波多野君」

「――そう見える？」

「さっきは顔色、真っ青だったし。何かあったわけ」

「――ちょっと嫌なものを見てしまって」

「嫌なもの？」

「ああ。――公園で子供が、血まみれになって倒れていた。誰かに刃物で襲われたらしくて、顔をずたずたにされて……ひどいありさまだった」

「何、それ」

唯は鋭く眉（まゆ）をひそめ、不快感をあらわにした。ちらっと助手席の僕の方へ視線を流しながら、

「それで波多野君……」

「怖くなって逃げ出してきたんだ。あんなの見たの、初めてだったし」

「犯人は？　何でそんなこと」

「知らないよ。いわゆる通り魔殺人、なのかな。明日の新聞にはたぶん詳しく載るだろ」

「現場から逃げ出した不審な大学生風の男がいた、とか」

「やめてくれよ。洒落にならない」

「亜夕美さんっていったっけ。二年前、研究室で紹介してくれた彼女」

と、いきなり唯は話題を変える。僕は虚を突かれた気分で、フロントガラスの方を向いたまま曖昧に頷いた。

「お似合いだったよね。おんなじ分野の研究者で、彼女もきっと才能がある人なわけでしょ。それでいて、何て云うか、お淑やか系の色白美人だったし……わたしが云うのも変だけど、ああ、これは波多野君にぴったりのタイプだろうな、って」

僕は黙って下唇を噛む。それに気づいてか気づかずか、

「その後どうなのよ、彼女とは」

と、唯は訊いた。

「結婚も考えてる、みたいなこと云ってたじゃない」

「――そんなこと云ったかな」

不器用に受け流して、僕はシャツの胸ポケットから煙草を取り出す。

「車内禁煙？」

お伺いを立てると、唯はつんと澄ました顔で前方を見据えたまま、

「特別に許可します」

と答えた。

3

唯が愛車を乗り入れたのは、目白台の一画にあるシティホテルの駐車場だった。

何年か前にゼミの先輩の結婚式があって、ここには一度足を踏み入れたことがある。くたびれたシャツにブルージーンにスニーカーといった普段の僕の風体では、ちょっと入るのがためらわれるような高級ホテルだったけれど、唯はまるで気にするふうもなく、ロビー階の奥にあるラウンジに僕を引っ張っていった。

広大な庭園に面した窓際のテーブル席に落ち着くと、唯は迷うことなくカンパリソーダを注文した。ウェイトレスが去ったあと、「車だろ」と釘を刺した僕に対し、

「ご心配無用」

そう応えて、彼女はあっけらかんとした笑みを見せた。

「知らなかったっけ、波多野君。うちの家系ね、肝臓のアルコール分解能力が異様に高い

の」

うちの家系……か。

他意もなく発せられたに違いないその言葉に、僕の心はつい過敏な反応をしてしまう。きりり、とどこかで不穏な音が軋(きし)む。

やがて運ばれてきた二つのグラス——僕の方はアイスコーヒーを頼んだのだが——を軽く打ち合わせたあと、

「研究の方は着々と進んでるわけ？」

おもむろに唯がそんな質問をしてきた。思わず僕は彼女の視線から目をそらし、小さく首を横に振り動かした。

「この春から行ってないんだ、大学には」

「えっ」

「休学届けを出してね。今は学習塾で、子供相手に理科とか数学を教えてる」

「ええっ」

よほどびっくりしたのだろう、唯は眼鏡の向こうで目をまん丸にして、

「何で。どうしてそんな」

「まあ、いろいろとそれなりの事情があって……」

「でも、波多野君」

「すっかり気力が失せちゃって。――そういうこともあるさ。研究を続けるだけが人生じゃないし」

つまらない台詞だと承知しつつも、半ば自分に云い聞かせていた。無理をして微笑を作ろうとしたが、きっとぎこちない自嘲にしかならなかったことだろう。

「何があったのよ」

喰ってかかるように唯が訊いた。頬がほんのりと紅潮している。アルコールのせいだけではないのかもしれない。赤毛の仔ギツネとでもいった雰囲気だな――と、その時ふと思った。

「波多野君がそんなふうに云うなんて、いったい」

僕は何とも答えず、アイスコーヒーにストローを差し込む。ミルクもシロップも入れずに飲むにはいささか苦すぎる味だった。

「さっき訊かれたけど、つきあってたあの娘、中杉亜夕美とも」

目をそらしたまま僕は、極力何でもないふうを装って云った。

「もう別れたんだ。それもこの春……休学するちょっと前くらいに」

今度は「えっ」などと声を上げることはしなかったが、それでもやはり唯はびっくりしたように目をしばたたいた。そんなに彼女――亜夕美と僕とは「お似合い」に見えたのだろうか。今となってみると何だかひどく絵空事めいた感じがする。

「ねえ、波多野君」

唯はテーブルに身を乗り出し、物怖じするところのない眼差しで僕の顔を見つめた。

「いったい何があったの。どうしてそんなことになっちゃったわけ」

「…………」

「ねえってば」

「――まあ、いろいろと」

「無理やり訊き出そうとは思わないけど。でも……」

ラウンジ内ではピアノの生演奏が始まっていた。席が近いせいで音が大きすぎて、静かな声での会話には少々邪魔になる。聴き憶えのあるスロウなジャズのナンバー。曲名はしかし、思い出せない。――いや違う。思い出せないのではない。初めからちゃんと記憶していなかっただけだ。そうだ。

唯は口を噤み、僕は煙草をくわえた。

何をどのように、どこまで彼女に話したら良いものか。話したいと自分は思っているのか。考えても、きちんとした解が出るような問題ではもちろんないのだけれど。

物憂いピアノの音に包まれながら、そこにいる唯の姿は紫煙に巻かれて後退し、僕は意識の半分で回想に沈み込む。

4

去年の十月、三鷹の病院で母が早発性アルツハイマー病の診断を受けてまもなく、僕はひそかにある気懸かりを抱きはじめた。母の病状そのものや、家族が今後直面していくであろう現実的な諸問題を憂う気持ちとはまた別に。

それはつまり……。

——〈家族性アルツハイマー病〉とは？

アルツハイマー病の患者が一つの家系に複数名出た場合、これを〈家族性アルツハイマー病〉と呼び、〈家族性〉ではないものを〈孤発性アルツハイマー病〉と呼ぶ。欧米では、全アルツハイマー病の約半数が〈家族性〉であるという報告があるが、日本における〈家族性〉の割合は欧米のように高くはなく、〈孤発性〉が九割を占めると云われている。

——〈遺伝性アルツハイマー病〉とは？

これまでの研究により、家族性アルツハイマー病の約五十パーセントについては、その原因遺伝子の存在が判明——すなわち〈遺伝性〉であることが確定——している。一番染色体上のプレセニリンII遺伝子、十四番染色体上のプレセニリンI遺伝子、十九番染色体上のアポリポ蛋白E遺伝子、二十一番染色体上のアミロイド前駆蛋白遺伝子、の四つがそれで、これらは遺伝において優性となる。

アルツハイマー病関係の文献を幾冊か読んで、そんな記述を見つけた。書き方のニュアンスや示された統計的な数値は、本によって多少の差異があるものの、要するにこの病気は親から子に遺伝する可能性がある、ということだ。

たとえば両親のうちの一人が家族性アルツハイマー病の原因遺伝子を持っていたなら、子供には二分の一の確率でその遺伝子が受け継がれる。常染色体優性遺伝の場合、一対の相同染色体のうちの片方に問題の遺伝子が乗っていれば、それによってその病気が引き起こされてしまうことになる。以前よりアルツハイマー病の患者数が非常に多かったアメリカでは、すでにこの研究成果を基にした遺伝子診断が一般的に行なわれはじめているともいう。

日本では欧米に比べて〈家族性〉の頻度はずっと低いようだけれども、決して皆無であるわけではない。歴史的背景などを鑑みれば、そこには統計上の誤差が相当に含まれているはずだという指摘もある。

だからつまり——。

母の血を継ぐ僕や水那子も、ひょっとしたら母と同じアルツハイマー病の原因遺伝子を保持しているかもしれないわけだ。もしも母の病気が〈家族性〉でなおかつ〈遺伝性〉のものだったとしたならば、僕も水那子も、それぞれ二分の一の確率で。

僕は思い出す。

昨年のゴールデンウィーク、久しぶりに吉祥寺の家に顔を出した時のことを。

今にして思うと確かに、あの時期の母の様子は何だか妙だった。その後に現われた病状とはまったく逆に、彼女はあの頃、周囲の者たちを戸惑わせるほどの、実に旺盛な記憶力を示していたのだ。

「あたしや駿一兄さんが忘れているような話をあれこれ、凄(すご)く細かいところまで思い出して聞かせてくれたり。昔のことだけじゃなくて最近のことも、先週の何曜日の何時に誰それがああしたこうした……みたいな感じで、何だかほんとにびっくりしちゃうくらい、正確に」

水那子はそのように云っていた。

「ほら、ゴールデンウィークに帰ってきた時、お兄ちゃんも驚いてたじゃない。お母さんから何か昔の話を聞いて……」

そう。そうだった。

あの時、僕は居間でコーヒーを飲みながらぼんやりとテレビを——何かのドキュメンタリー番組だったと思う——眺めていた。そこへ母がやって来、たまたまブラウン管に映し出されていたどこか山間の小都市の風景を見た途端、唐突にその話を始めたのだった。

——わたしが生まれたのもね、ちょうどあんな感じの、山に囲まれた小さな町だったのよ。

初めて耳にする話だったから、僕はちょっと驚いて母の方を振り返った。

彼女の生まれ故郷は、僕が子供時代を過ごしたあの海沿いの町ではなかったということか。柳という苗字の母方の祖父母の家は、昔からあの土地にあったと聞いていたので、わざわざ確かめてみるまでもなく、母が生まれたのも当然同じ町だと思っていたのだけれど。

——柳のお祖父さんとお祖母さんはね、わたしの育ての親なの。

そう。母はそう云っていた。

——わたしは子供の時、柳家に里子に出されたのよ。まだちっちゃな頃に……ああ、何か急に思い出しちゃったわ。不思議ねえ。わたしが生まれたのは、ああいう山間のひっそりとした町で、おうちはとても広くて古いお屋敷で、お庭には立派な白壁の土蔵が建ってて、そのそばに大きなキンモクセイの木があって。

「養女に出されたのは、物心がついてからだったんだね」

いきなりの打ち明け話に当惑しつつも、僕はそんな言葉を返したように思う。

「何か事情があったんだろうけど。——やっぱり悲しかったりした？」

——悲しい……ううん。

遠くを見るような眼差しをテレビの画面に向けたまま、母はゆるゆると首を振った。

——何だかほっとしたの、憶えてる。

「どうして」

と、僕はすかさず訊いたように思う。

——さあ。

少し困ったような表情で、母は頬に掌を当てた。

——何でかしらねえ。

「母さんの実のお父さんとお母さんは、今はどうしてるの」

——さあ。柳の両親に引き取られたあとは、一度も会ったことないんだけれど。

「一度も？」

——ええ。でも……そうそう、もう何年も前に、ちらっと噂を聞いたわねえ。

「噂？　どんな」

——い、い、あっちの母は亡くなったって。年を取って、あっと云う間に惚けて死んじゃった、とか。

そう答えたきり、彼女はふつりと口を閉ざした。幼少の頃に別れた産みの母親の死に対して、とりたてて深い感慨があるふうでもなく、むしろ冷ややかなくらいに淡々とした様子だった。

　そのすぐあとのことだった、と思う。

　テレビ画面の中央に、どういう番組の流れだったのかは知らないが、細長い緑色の昆虫が大写しになった。それを認めるや否や、母が血相を変えて短い悲鳴を上げたのだ。

　――ああ、バッタが。

　彼女は両手で耳を塞ぎ、強く目を瞑っていた。幼い日の春の昼下がり、レンゲの花が一面に咲き盛る田圃のそばで、僕がちっぽけな昆虫を捕まえて見せたあの時のように。

　――バッタの飛ぶ音が……。

「母さん」

　坐っていたソファから思わず立ち上がり、僕は彼女に声をかけた。

「怖がることはないよ。あれはカマキリだろう？　バッタじゃないから」

　はっと目を開いた母は、何やら呆然とした顔で僕の方を見た。画面からはもう昆虫の映像は消えており、彼女はそろりと視線を飛ばしてそれを確かめると、両手を胸に押し当てて深々と安堵の息をついた。

「思い出しちゃったんだね、また例の〝恐ろしい出来事〟を」

　――あ……そうね。そうなの。

　母はきまり悪げにこうべを垂れた。

――ごめんなさい。ああいう虫の姿を見ると、つい。

「うん、分かってるよ。昔から何度も聞かされてるから。――本当に、よっぽど怖い目に遭ったんだね」

――怖い目に……ええ、そうね。とっても怖かった、恐ろしかった。二度とあんなところへ行くのはいやだって思った。

「あんなところ……あいつが母さんたちに襲いかかってきたっていう？」

――そうよ。あんな恐ろしい思いをするのは、絶対にいや。わたしは必死で逃げ出してきたの。必死で、みんなを残してわたし一人だけで。

「ねえ、母さん」

テーブルからコントローラーを取り上げてテレビを切り、僕はそこでふいと頭に浮かんだ疑問を母に投げかけた。

「バッタが飛ぶと人が死ぬ――っていうあの話は、じゃあ、母さんが柳の家に引き取られるよりも前の？」

――柳に引き取られる前……。

「さっき云ってた生まれ故郷の町で、それが？」

――そう……だと思うけれど。

ゆっくりと頷（うなず）いてから母は、妙に殊勝な面持ちになって再びこうべを垂れた。

——ごめんなさいね、何だかまた取り乱しちゃって。もう何十年も昔のことなのに。この年になっても、あのことを思い出すとどうしても……。

「気にしなくてもいいさ」

そう云って、僕は笑顔を取り繕ったように思う。

「だけど、いったい何だったんだろうね、子供時代の母さんが体験したそれは。もっと具体的なところは、やっぱり憶(おぼ)えていないわけ？」

……………

この時の話を僕は、駿一にも水那子にも詳しく伝えてはいない。だから、恐らくは二人とも、いまだにその事実——母が実は柳家の養女であったという——を知らないでいるのではないかと思う。

5

「お母さん、入院してるのかぁ」

訊かれるままに僕が、今日は学習塾のバイト帰りに母の見舞いに行ってきたのだということを話すと、唯はカンパリソーダのグラスを持ち上げた手をひくりと止めて、そう云っ

た。心配そうに表情を翳らせながら、

「どこがお悪いの」

僕は自分のこめかみを人差指でつっついてみせ、

「ちょっとここの具合が」

わざと冗談めかして答えた。唯はきょとんと目を見張り、

「アタマ?」

「急に惚けが出はじめてね、それで」

「そんな」

彼女は昔、幾度も母と会ったことがある。僕たちがまだ小学生だったあの頃の、若くて美しかった母と。だから……。

「波多野君のお母さん、そんなお年じゃないでしょ。なのに?」

「――うん」

「もしかして――違ったらごめんね――、アルツハイマー病っていう?」

「――ああ。まあ、そのようなもの」

心中の本音を隠した、むしろそれとは裏腹な受け答えを半ば自虐的な気分で続けながら、僕は新しい煙草に火を点ける。唯の姿がまた、紫煙に巻かれて後退する。

6

「つまり波多野さん──森吾さん、でしたか──あなたは、お母さんの病気が自分に遺伝しているのではないか、と恐れておられるわけですね」

鷲鼻(わしばな)の下にたくわえた髭(ひげ)をせわしなく撫(な)でながら、T＊＊医科大学病院精神神経科の若林研太郎助教授はそう云った。縁なしの丸眼鏡の向こうからは、「知性的な」とも「冷徹な」とも形容できそうな細い目が、髭を撫でる手つきとは正反対の落ち着いた視線を、向かい合って坐った僕の顔に注いでいた。

昨年の十二月初めに母の入院が決まった、あれはその直後のある日のこと──。

僕は意を決し、駿一夫婦にも水那子にも内緒で、主治医の若林助教授に連絡を取ってみたのだ。そうして「折り入ってご相談したいことが」と告げたところ、明日にでも病院へ来るようにという指示が、予想していたよりもすんなりと返ってきたのだった。

指定された時間に指定された部屋を訪れ、僕は率直に自分の懸念を話した。母の産みの母親がかつて「惚けて死んだ」らしいということ。だから母のアルツハイマー病は〈家族性〉のものなのではないかということ。──これ以上自分一人で不安を抱え込んでいても仕方がない、とにかく専門家の意見を求めるべきだ、と考えたわけだった。

僕の話を聞いた助教授の呑み込みは、さすがに早かった。手許に置いた母のカルテにちらりと目を落としたかと思うと、すぐに「つまり波多野さん」と切り返してきたのだから。

「押さえなければならない点はまず、お母さんのお母さん――あなたのお祖母さんが、どのように『惚けて死んだ』のか、ということですね。『惚けて死ぬ』にもいろいろあります。それはご存じでしょう」

「――はい」

「アルツハイマー病については、ご自分でかなり調べたりされた？」

「いくつか文献を当たって、それなりの知識は」

「なるほど。あなた、お仕事は何を」

「大学院に在籍しています。今年の春、博士課程に」

「研究者のタマゴ、ですか。ご専門は？」

「理工学部で、航空力学を」

「ほほう」

若林助教授は眼鏡の奥の細い目をいっそう細めて僕の顔を見つめ、それから再び手許のカルテに視線を落とした。

「仮に亡くなったお祖母さんの『惚け』が早発性アルツハイマー病だったのであれば、お母さんのアルツハイマー病が〈家族性〉である可能性は相当に高くなります。その場合はどうしても、子供への遺伝の問題を無視するわけにはいかない」

「――やはりそうですか」

「〈家族性〉でなおかつ早期発症型のアルツハイマー病に関しては、これまでの研究によって三種類の原因遺伝子が判明しています。この遺伝子が染色体に乗っている人間は、遅かれ早かれ発病する運命にある、という厳しい云い方もできるわけですが」

「三種類？」

僕はおずおずと聞き直した。

「四種類と書いてある本もあったように」

「十九番染色体のアポEですね」

助教授は口髭を撫でる指を止め、血の気の薄い唇の片端をわずかに吊り上げた。

「それが因子として関与するのは、〈家族性〉については晩期発症型だけなのですよ。早期発症型の場合は一番と十四番、二十一番、この三つに限られるのです。分かりますか」

「ああ、はい」

「あまり専門的なあれこれは抜きにして、ここはお話ししましょう。波多野……森吾さん、あなたはお母さんの病気の原因遺伝子が自分の中にもあるのではないか、と不安に思っておられる。お兄さんと、それから妹さんもいらっしゃいましたね。お二人についても、事態はまったく同じということになります」

「兄は――」

思わず僕は口を挟んだ。

「彼は、母の実子ではないんです。死んだ父の連れ子で、だから」

「おや、そうでしたか」

若林助教授はしかつめ顔で、眼鏡のブリッジに中指を押し当てながら、

「すると当然、お兄さんは除外されます。あなたとあなたの妹さん、お二人の問題だということになりますが」

僕は神妙に頷いた。ブリッジに指を当てたまま、助教授は続けて云った。

「あなたの不安を解消するためにできる手立てとして、たとえば遺伝子診断という方策があります。ご存じですね」

「――はい」

「まずお母さんの染色体を検査して、そこに問題の遺伝子異常が存在するかどうかを調べる。存在しなければそれで良し。お母さんのアルツハイマー病は〈家族性〉ではない、すなわち〈孤発性〉であると見なして良いだろう、という話になります。逆に、もしも原因となる異常が存在したならば、その段階であなたと妹さんの染色体に同じ異常があるのかどうかを調べる。それでとにかく、シロクロははっきりするわけです」

「……………」

「アメリカではすでに、若年性の糖尿病やある種の癌などと同様、アルツハイマー病についてもこのような発症前診断が日常的に行なわれつつあります。もっとも、結果がシロと出れば良いが、クロと判定された当人はさらに深刻な悩みに直面せねばならない。その心のケアをするため、向こうでは遺伝子カウンセラーという専門職が存在したりもします。日本でもここ数年来とみに注目されてきている分野ですが、発症前診断についてはいろいろと医療倫理の問題がつきまとうので、慎重を期すべきだという意見が多いようです。いずれはしかし、さまざまな病気について頻繁にこの手の診断が実施されるようになるだろうという予測は、容易に成り立ちます」

二十歳以上も年下の若造が相手であっても、助教授はあくまで丁寧な言葉遣いを崩さなかった。それによってこちらは、かえって何だか突き放されたような気持ちになってしまうのだけれど。

「ところで、森吾さん」

同じ調子で、助教授は僕に訊いた。

「私が何故、お母さんの入院を強く勧めたのかお分かりですか」

「何故って、それは……」

「病状の進行がかなり速いようだから、というのも理由の一つではあります。しかし打ち明けた話、現在の段階でもう病院に入っていただくというのは、アルツハイマー病ではあまり一般的でない処置なのです。当面はまだ在宅で介護・看護していただいた方が良い、という判断をたいていの専門医は下すことでしょう」

「そうなんですか。じゃあ……」

「それに、これは少々云いにくいことなのですが、この種の疾患は入院によってむしろ進行が速まってしまう、という見方もあるのです。もちろん入った病院の環境にもよるのですが」

「じゃあ、どうして」

「三鷹の病院から私のところへは、何と云って紹介されることになったのです？　あちらの先生は、具体的にどのように」

訊かれて、僕はその時の医師の説明をのろのろと思い返しながら、

「何でも、そう、二、三気になる所見があるからと。だから別の先生に診てもらった方がいいと、そんなふうに云われて」

「そうです」

と応えて、若林助教授は深々と頷いた。

「気になる所見が、確かにお母さんにはあるのです。ですから……」

「どんな所見なのでしょうか、それは」

僕が尋ねるのには答えず、助教授は自分の言葉を続けた。

「重要な問題ですので、近々ご家族にはきちんとご説明申し上げねばならないと考えていました。入院される当日にでもゆっくり時間を取って、と。そこへ昨日、あなたの方から連絡をいただいたものですから、今日こうしてお会いすることにしたわけです」

「何を——」

相手の心の内がどうにも見えなかった。肺胞の気体交換能力が急低下したような気分で、僕は口をぱくぱくさせた。

「何をおっしゃりたいのですか、先生」

「さっき遺伝子診断の話をしましたが、私の考えでは、仮にそれを行なってみたところで恐らく結果は何も得られないだろうと」

「何も得られない？」

どのように受け取ったら良いものか、僕は戸惑うしかなかった。

「どういう意味ですか」

「十中八九、お母さんの染色体からは、現在知られている家族性アルツハイマー病の原因遺伝子は見つからないだろう、という意味です。あなたや妹さんについても同じです。調べてみても何も異常は発見されないでしょう」

「それじゃあ……」

「しかしながら、だからと云って、お母さんの病気はすなわち孤発性アルツハイマー病であるという結論にもならない」

「……え？」

僕は混乱する頭を小刻みに振った。

「でも、それは」

さっきの説明とはまるで矛盾するではないか。いったいどんな理屈で話がそうなってしまうのか。

「初めに伺ったお祖母さんの話には、大いに興味をそそられます。どのような惚け方・亡くなり方をされたのか、分かるものならばぜひ知りたいところですが」

「どういうことなんですか、先生。僕にはまるで……」

若林助教授はそこで、ちょっと居住まいを正して僕の顔を見据えた。

「〈蓑浦＝レマート症候群〉という名称が現在、一部の研究者や専門医の間で共有されています。〈白髪痴呆〉などと呼ばれることも多い。ご存じないでしょう」

「白髪……」

首を傾げながらも、僕は思い浮かべざるをえなかったのだ。病状が進むにつれてめっきり白くなってきている、母の頭髪のことを。助教授は云った。

「蓑浦＝レマート症候群、通称白髪痴呆。波多野千鶴さんの病気はアルツハイマー病ではなく、それではないかと考えられるわけなのです」

7

「いつからお母さん、病院に」

　唯は憂患の面持ちで、けれど必要以上に気後れしたり遠慮したりするふうもなく僕を見つめる。僕は立て続けに煙草を吹かしながら、

「去年の十二月から、ずっと」

　必要以上に何気ないふうを装って答える。

「どこの病院に」

「T＊＊医科大学病院」

「西新宿の？」

「うん。あそこの精神神経科に」

「お元気……なのかな。つまりその、病気の進み具合とか」

「あんまり良くないみたい」

「——そう」

　唯はやや目を伏せ気味にして、カンパリソーダのグラスを口に運ぶ。さっきのような頬の紅潮はもう見られず、むしろ蒼白（あおじろ）いくらいの顔色だった。

「そのうちわたしも、お見舞いに行っていいかなぁ」

目を上げ、唯がそう云った。僕はちょっと驚いて彼女の表情を見直し、その申し出が決してこの場での社交辞令ではないことを了解したのだけれども、

「やめた方がいい」

とっさに口を衝いて出たのは、そんなぶっきらぼうな台詞だった。

「会わない方がいいよ、あの人には」

「何で」

唯は唯で、僕の反応に驚いたようだった。

「どうして、波多野君」

「藍川が知っている母さんとは、まるっきり違ってしまっているから。会ってもきっと嫌な気分になるだけだから」

「そういう問題じゃないでしょ」

「僕や妹が誰かも満足に分からないようなありさまなんだ。いきなり藍川が訪ねていっても、見慣れない看護婦が来たなとでも思われるだけさ」

「痴呆症の患者さんには、何か刺激があった方がいいって話を聞いたことが。だからわたし……」

「おんなじさ。どのみち時間の問題。治る見込みのない病気だしね。長く保ってもあと半

年、と今の医者には云われてる」

唯は何ごとか反論しようとしたが、思いとどまったように軽く唇を噛み、再び目を伏せ気味にしてグラスを口に運ぶ。ラウンジの薄暗い空間に流れる、相変わらずの物憂いピアノの旋律の中、僕たちはしばらく気まずい沈黙を続けた。

「ねえ、波多野君」

やがてそろりと、唯が訊いた。

「お母さんの病気のことが気に懸かって……それでやる気、なくしちゃったりしたわけなの？　休学して、塾の講師なんか」

「——別に」

短く答えて、僕はゆっくりと瞬きをする。唯は重ねて訊いた。

「彼女と別れちゃったっていうのも、ひょっとしてお母さんの件と関係して？」

何とも答えず、僕はほんのわずかに首を振る。肯定なのか否定なのか、唯には受け取りづらかったに違いない。もう何ヵ月も会っていない中杉亜夕美の面影がその時、脳裏に滲んでいびつに揺れた。

「波多野君の気持ちは分かるけどさ、でもそれって」

「分かる？」

唯の言葉を思わず遮って、そんな訊き返し方をしてしまった。

「分かる？　本当に？」

「うん。だからね、波多野君は……」

「分かってない、と思う」

我れながら、にべもない物云いだった。唯は当惑するばかりだったろう。

「分かってない？　そうかなぁ」

「分かるはず、ないから」

「そんなふうに云われても」

唯はまた軽く唇を噛んで声を途切れさせたが、すぐにすいと背筋を伸ばして、

「じゃあ波多野君」

敢然とした調子で云った。

「わたしにも分かるように説明してよ」

射るような視線を、唯はまっすぐ僕の顔に固定する。僕は黙って脇へ目をそらす。——ああ、彼女ならばどのように折り合いをつけるのだろうか。現在の僕が置かれたこの状況と、どうやって。

「あんなに研究研究って云ってたくせに」

「……………」

「あんなに熱心に打ち込んでいたくせに。あんなに……」

「………」

「お母さんがそういう状態になって、辛いのは当然だよね。でも」

云いかけてまた、唯は口を噤んでしまう。「わたしだって」と、もしかしたらそう続けたかったのかもしれない。彼女は確か幼い時分に母親を亡くしている。何か不慮の事故でと聞いた憶えがある。だから……。

情けない話だな、とも思う。

自分より先に親が死ぬのはごく当たり前のことだ。時期の問題はあるにせよ、たいがいの人間が普通は必ず経験することなのであって……僕にしても父が逝った時には、もちろんそれ自体は大いにショッキングで悲しい出来事だったが、同時にどこか醒めた目で事態を客観視している自分自身を保つこともできたのだ。けれど今回の場合は……。

僕は唯に気取られぬよう低く溜息をつきながら、灰皿で煙草を揉み消したその手で前髪を掻き上げる。もつれた髪が指に絡まって、かすかな痛みとともにぷつんと切れた。

下ろした手に何気なく視線を落とす。いま切れた髪の毛が、中指に絡みついている。振り払おうとして、そこで気づいた。その髪の毛の色に。

「あ……」

思わず声が零れてしまった。

「ああ……そんな」

僕は眼前に手を持ち上げ、指に絡んだ髪の毛に目を寄せる。——黒くない。色素がすっかり抜け落ちてしまった、これは白髪ではないか。

テーブルの中央に置かれたキャンドルの炎が揺らめき、指に絡みついたその白毛がやおら、何だか生き物じみた動きを見せた——ように思えた。糸状の白い寄生虫の、ねっとりとした嫌らしい蠢きにも似て。

「——何？」

唯が怪訝そうに首を傾げる。

「どうしたの」

「……あ、いや」

うろたえを隠しきれず、僕は手を拳に固めて椅子から立ち上がった。唯はいよいよ怪訝そうに、

「どうしたのよ、波多野君」

「ちょっと……トイレに」

そう云い置いて僕は席を離れる。酒を飲んでもいないのに、ふらふらとおぼつかない足取りで。

8

「トイレ」と云ったのは嘘ではなかったけれども、尿意を催したわけではない。目的はそこにある鏡だった。

重厚な総大理石の化粧台の前に立ち、壁一面の大きな鏡と向き合った。

いかにも独り暮らしの学生然としたいでたちの、痩(や)せっぽちの影が鏡の中にいる。血の気の薄い、見るからに不健康そうな顔色だった。やつれ気味のため、頬骨の出っ張りがいやに目立つ。尖(とが)った顎(あご)にはまばらな無精鬚(ぶしょうひげ)が。落ち着きのない、ものに怯(おび)えたような目をして……。

……ああ、いつから僕はこんな顔つきになってしまったのだろう。

天然の緩やかなウェーヴがかかった髪を、まめな手入れをすることもなく伸ばしている。

今、鏡に映ったその髪の毛の色は——。

黒い。

白くなどなってはいない。大丈夫だ。大丈夫、僕はまだ。

拳を開き、握り込んでいたさっきの髪の毛を確かめてみる。それはやはり白毛だったけれど、当然ながら蠢いてなどはいない。指に絡みついて切れてしまったのが、たまたま色素の抜けた一本だったという、それだけの話なのだ。その程度のしらがなら、誰にだってある。——そうだ。もちろんそうだとも。

深々と息を落としながら、僕は化粧台の水道栓を捻る。蛇口から迸り出る冷水で、そして顔を洗った。脂でべたべたしていて、水だけで洗ってもなかなかすっきりとはしなかったけれど、それでも気分を持ち直す効果はかなりあったように思う。——が。

備え付けのペーパータオルで顔を拭き、再び鏡に視線を上げた途端。

僕はぎょっと目を見張り、同時に「うう」と呻き声を洩らした。鏡の中からこちらを見つめるもう一人の自分。その頭髪が、たったいま確かめたばかりだというのに、すべて完全な白髪と化しているのだ。

……違う。

慌てて僕は瞼を閉じ、強く大きくかぶりを振る。

違う。これは違う。絶対に違う。

気に病みすぎている。神経質になりすぎている。そう。それは自分でもよく分かっているのだ。だから今日も、帰り道のあの公園で、あんな幻覚まがいのものに振りまわされてしまったのだ。だから今だって、こんな……。

——バッタが。

——バッタの飛ぶ音が。

もっと心に余裕を持たなきゃいけない。できることならば、もっともっと鷹揚に構えた方がいい。でないと僕は……。

そろそろと瞼を開くと、鏡の中には元どおり黒い髪の自分がいた。今さっきよりもいっそう血の気の失せた顔に、泣き笑いのような歪んだ表情を貼り付けて。

だが、ほっとしたのも束の間だった。今度はそんな自分の背後に、ふいと何者かの姿が現われたのだ。

とっさに見て取れたのは、その者の顔だけだった。どんな背恰好でどんな服を着ているのかは、何故かしら認識できない。

——ねえ君、一人なの？

鏡の中に見えるのは、薄茶色のキツネの面だった。僕のすぐ後ろにいて、くぐもった声で耳許に囁きかけてくる。

——ねえ君。

男か女か、大人か子供かも判別できない、これはあの……。

——生きているのは楽しいかい。

……違う。

慌てて再び瞼を閉じる。強く大きくかぶりを振る。

違う。これも違う。絶対に違う。

囁きかける声はすぐに消え失せた。長い呼吸を幾度か繰り返してから、僕は恐る恐る瞼を開く。鏡の中のキツネの面も、その時にはむろん消え失せていた。

深々とまた息を落とすと、僕は化粧台の上に両手を突き、前屈みになって鏡に額を寄せる。そうして間近に迫った自分自身の顔を睨みつけながら、

「ねえ君」

みずからの口で呟いてみる。

「生きているのは楽しい？」

9

「鎌倉で病院経営の傍ら研究を続けておられた故簑浦茂夫先生とアメリカのR・K・レマート博士、二人の報告が数年前、時期を同じくしてなされましてね、それでまあ、〈簑浦＝レマート症候群〉と呼ばれているわけなのですが。〈白髪痴呆〉というのはまさにその名のとおりで、この病気の患者さんはほぼ例外なく、発症後短期間のうちに頭髪が真っ白になってしまいます。ちょうど森吾さん、あなたのお母さんのように」

昨年十二月のあの日、あの時——。

若林助教授は変わらぬ調子で、そんな解説を始めたのだった。

「当初はアルツハイマー病の亜型だろうと見なす向きもあったのです。発症時期はおおむね早くて、二十代の終わりから四十代、遅くても五十代後半。記銘および記憶の障害を中心に知的能力が急速に低下しはじめ、失語や失行、失認などが目立つようになり、やがては種々の神経学的症状も加わりつつ痴呆化が進行します。そうしてついには死に至る。この間およそ一年から二年。大ざっぱに見て、早発性アルツハイマー病と同様の臨床経過を辿(たど)るわけです。ところが――」

言葉を切って、助教授はこちらの反応を窺(うかが)う。僕としてはしかし、とにかく黙って説明を聞いているしかなかった。

「ご存じかと思いますが、アルツハイマー病に冒された脳を患者さんの死後、取り出して調べてみると、二つの特徴的な病理所見が確認されます。一つは多くの老人斑(はん)。脳に沈着した〝シミ〟のようなものですが、この主成分であるβアミロイドという蛋白(たんぱく)質には神経細胞を殺す毒性があって、アルツハイマー病の原因物質として注目されています。いま一つは神経原線維変化と呼ばれる、これは神経細胞内に溜(たま)って固まった〝ゴミ〟のようなもの。いずれも、正常な老人の脳にも多かれ少なかれ存在することが分かってきているのですが、アルツハイマー病の脳においては、これらの所見が特に顕著なのです。

ところが、嚢浦＝レマート症候群――白髪痴呆で亡くなった患者さんの脳には、アルツハイマー病の場合ほど顕著な老人斑や神経原線維変化は見られないのですね。では何故、アルツハイマー病と同様の脳機能の低下が起こってしまうのか。残念ながら、この問題に関する病理解剖学的な見解はいまだ確定されていません」

「それはつまり」

と、そこで僕は質問を差し挟んだ。

「原因がはっきりしていない、ということなのでしょうか」

「原因は、そう、はっきりしていません。アルツハイマー病以外の痴呆症について判明している原因物質、たとえばピック病におけるピック球とかパーキンソン病におけるレビー小体とか、そのようなものもいまだに発見されていない。内因性の疾患であることは間違いないだろうと考えられているのですが、それ以上のところはまだ、ほとんどと云って良いくらい――」

「分かっていない、と？」

「少なくとも原因論的には、そうなのです。従って当面、この病気については症候論的な見地から語るしかすべがないわけで……」

続いて、助教授が僕に見せてくれたものがあった。それは脳を断層撮影した二組のMRI画像で、片方はこの病院における検査で撮った母の脳、もう片方は別のアルツハイマー病患者の脳だという。

「比べてみてください」

X線写真観察器(シャウカステン)に並べて留めた画像を示しながら、助教授は云った。

「アルツハイマー病が相当程度に進行している場合、患者さんの脳にはこのように著しい萎縮(いしゅく)が見られます。これは五十五歳の女性患者のものですが、ご覧のとおり、前頭葉や側頭葉の部分がひどく縮んですかすかになってしまっている。分かりますね」

「——はい」

「一方、そちらはあなたのお母さんの脳ですが、多少の萎縮は認められるものの、こちらと比べれば遥(はる)かに正常に近い。臨床的にはすでに相当以上の痴呆化が進んできているにもかかわらず、この程度の萎縮しか見られないというのは奇妙なことで、これもまた白髪痴呆の特徴の一つだと云われます」

　僕は何をどう考えていいか分からず、シャウカステンの白い光で浮かび上がったその見慣れぬ画像を凝視しつづけた。

　あれが、あの不思議な形で表わされたものが、母さんの脳なのか。あの中に母さんの——あの人の人格が、意識が、記憶が、すべて封じ込められているわけなのか。

「先ほど私は『一部の研究者や専門医の間で共有されている』と、そんな云い方をしました。あまり広く知られてはいないという意味もありますが、一方で、この新しい症候群の概念そのものをいまだに認めたがらない専門家も少なくないのです。内外を問わず、症例報告もまださほど多数は集まっていない。定かでない問題も非常に多い。しかしながら、少なくとも私を含めた幾人もの研究者が、これまで知られていなかった非アルツハイマー型の痴呆症の一つとしてこの症候群が存在することに、強い確信を抱いている。それは確かな事実だと了解してください」

　何となく事情が呑み込めてきた気が、その時したように思う。この助教授が熱心に母の入院を勧めたのは、要はそういうことだったのか、と。貴重な症例研究の材料として、彼はぜひとも彼女を自分の観察下に置きたかったわけなのだ。

「ある症状が白髪痴呆なのか否かを臨床的に判断するに当たっては、主に次のような指標が用いられます」

　若林助教授の説明は続いた。

「その一は最初に申し上げたような、急速な白毛化・白髪化です。後天性の白毛症は毛母メラノサイトの機能が損なわれて起こるものですが、何故それがこの痴呆症に伴って発現するのか、理由は今もって不明です。

　その二として、発症の直前に現われる特異な変化があります。これはすなわち、常人離れして優れた記憶力を突然示すようになるという、そんな変化なのですが」

「ああ……」

　思わず僕は、溜息混じりの低い声を吐き落とした。

「アルツハイマー病の初期段階でも、たとえばその人が絵を描く趣味を持っていたとして、画風が急に変わってしまうとか、それによって絵の芸術性が高まったように見えるとか、そのような変化が認められることがしばしばあります。ですが、これはあくまでも、病気のせいで神経細胞が死滅していく、その〝欠落〟に起因して生じる現象なわけです。対して、白髪痴呆における発症直前の変化は、そういった〝欠落〟の結果とは考えられない。何しろ、一時的にせよ記銘・記憶能力の絶対値が、驚くほどに高くなってしまうという話なのですから。あなたのお母さんの場合もやはりそういうことがあった、と伺いましたが？」

「――はい、確かに」

「何故そんな奇妙な現象が起こるのか、これについても理由はまったく分かっていないというのが実情です」

鷲鼻(わしばな)の下の髭(ひげ)をせわしなくまた撫(な)ではじめながら、助教授はさらに「その三は」と続けた。

「その三は、痴呆化の進行とともに失われていく記憶の順番です」

「順番？」

「現在に近い、新しいものから順番に、記憶が失われていくのです。アルツハイマー病でも基本的にその傾向はあるのですが、白髪痴呆の場合はもっと徹底していて、何と云いますか、それこそ律儀なくらい規則的に、現在から過去へ遡(さかのぼ)っていくという」

……現在から過去へ。律儀なくらい規則的に。

「現在に近い記憶のうち、強度の低い――印象の薄いものがまず最初に消える。その人にとって鮮烈な印象を持つ、強度の高い記憶ほど、順番はあとになるようです。個人史の時系列を逆順に辿りながら、それがいくつもの段階において繰り返されていくという、そんな感じでしょうか」

……強度の高い記憶ほど。順番はあとに。

「その四。アルツハイマー病でよく見られるような、多動や徘徊の症状はめったに現われない、という所見があります。また、たとえばピック病で顕著であるような、急激な性格の変化が生じる例もめったにない。お母さんの場合もそうですね」

「――はい」

若林助教授は手許のカルテを脇に退け、机の上に両肘を突いて指を組み合わせた。そうして相変わらずの、怨めしくなるほど落ち着き払った目で僕を見据えながら、

「その他にも二、三の細かい指標があるのですが、これらのうちのいくつが認められるかによって、症候論的な診断が下されることになるわけです。そしてあなたのお母さんの病状は、いま挙げた主な四つすべてに該当しています。――理解されましたか」

無言のまま、僕は小さく頷いた。助教授は云った。

「先ほどお話ししたような遺伝子診断は、従って意味がないということなのです。アルツ

ハイマー病と違って、白髪痴呆というこの病気については、今のところ原因も発病機序もほとんど分かっていない。仮に遺伝性を持つものだとしても、それに関与する遺伝子がどの染色体に乗っているのかさえ、まだ見当がつかない。ですから……」

無言でまた小さな頷きを返すと、僕はちょっと顔を伏せた後、

「遺伝は、するのですか」

上目遣いに相手の口許を見て尋ねた。

「微妙な問題ですね、それは」

と、若林助教授は答えた。

「微妙……と云いますと」

「これまでに把握されている症例を検討するにつけ、〈家族性〉と見なすべきものが約半数ある、というのが私の見解です。そしてこれらについては、かなりの確率で遺伝性が認められるようである、とも。かたや、〈孤発性〉と見なすべき症例が残り半数を占めることも確かなのですが、では現実問題としてあなたのお母さんはどちらなのかという話になると、現段階では『不明である』としか私には答えられない」

「不明、ですか」

「〈家族性〉かもしれないし、〈孤発性〉かもしれない。可能性は半々でしょう。ですから、当面手がかりになりうるものがあるとすれば、それは亡くなったお祖母さんの件なの

ですね。お母さんの産みのお母さんは、具体的にどのような惚け方をして亡くなったのか。白髪痴呆だったのか、違ったのか。それが判明すれば、少なくともあるレベルの判断材料にはなるはずで……」

若林助教授の診断を信じるならば、母の病気は早発性アルツハイマー病ではない。簑浦＝レマート症候群、通称白髪痴呆。アルツハイマー病とは似て非なる、しかも現時点ではまったく原因不明の奇病なのだ。

遺伝子診断によって確定的な〝宣告〟を受ける可能性がなくなったことを、ある意味での〝救い〟として受け止めれば良いのだろうか。——そうなのかもしれない。この件については、そして、もうあまり深く考えないようにすれば……いや、しかしやはり、そのように思いきってしまうことは、どうしても僕にはできないのだった。

病気の正体がはっきりしない分、不安はよりいっそう増幅される結果になった——というのが僕にとっての現実だった。アルツハイマー病なら日本での〈家族性〉の割合は十パーセント、一方の白髪痴呆は五十パーセント。そんな数字が重くのしかかってもきた。

要するに、根本的な問題には何ら変わりがないということではないか。僕にとっても、水那子にとっても。母の病気は〈家族性〉か否か。すべてはまず、そこにかかっているわけなのだから。

発症の時期は、最も早い例で二十代の終わりだという。僕はもう二十六歳だ。もしも母が〈家族性〉の白髪痴呆で、その病因となる何らかを自分が受け継いでいたならば……。

そういった不安と恐れは、日が経つにつれて膨らんでいくばかりだったのだ。僕の昏く狭い心の中で。抑えようもなく。

10

結局のところ、唯に詳しい事情を話すことはしなかった。いっそ話してしまいたい、そうして彼女の意見を求めたいという思いも持ち上がってきてはいたのだけれど、やはり踏ん切りがつかなかったのだ。

「お見舞い、行ってもいいでしょ」

ラウンジを出る直前になって、唯は再度そう申し出た。僕は先ほどのように「やめろ」とは云わず、黙って曖昧な頷きを返した。

ホテルから出て乗り込んだバルケッタの車中で、唯は「これ」と云って僕に名刺を差し出した。

「前にも渡したと思うけど。この春にちょっと部署異動があったの。携帯電話の番号も変わったし」

「──そう」

「波多野君、ケータイは？」

「持ってる。でも、ほとんど電源は切ったままで」

「何で。意味ないじゃん」

「そうかな。──あんまり好きじゃなくってね。無理やりこの世界につなぎ留められてるような気がして」

「ううん。ま、その気持ちも分からないことはないけどさ」

唯はそして、自分の名刺をもう一枚取り出し、ペンを添えて僕に手渡した。

「いちおう教えてよ、ケータイの番号。ね？」

「ああ、うん」

名刺の裏に番号を走り書きしながら、僕は云う。

「部屋の電話は昔のままだから。たいてい留守番状態になってるけれども」

「Eメールは？」

と、唯が訊いた。

「最近やっと導入したの、マイパソコン」

「休学して以来、もう全然ネットにはつなげてないんだ。使ってたサーバーも大学のだったから」

「ふうん、そっか」

夜空はすっかり晴れている。唯はバルケッタのエンジンをかけると、走りだす前に幌をオープンにした。

夕刻の雨で濡れた木々の匂いが、ひんやりとした風に乗って鼻をくすぐった。心地好いな、とその時、何だかとても久しぶりに、いくぶん心が安らいだような気もする。

バルケッタは更けゆく夜の町を軽快に駆け抜けた。助手席から天を仰ぐと、ほとんど満月に近い形をした蒼い月が、遮る雲のかけらもなく冴え冴えと輝いていた。

——あれは上弦の月。

幼い日の母の言葉が、ふとまた耳に蘇ってくる。

違うよ、母さん——と、僕は心の中で応える。あれは満月。いや、あとちょっとで満月になる、そんな段階の、あれは……。

「元気、出すんだよ」

ハンドルを握る唯が云った。風とエンジンの音に紛れて聞き取りづらかったけれど、わざわざ聞き直す必要もなく、「うん」と僕は頷いた。

「うん。——大丈夫」

「無理して元気そうにふるまうのも問題だけど。今日の波多野君、ちょっと変すぎるよ。これで心配するなって云う方が間違ってる」

「——そうかな」

「あまり思いつめすぎて、中央線を止めちゃったりなんかしたら、怒るからね、わたし」

「——気をつけるよ」

目を閉じるとさまざまな音たちが、風の唸りに混じって聞こえてくる。母の吹き鳴らす草笛。レンゲの海原を駆けまわる子供たちの声。秋祭りの賑わい。神社の境内から流れ出す和太鼓の響き。威勢の良い的屋の口上。そして……ああ、そして。

——バッタが。

バッタが——。

——バッタの飛ぶ音が。

ショウリョウバッタが羽根を鳴らして飛ぶあの音も、そこに。

もういい、と僕は力なく首を振る。

今夜はもういい。バッタの音はもう要らない。降りかかる真っ白な閃光も、追いかけてくる首のない殺人者も、断末魔の悲鳴も禍々しい血飛沫も……もうたくさんなのに。もう僕はまっぴらなのに。

もはやしかし、決してそれらから逃れられないところにまで自分は追い込まれてしまっているのかもしれない。そのことを僕は充分に自覚しつつあった。

第4章

1

北新宿で通り魔殺人？
無惨、小学四年男子
刃物でめった切りに

八月最後の月曜日——三十日の朝刊、社会面にはそんな見出しの文字が躍っていた。僕は新聞を取っていないので、昼前になって行きつけの喫茶店に入った際、それを見た。店に置かれている何紙かの報道内容は、どれも似たり寄ったりだった。

昨夜——八月二十九日の夜、例の公園で殺害された子供の身許は、付近に住む小学校四年生、城戸佳久君と判明。事件発生は同日午後七時過ぎ頃と思われる。被害者は鋭利な刃物によって顔面や頸部を何ヵ所も切られており、発見者の通報によって警察および救急隊が駆けつけた時には、失血のためすでに死亡していた。犯行の目撃者は今のところなし。凶器も現場からは見つかっておらず……。

「警察が到着する直前、現場付近から逃げ出した不審な大学生風の男」に関する記述はどこにもなくて、これを幸いと云って良いものかどうかは分からないが、とりあえず僕は胸を撫で下ろした。

仮に警察の追及を受けたとしても、いくらでも申し開きはできるだろう。殺人事件そのものに関しては、何ら後ろめたいところはないのだから。けれど、そんなふうにして事件にこれ以上の関わり合いを持ってしまうこと自体が、僕にはとても耐えがたかったのだ。叶うならばもう、あの夜あそこで見た無惨な光景をすべて記憶から取り出し、完全に自分から切り離してしまいたい。切実にそう思っていた。

八月が終わり、その週が後半に入っても、これといった新たな展開がマスコミで伝えられることはなかった。刑事たちが僕を訪れてくることもなかった。あの夜のあの光景はしかし、いっこうに僕の心から消え去ってはくれず、それどころかいっそう生々しい恐怖を伴いつつ脳裏に居坐りつづけるのだった。

そのせいで、毎晩のように夢も見た。もちろんひどい悪夢ばかりを。共通のモチーフとディテールを持った、どれも同じような形の悪夢ばかりを。

僕は逃げ惑っている。

ここは古い病院か、あるいは大学の研究棟の中だろうか。明りの消えた長い廊下を、急な階段を、息を切らせて独り逃げ惑いつづけている。

執拗に僕を追いかけてくる者が、いる。あいつだ。汚れた黒い服を着た男……いや、もしかしたら女なのかもしれない。男なのか女なのか、外見だけでは判断しがたい。何故ならば、あいつには顔がないから——首がないからだ。

あいつの手には、ぎらぎらと邪な光をたたえた刃物が握られている。それを頭上に振りかざし、あいつは僕を追ってくる。

逃げても逃げても、振りきることができない。僕はこんなに必死で走っているのに。あいつの方はあんなに悠然とした歩みなのに。

突然に激しい閃光が降りかかり、世界が真っ白になる。同時に鳴り渡るのは、雷鳴ではない、あのバッタの音だ。

けたたましく空気を震わせる、ショウリョウバッタの羽根の音。

足を竦ませた僕の視界を、いっせいに飛び立った無数の昆虫の群れが埋め尽くす。僕はたまらず叫ぶ。子供の——名も知らぬ大勢の子供たちの悲鳴が、そこに重なる。

僕は耳を塞いで立ち尽くす。

するといきなり眼前に、ずしんと倒れ落ちてくる子供の身体。仰向けに転がったその子の顔面は惨たらしく切り刻まれ、傷口からとめどもなく鮮血が噴き出している。安物のゼンマイ仕掛けのおもちゃのように、手足がびくびくと痙攣している。みずからの血にまみれて赤黒く染まった子供の髪が、しかし次の瞬間、見る見る色を失って白くなっていき……。

……嫌だ。

もうやめろ。

「……やめろ」

自分の声で夢から覚めることも珍しくはなかった。

「やめろ。やめてくれ……」

目覚めてベッドの上で身を起こしてもなお、僕は両耳に掌を押し当てたまま何度も首を振りつづけるのだった。まるで、そう、病院にいる母の狂乱がそのまま自分に乗り移ってしまったかのように。

そしてそのあと、僕は必ず洗面所へ行って鏡を覗き込む。自分の髪の毛が今しも真っ白になろうとしているのではないかという、ほとんど神経症的な恐れに囚われて。

——ねえ君。

覗き込んだ鏡の隅にふと、例のキツネの面を見てしまうこともある。

——ねえ君、一人なの？

きつく目を閉じて「違う」と云い聞かせれば、すぐに消えてはくれるのだけれど。

下落合の公園に惨殺死体
被害者はまたしても小学生男子
佳久君殺しと同一犯か？

そんな記事を見つけたのは、最初の事件が起こってから一週間後のこと。九月五日、日曜日の朝刊だった。同じ日の夜、水那子から電話があった。出産予定日は今月の十九日なのだが、どうやらそれよりも多少早く生まれそうな感じだという連絡だった。

母胎内の子供の性別はとうに判明しているそうだが、訊いても水那子は「内緒よ」と云って教えてくれない。事前の診断で、身体に目立った障害がないことも確かめられているらしい。

「無事に産んで、早くお母さんに会わせてあげなきゃ」

ちょっと疲れている様子ではあるけれども、受話器から聞こえてくる水那子の声は基本的に明るくて澱みがなかった。

「初めての実の孫だもんね、お母さんにしてみたら」

母の病気が〈簑浦＝レマート症候群〉すなわち〈白髪痴呆〉であるという事実は、水那子も、それから兄の駿一もすでに知るところだった。しかしその病気の遺伝可能性を巡る問題については、僕はいっさい彼らに話していない。話すことができないでいる。若林助教授の口からも、その件に関してよけいな情報は伝えられていないはずだ。

昨年の秋、母の病状の深刻さが決定的になった時点で、水那子はなるべく早くに子供を作る決心をしたのだという。痴呆化が進んで完全に何も分からなくなってしまう前に、お母さんに孫の顔を見せてやりたいから、と。そんな彼女に対して、どうしても僕は云うことができなかったのだ。母さんの病気は遺伝性のものかもしれない、だから子供を産むのはやめておけ、などとは。

それでいい、良かったんだ——と、少なくとも今は思っている。はっきりと確かめるすべのない未来の可能性について、こんな出口なしの不安や恐怖に苛まれるのは、この僕一人でたくさんだから。

2

飾り気のない灰色の壁を背景に、大勢の子供たちの顔が整然と並んでいる。——この春からアルバイト勤務している某中堅学習塾の、「有名中学受験コース」に集められた高偏差値の生徒たち。小学生を教えるのはあまり気が進まないのだが、塾側の要請で、このクラスの理科だけは僕が受け持たされている。

彼らはまだ小学校四年生だ。二年半も先の中学受験に備えて、週三回この塾に通ってくる。学校の授業だけでは物足りない……いや、それだけではなかなか入試をパスできないという思い込みを抱かされて集まった秀才たち、か。

各々の学校ではどうなのか知らないけれど、定員二十名のこの教室の、ささやかな教壇の上から見渡す生徒たちの様子は、おおむねとても真面目で行儀が良い。中には眠そうに目をこすっている子もいるし、ぼんやり窓の外を眺めている子もいるが、私語で教室がざわつくようなことは決してない。講師が話しはじめると熱心に耳を傾け、板書の文字を几帳面に書き写し、質問をすれば競って手を挙げる。——実に真面目で行儀が良い。この国で最も権威があるはずの会議場で野次や居眠りにいそしむ大人たちに、少しは見習ってほしいものだと思ったりもする。

けれど、その一方で。

時としてそこに、子供たちのそんな様子に、どうにも名状しがたい違和感を覚えてしまうのは何故だろうか。たとえば「子供らしくない」などという紋切り型の感覚とはまた異なる、この……。

彼らの心は、本当のところはどこに向いているのだろう。彼らの目は、教壇に立つ僕の動きを注視するその裏で、いったい何を見ているのだろうか。

自分が彼らと同じくらいの年齢だった頃のことを、僕はそろそろと思い出してみる。小学校四年生と云えば、満九歳か十歳か。もう十六、七年も昔。あのころ僕は……。

最前列の右から二番目の席が空いていることに、ふと気づいた。

いつもその席に坐っている男の子の、いかにも利発そうな顔と名前を僕は憶えていたのだが、教室中を見渡してみても今、彼の姿はない。そう云えば前回――一週間前の水曜日にこのクラスを教えた時にも、彼の姿は見えなかったように思う。

「そこの席の子は……ええと」

記憶しているはずの名前がとっさに浮かんでこなくて、僕はひどく焦る。――思い出せない、ない？　まさか。

「ああ、ええと……」

教卓の上に置いたバインダーをおろおろと開き、このクラスの名簿を探す僕に、

「嶋浦くんですか」

空席の隣に坐っている太っちょの男の子が教えてくれた。

「ああ、そう。そうだ、嶋浦君」

僕は平静を取り繕いながら、

「嶋浦充君、だったね。どうしたのかな、彼は。この前も来ていなかったろう」

「学校にも来てないんです、嶋浦くん」

太っちょの男の子──確か宮原という名だったと思う──から、すぐにそんな答えが返ってきた。どうやら二人は同じ小学校に通っている友だち同士らしいが。

「もう何日も、ずっとお休みで」

その口振りにはしかし、友だちの安否を気遣うような響きはさほど感じられなかった。

「どこか具合が悪いのかな」

「さあ」

「何も聞いていないの、君は」

太っちょはすぐに「はい」と頷いたが、そのあと少し間をおいてこう続けた。

「でもきっと、いなくなっちゃったんじゃないかなあ、嶋浦くん」

「いなくなった？」

「はい」

「どういう意味かな」

僕は眉をひそめて訊いた。

「引っ越しでもしちゃったのかい」

それともひょっとして、家出とか。あるいは……。

一瞬、日曜日に新聞で見た下落合の事件のことが頭を掠めた。──が、違う。あの記事で伝えられていた被害者の氏名は、「嶋浦充」とは別のものだった。

太っちょは何とも答えず、ちょっと唇を尖らせながら僕の足許に目を向けている。「そんなの、どうでもいいじゃない」とでも云いたげな醒めた色がそこに見えてしまって、僕はいささか混乱した。

慌てて他の生徒たちの様子も窺ってみる。どの子供の顔にもやはり、同じような表情が貼り付いている。

何なのだろう。

僕はいよいよ混乱した。

どういうことなのだろうか、「いなくなった」とは。いったい……。

——だって、あるでしょ、そういうの。

整然と席に坐った子供たちの背後からおもむろに何かが立ち上がり、声なき声で僕の疑問に答えはじめる。

——別に珍しいことじゃないもの、いなくなるのって。

珍しいことじゃない。そうなんだろうか。

——そうだよ。今さら何をそんなに不思議がっているの。

「いなくなる」のは、どうして。どうしていなくなるんだ。

——いたくなくなるから。それだけ。ほんとは分かってるんじゃないの？

いっ、いっ、いっそ自分の方が……。

――いなくなったって、そのうちすぐに忘れちゃうしね、みんな。

いっそ自分の方が、この世界から消え去ってしまいたい。

――先生の頃もあったでしょ、同じようなこと。忘れちゃってるだけだよ。

忘れちゃってるだけ？　ああ、そういうことなんだろうか。忘れちゃってる……いや、違う。そんなことは絶対にない。僕は忘れてなどいない。僕は忘れなどしない。僕は憶えている。僕の記憶はこんなにしっかりとしている。細かいところまで何でも思い出せる。修得した知識にも紛れはない。だから学習塾の講師もきちんと務まる。髪の毛だって黒い。白くなってはいない。僕は……。

「最近、何やら物騒な事件が続けて起こっているからね、君たちも帰り道には気をつけるんだよ」

乾いた咳払いを一つすると、僕は口調を改めてそう告げた。子供たちは揃って無言の頷きを返す。教卓から理科のテキストを取り上げながら、僕はそっと腕時計に目をやって今日の日付と時刻を確かめる。――九月八日水曜日、午後六時十分。

3

「こんばんは。波多野森吾君の留守電、だよね。わたし、藍川です。えっと……昨夜はほんと、奇遇だったね。つきあってくれてありがとう。何だか大変そうだけど、あんまり深刻になりすぎちゃいけないよ。また電話します」

——八月三十日月曜日、午後八時十四分。

「あ、藍川ですけど……その後どう？　元気にしてる？　あのさ、何かわたしにできることとかあったら、云ってよね。どうも心配で放っとけないんだよね、波多野君のこと。気が向いたら連絡してみて」

——九月二日木曜日、午後二時三十分。

「うっす、藍川です。もう……ほんとにいつも留守電なのねえ。ケータイにはさっぱりつながらないし。メッセージ、ちゃんと聞いてくれてる？　おーい、波多野くーん。生きてるかぁ。そんなとこで沈没するんじゃないぞぉ」

——九月五日日曜日、午後五時二十三分。

「藍川です。ちょっといろいろ話したいこともあるから、そのうちマジで一度、連絡くれないかな。ほら、お母さんのお見舞いの件も相談したいし。ああ、でも明日の午後からわたし、しばらく出張で東京を離れちゃうんで……そうだなぁ、帰ったらまたこっちから電話してみます。それじゃ……」
――九月七日火曜日、午後十一時五分。

あの夜の偶然の再会から昨夜までの間に、僕の部屋の留守番電話には藍川唯からのメッセージが四件入っていた。僕はしかし、まだ一度もこちらから彼女に連絡を取ろうとはしていない。

彼女とまた話をしてみたい気持ちは、決してなくはないのだ。自分が置かれたこの状況について、いっそのこともっと詳しく彼女に打ち明けてしまおうかという思いも、それで事態がどのように変わるわけでもないだろうが、確かにある。けれども電話をかけ直そうかどうしようかと迷ううち、結局のところはいつも、別にどうでもいいような気分になってしまうのだった。

四件目――昨夜のメッセージが留守電に吹き込まれた時には、僕は部屋にいた。電話機のそばにいて、モニタースピーカーから流れ出てくる唯の声をリアルタイムで聞いていたのだ。その間、幾度か受話器に手を伸ばしかけたのだが、取り上げようと決意する寸前に電話は切れてしまったのだった。

彼女は――唯は今頃、どこにいるのだろうか。出張で東京を離れると告げていたが、いったいどのくらい遠い土地へと向かったのだろう。

この二、三年、考えてみたら僕はどこにも旅行に出ていない。学部生時代にバイクを手に入れたばかりの頃は、よくあちこちへツーリングに行ったものだったけれど。最後に東京都外へ出たのは、あれはいつのことだったろうか。

4

午後八時五十分、というその時刻を、教室の壁に掛けられた時計と自分の腕時計とで確認すると、

「あと十分です」

黙々と与えられた問題に取り組んでいる生徒たちを見渡しながら、僕は静かにマニュアルどおりの文句を告げる。

「もうできた人も、念のために答案を見直すこと。つまらないミスを残してしまわないように」

水曜日の勤務で割り当てられている三つ目の授業――中学二年生クラスの数学。今日この時間の僕の仕事は、月に一度行なわれている実力テストの試験監督だった。

東中野(ひがしなかの)の駅近くに建つ十三階建てのビル、その八階にこの教室はある。ちょうどテストを開始した頃からだろうか、外では雨が降りだしていた。窓の向こうはとうに暗くなって

いるが、そばに行ってガラスに顔を寄せれば、降りしきる雨の線がはっきりと見て取れる。

激しい雨だった。

先月末に母の見舞いに行ったあの時のことが、おのずと脳裏に引き出される。病室を訪れたあの夕刻の、あの激しい雨。窓辺の花瓶やテーブルのグラスを震わせた、あの突然の雷鳴。そして――。

ひいっ……という母のかぼそい悲鳴が、僕の耳に蘇る。それにタイミングを合わせたかのように、その時。

おどろおどろしい雷鳴が、実際に窓の外で轟き渡った。

驚いたのは僕だけではない。瞬間、教室中がざわついた。ごく自然な反応だったが、すぐにしかし、生徒たちの注意は机の上の数学の問題に立ち戻る。よけいな私語はいっさい交わされない。実に真面目で行儀の良い動きだった。

答案用紙の上を滑る芯先の音。シャープペンシルのノックボタンを押す音。エアコンから吐き出される冷風の音。外では降りつづく雨の音……。

何秒かのインターバルをおいて、最初より幾段も大きな雷鳴が降りかかった。僕は思わず身を縮ませた。窓の外が一瞬、稲光で蒼白く染まったようにも思う。

異変はその直後に起こった。

いきなり教室内の明りがすべて消え、真っ暗になってしまったのだ。停電だ。

テスト中のことだったのでさすがに慌てたが、幸い明りは数秒で元に戻った。ざわめきと安堵の息が、生徒たちの口々から洩れた。

明滅を繰り返しながら白い光を取り戻す、天井の蛍光灯。エアコンも元どおり作動しはじめる。

「大丈夫みたいだね。さ、続けて」

促しながら、僕は教卓のそばに戻る。卓上に片手を突き、もう片方の手を額に当てて小さく緩く頭を振る。それから改めて、答案作成に没頭する生徒たちの様子を見渡す。——と、そこで。

僕は愕然と目を見張った。

教室の一番後ろの、生徒たちを挟んで僕と真正面に向き合った位置に、それまでそこにいなかったはずのものが出現していたのだ。

……あれは。

全身が凍りつく思いだった。

あれは——あいつは……。

たった今まで土砂降りの雨に打たれていたかのような、ずぶ濡れの黒い服。両手には黒い手袋を嵌めている。どちらかと云うと痩せ気味の、中性的な体軀に見える。両肩の間の、本来そこから首が生えている部分より上方は、何やら得体の知れない真っ黒な靄に包み込まれている。その中にそいつの顔があるのかないのかは、だから判然としないのだが――。

そいつは今、確かにそこにいる。

生徒たちはしかし、誰もそのことに気づいていない。

僕は必死で叫ぼうとする。生徒たちに向かって「逃げろ」と命じようとする。――が。

いくら必死になってみても、どうしても声が出ない。身動きしようとしても指一本、満足に動かせない。

なすすべもなく瞠目しつづける僕の存在など意にも介さず、そいつはおもむろに、最後列に坐っている生徒の背後に歩み寄っていった。左手を伸ばし、その生徒の髪の毛を鷲掴みにして、強引に椅子から腰を引き剝がす。生徒は声一つ上げられない。

そいつの右手には、邪な光をたたえた何かが握られている。立ち上がらせた生徒の蒼ざめた頰に向かって、その手が近づいていく。そうしてそれが皮膚に触れた途端、真っ赤な血があたりに飛び散る。たったそれだけのことで噴き出したとはとても信じられないような、大量の血飛沫。傷つけられた生徒は、それでもやはり声一つ上げられないでいる。

机が、椅子が、床が、天井が、噴出する血で見る見るうちに赤く染まっていく。近くの席の生徒たちにも鮮血は降りかかる。――なのに。

彼らは依然、何ごとにも気づいていないかのようだ。行儀良く席に着いたまま、黙々と答案用紙に向かっている。

頬を切り裂かれた生徒はやがて、耳を切り落とされ、鼻を削ぎ落とされ、目を片方ずつ刺し貫かれ……文字どおり血だるまになってその場にくずおれた。

そいつはやおら、僕の方に身を向ける。頭部があるはずの場所に黒々とわだかまった靄の中から突然、キチキチとけたたましい音が響き出してくる。……ああ、これは。

——バッタが。

やっとの思いで腕を持ち上げ、僕は両手で耳を塞ぐ。

——バッタの飛ぶ音が。

「……やめろ。やめてくれ」

引きつった喉から絞り出した自分の声で、はっと呪縛が解けた。

僕は教卓のそばに立っていた。片手を卓上に突き、もう片方の手を額に当てて小さく緩く頭を振っていた。

外では激しい雨の音が。遠くから低い雷鳴が。——目を上げると生徒たちみんなが、訝しげにこちらを見ている。

時限終了のチャイムが鳴りはじめた。

5

この日の勤務を終え、帰りに乗ったビルのエレベーターで、何人かの生徒たちと一緒になった。理科を教えている例のクラスの小学生たちも、その中には混じっていた。宮原という名のあの太っちょの顔も見える。

一階のエレベーターホールに出たところで、小学生のうちの一人が「先生」と話しかけてきた。度の強そうな黒縁眼鏡を小さな鼻の上に載せた、見るからに脆弱な身体つきの男の子だった。名前は確か……。

「波多野先生、大学で難しい勉強をしてるんでしょ」

「ああ、うん」

僕は少々戸惑いつつも、なるべく穏やかな声を作って、

「今はちょっとお休み中なんだけどね」

「どんな勉強をしてるんですか」

何でいきなりそんなことを訊いてくるのだろうか、この子は。――妙な気もしたし、今となってはあまり進んで話したくない事柄でもあったけれど、ここで質問を無視するわけにもいかない。

「翼について、だよ」

答えながら、僕は我れ知らず目を細めていた。

「空を飛ぶものの翼」

子供は――この子の名はそう、竜田（たった）というのだったか――きょとんとした顔で、「飛行機の？」と小首を傾げる。

「まあ、そうだね。飛行機の翼がその代表格かな」

「翼の勉強？」

「いろんな形の翼をね、考えてたんだ」

「ふーん」

エントランスの方へ流れていく生徒たちの一団から、例の太っちょが「おおい」とこちらに向かって手を挙げる。僕と話している男の子への、それは呼びかけらしかった。

「あ、行かなきゃ」

呟（つぶや）いて子供は、提げていた重そうな鞄（かばん）を肩に掛け直す。

「ありがとう、先生」

その場から駆けだそうとする子供を、今度は僕の方が呼び止めた。

「君、ちょっと」

「――はい？」

「ほら、嶋浦っていう子の話がね、今日の授業の最初で出ただろう。あれってどういう……」

「いなくなっちゃったんですよね、嶋浦くん」

そう云って、子供は太っちょの方にちらと視線を飛ばす。僕は続けて訊いた。

「気にならないの？　彼が何故いなくなったのか、どこへ行ってしまったのか」

子供はすると、今さっきまでとは打って変わって、何だか変に醒めたような、それでいてどこかしら寂しげな面持ちになり、

「さあ……別に」

素っ気なくそう答えた。

「それじゃあ先生、さようなら」

ことさらのように行儀良く挨拶をして、僕のそばから離れていこうとする。

「ちょっと待って」

思わずまた、僕は呼び止めた。ゆらりとこちらを振り向くその子の顔に、身を屈めて自分の顔を寄せながら、

「ねえ君」

と、僕は云った。

「生きているのは楽しい？」

唐突なそんな問いかけに、彼の方は内心きっと驚いたに違いない。だが、あからさまな動揺を見せることはなく、

「はい、楽しいです」

こともなげにそう答えた。

――ほんとに楽しい?

――ねえ君……。

「さようなら先生」ともう一度云って、子供は小走りに去っていく。エントランスの一団に追いついて太っちょの横に肩を並べると、二人して僕の方を振り返り、軽く会釈をした。

――ねえ君。

――生きているのは楽しいかい。

――ほんとに楽しい?

――ねえ君……。

「そんなわけないじゃん」

今にも彼ら二人の口から、揃って同じ言葉が吐き落とされそうな気がして、僕はその場に佇んだまま、何時間かぶりの煙草に火を点ける。

外ではまだ雨が降っている。その激しさが衰える気配もない。

子供たちは傘を用意してきているのだろうか、と心配になったけれど、すぐにそれは杞憂だと分かった。ビルの前に幾台もの自動車が停まっている。我が子を迎えにやって来た母親たちの車だった。

第5章

1

八月最後の日曜日のあの夕刻以来、僕は一度も母と会っていない。

駿一夫妻や水那子はこの間もしばしば見舞いに行っているらしく、幾度か電話でその報告があった。部屋にいる時も電話機はたいてい留守番状態にしてあるのだが、彼らからの連絡については、そうであると確かめてから受話器を取るようにしている。

僕があまり母の病室を訪れないことに対しては、駿一も水那子も少なからず不満を、そして不審を抱いているようだった。これまでもそうだったが、話す機会があると必ず「最近見舞いに行ったか」と訊かれ、行っていないと答えると必ず「もうちょっとまめに顔を出してはどうか」とたしなめられた。「うん、そうだね」とか何とか、僕はいつも生返事をするばかりだったのだけれど。

九月に入ってからも、母の病状は悪化の一途を辿っているらしかった。

駿一の顔も水那子の顔も、ほとんど満足に見定められない。義姉の文子やその子供たちとなるとなおさらで、最初から最後まで見知らぬ他人として応対されることも珍しくない。自発的な行動はめっきり少なくなり、ほぼ終日ベッドに寝たきりの状態でいる。操れる言葉の数もとみに減少し、会話による意思疎通はいよいよ困難になってきているという。

「何でお兄ちゃんはそんなに冷たいの」

水那子にそう云われたことが、一度ならずある。

「ちょっとでもお母さんのそばにいてあげたいって、思わないの？」

まったくそのように思わないことは、もちろんないのだ。息子として母親を想う気持ちは、たぶん人並みくらいには、僕の中にもあるだろう。あるはずだから。

あの夏の夕暮れも冬の夜も、あの春の昼下がりも秋の黄昏時も……遠い日々の鮮やかな記憶には、どれにも彼女の姿が、声が、手の温もりがある。いつもとても美しかった母。いつもとても優しかった母。誰に対しても、分け隔てなく。

年月が過ぎて、僕はだんだん子供ではなくなっていき、母もまただんだん若さを失っていった。それでもやはり、僕は彼女の上に、幼い日の記憶の中に残る彼女の面影を重ねて見つづけていたように思う。しかし——。

たかだかこの一年数ヵ月の短い時間で、あまりにも変わり果ててしまった彼女。あまりにも多くのものを自分自身の内側から失ってしまった彼女。もはや「波多野千鶴」としてのアイデンティティを保持することすらできなくなってきた彼女。実の息子の僕が何者かすらも理解できなくなってきた彼女。そんな彼女に足繁く会いにいったからと云って、そうしてそばにいてやったからと云って、いったいそれに何の意味があるというのか。——いや、むろん意味はあるのだろう。ないわけはない。誰にとっての、どのような意味かはさておき。

仮に彼女の病気が、致死性ではあっても何か別の種類のものだったならば。

癌でも白血病でも心臓病でも……いや、そんな仮定や比較が虚しいものだということは重々分かっている。当人やその家族にしてみれば、死に向けて確実に命を蝕んでいく病に「良い」も「悪い」もない。たとえば同じ末期の悪性腫瘍であっても、肝臓に比べれば胃の方が「まし」だとかそうじゃないとか、そんな議論には何ら価値がないと思う。

けれども、そうと分かってはいても、どうしてもつい考えてしまうのだ。母の病気がせめて痴呆症じゃなければ、と。

連続性のある自我を意識の内に保ち、それを核として感じたり思考したりする能力が維持できてさえいれば。

我が子が見舞いに来れば単純に「嬉しい」とも感じられるだろうし、逆に「悲しい」「辛い」と感じたにしても、その感情に基づいた人間的なコミュニケーションを相手と取ることができるだろう。たとえ死を免れえぬ状況だったとしても、残された時間をいかに過ごすべきかをみずから思案することができるだろうし、家族と話し合うこともできるだろう。なのに、母の場合は……。

何と惨い病気か、と思う。

本人にとっても周囲の人間にとっても、何と惨い、残酷な……ああいや、もはやそれを「惨い」「残酷な」と思う能力すら、病に冒された当人にはないわけで。

僕が「僕」でなくなってしまうこと。僕という人間を形作る記憶が否応なく失われていくこと。今ここでものを考えているこの僕の意識自体が崩れ果ててしまうこと。——そういった事態を想像すると僕は、それこそ我れを忘れて喚きだしたくなるような恐怖に憑かれる。手や足を失うよりも、視覚や聴覚を失うよりも……どんな苦難よりも、僕には怖い、恐ろしい。考えてもみよう。こうしてその事態を「怖い」「恐ろしい」と感じているこの「僕」そのものが、生きながらにして解体してしまうのだ。こんな恐怖が他にあるだろうか。

結局はそう、その恐怖ゆえに、なのか。

母の〈白髪痴呆〉は自分にも遺伝している可能性がある。僕自身もいつ、発症して母のようになってしまうか分からない。水那子はその事実を知らない。僕は知ってしまっている。だから……。

母に会いにいくということはすなわち、その事実と最も間近に向き合うことに他ならない。それが怖いのだ。怖くて、逃げているのだ。そしてさらには、そんな耐えがたい恐怖を自分にもたらした母を呪い、憎いとすら思ってしまいかねない自分自身が、きっと僕の中にはいる。それが嫌なのだ。反吐が出そうなほどに。だから……。

「気持ちは分からないでもないが、森吾、あとになって悔やむのはお前だと思うぞ。死んでしまったら、いくら願ってももう二度と会えない。何もしてやれなくなってしまうんだから」

駿一にはそのように云われたことがある。

「受け取り方によっては、こういった病気はまわりの者たちにとって優しいものだとも云えるんじゃないか。心の準備をする時間を与えてくれるから。ある日突然、何の前触れもなく大事な人がこの世から消えてしまうことに比べればなあ」

彼の母親——亡父幸助の先妻は、駿一がまだ七歳の時、悪質な轢き逃げ事故に遭って亡くなったのだった。その後、父が再婚した母は駿一を、みずからが産んだ僕や水那子と何ら分け隔てなく愛し、育てた。そんな母に対して、駿一は云い尽くせぬほどの感謝や恩義を感じているのだという。何をする間もなく逝ってしまった実の母親の分まで、だから彼は母に尽くしてやりたいのだろう。

駿一の心情はよく分かる。母の実の子の一人として、とてもありがたいことだと思っている。弟としては、尊敬すべき兄だとも思っている。——が。

しょせん彼は、母とは血がつながっていないから。

そんなふうに考えてしまうのだ、僕は。自分でも情けなくなるような、昏く狭い心の片隅で。

駿一は母の血を受け継いではいない。僕や水那子とは違って、将来母と同じ病気が発症する可能性はないのだ。だから……。

……ああ、詰まるところはやはり、そういう話なのか。

そんなに僕は我が身が可愛いのか。死期が迫りつつある母のことよりも、自分の未来のことの方がそんなに気懸かりなのか。

いったいいつから、僕はこんな大人になってしまったのだろう。それとも、このうんざりするような利己性こそが、そもそも僕という人間の本質だったのだろうか。

2

切り裂き殺人、今度は上高田で

一連の事件は同一犯か？

凶器の包丁、現場で発見される

九月十五日水曜日、敬老の日の朝刊で、前日の夕刻に発生した新たな事件が報じられていた。

被害者は今回もまた小学生の男の子で、これまでの二人と同様、刃物で随所を切られての失血死だった。現場の公園内で発見された凶器は、刃渡り十五センチの柳刃包丁。この刃の形状が前二つの事件の被害者の傷口と一致するかどうか、目下検証が急がれているという。もしも一致するようであれば、三つの事件は同一犯の仕業と見てまず間違いないことになるわけだが……。

この日の夜、バイトから帰ってきてみると義姉の文子から電話が入っていた。予定日よりも四日早く、水那子が無事に子供を産んだという連絡だった。

3

翌十六日の午後、僕は久しぶりに吉祥寺へ足を運んだ。水那子に会いにいくためだ。

水那子は臨月に入ってから実家に戻っていて、出産に当たっても吉祥寺にある個人経営の産婦人科を選んだ。井の頭(いのかしら)公園のそばの閑静な住宅街に建つその産院を探し当てると、僕は何となく強い気後れを感じながら中に入り、受付で水那子の部屋番号を教えてもらった。職員の応対はとても朗らかで愛想が良くて、最初の気後れはすぐに解消されたのだけれど、何とも場違いなところに自分がいるという感覚はそれでも消えようがなかった。

同じ病院であっても、母が入院している精神神経科の病棟とは、空気の色そのものが違って感じられた。院内ですれ違う人々の表情もまるで違う。母の病棟で出会う表情はだいたいにおいて〝緊張〟だが、こちらは圧倒的に笑顔が多い。当然のことだろう。大ざっぱで月並みな喩えになるけれども、あちらに見えるのは〝墓場〟、こちらに見えるのは〝揺り籠〟なのだから。

古い生命が老い患い死にゆく一方で、新しい生命が生まれくる。絶え間のないその繰り返しによって、この世界は成立している。その均衡が過度に崩れれば、世界の存続はいとも簡単に危うくなるわけで……と、そんな当たり前のことを今さらのように考えるうち、僕は受付で聞いた三階の一室の前まで辿り着き、部屋番号と名札を確認してからドアをノックした。

「はーい、どうぞ」

元気の良い声がすぐに返ってきた。ドアを開けてそっと中を覗き込むと、

「わ、お兄ちゃん。来てくれたんだ」

水那子はベッドから身を起こし、嬉しそうな声を上げた。

「ゆうべ文子義姉さんが知らせてくれたんだよ。おめでとう」

「うん、ありがと」

声だけではなく、顔の表情も身の動きも至って元気そうだ。南向きの広い窓を備えた個室だった。外はあいにくの雨模様だけれど、電灯が消してあっても室内は充分に明るい。

「他には誰も？」

「ついさっきまで義姉さんがいたのよ。午前中には駿一兄さんも、それからダンナのお母さんや義妹や伯母さんたちも来てくれてて、そりゃあ賑やかで……」

「くたびれた？　もう動きまわったりはできるの？」

「うん。何かね、初めてにしては凄い安産だったみたい。経験者の皆さまからはいろいろと脅かされてたんだけど……え？　もう出ちゃったの、って感じで」

云って、水那子はころころと笑う。僕はざっと部屋の中を見渡しながら、

「女の子だって？」

と訊いた。

「文子義姉さんから聞いたよ」

赤ん坊の姿はここにはなかった。まだ新生児室の方にいるのだろう。

「母子ともに健康、という知らせだったから、安心して顔を見にきたんだけれど」

「今晩からは、赤ちゃんもこっちに連れてきてくれるって」

「名前は？　考えてあるのかい」

「男の子だったらマコト、女の子だったらチカにしようって、昔から思ってたんだけど……って、これ、ずっと前に話したでしょ、お兄ちゃんにも」

「そうだったっけ」

「もう。忘れちゃってるんだから」

忘れちゃってる？

いい、いい、
忘れている？

ほとんど自動的にまた、その言葉に心が反応してしまう。

水那子から聞いたそんな話を、本当に僕は忘れてしまっていたのだろうか。――そう云われれば確かに、いつか聞いた憶え（おぼ）があるようにも思うが。男の子ならマコト。真実の「真」に「人」と書いて真人（まこと）。女の子ならチカ。「千」の「花」と書いて千（ち）花（か）……。

「お母さんのお見舞いには、相変わらず行ってないの？」

話題を変えられて、僕は半ば上の空で「ああ、うん」と答えた。

「そのうち行こうとは思ってるんだけどね、いろいろとまあ、忙しくて」

「――そう」

それ以上その件には触れようとせず、水那子はにこやかな笑みを満面にたたえて云った。

「赤ちゃん、見る？」

新生児室は同じ階のナースステーションに隣接してあった。分厚いガラス張りの壁で囲まれた部屋で、この一両日の間に生まれた赤ん坊が何人か、小さなベッドに寝かされて並んでいる。

「ほら、あの子。一番右端の、あれ」

ガラス越しに水那子が指さした先に、ちっぽけな顔をくしゃくしゃにした赤ん坊の姿があった。ベッドには「浅井水那子ベイビー」と記された札が掛かっている。当然まだ目は瞑ったまま、両手は拳にしたままの状態で、透明な壁一枚を隔てたこちら側にいま自分の母親がいることにも気づくはずがない。

「母親似ねってみんなに云われるんだけど、そうなのかなあ。どう思う、お兄ちゃん」

ガラスに額を寄せてその子の顔を凝視してみるが、同じ部屋に寝かされた他の赤ん坊たちと同様、僕にはどうしても「毛のないサル」とでもいうような、異様なものにしか見えない。水那子に似ている似ていない以前の問題で、どう感情移入してみても、可愛いと感じることすらできない。もちろんそんな感想をここで述べるわけにもいかず、水那子の問いに対しては、「さあ」と小首を傾げてみせるしかなかったのだけれど。

「早くお母さんに知らせて、会わせてあげなきゃね」

と、続けて水那子が云った言葉には、さらに反応に困った。

昨日この世に生まれ出たばかりの、この新しい生命。もしかしたらこの中にもすでに、将来〈白髪痴呆(ちほう)〉の発症につながる遺伝的な何かが受け継がれてしまっているのかもしれないのだ。母の白髪痴呆が〈家族性〉〈遺伝性〉のものだったとしたなら、理論上、四分の一の確率で。

いったんそういうふうに考えはじめてしまうと、この場でこうして、何も知らない水那子と一緒に赤ん坊の姿を見ていること自体がどうにも辛(つら)くなってくるのだった。心中を気取られぬよう注意しつつ、部屋に戻ってからも適当に当たり障りのない会話を続け、やがて看護婦が何ごとかを告げにきたのと入れ違いに、「また来るから」と云い置いて僕は産院をあとにした。

4

吉祥寺の実家に立ち寄ることはせず、まっすぐ駅に向かって中央線の電車に乗った。そろそろ会社や学校帰りの乗客が増えはじめる時刻だったが、幸いにして東京方面へ向かう車内はさほどの混雑でもなかった。

中野駅で下車して東西線に乗り換えるつもりでいたのだが、やめにした。このまま新宿まで出て、T**医科大学病院に寄って帰ろうかと思い立ったからだ。あまり気が進むことではない。が、せめて今日は母に会って、無事に孫が生まれたことを直接知らせてやりたいという気持ちが膨らんできてしまったのだった。もっとも、いくら僕が言葉を尽くして説明したところで、きっと彼女には「水那子の出産」をきちんと理解することなどできないのだろうけれど。

夕暮れ時の新宿駅はいつものように、理不尽を感じたくなるほど大勢の人間でごった返していた。息を止めて水の中を進むような心地で、僕は人波をかいくぐって西口の地上に出た。暗い曇り空からは、ほんのぱらぱらとではあるが、今しも雨が降りだそうとしていた。

大まかな方向感覚を頼りに、暮れなずむ町の雑踏を歩きはじめたところで——。

通りかかった大型家電店の店先。そこに幾台も並べられたテレビの画面の一つに、ふと視線が引きつけられた。

亀山和之（31）　自称陶芸家

そんなテロップがまず、目に留まった。

そして、その上方に映し出された一枚の顔写真。それがテロップで示された「亀山和之」の写真であることは明らかだが。

何だろう、と気に懸かって足を止め、スピーカーから流れ出す音声に耳を傾けた。

『……上高田の公園内で発生した小学生殺害事件の容疑者が本日午後、逮捕されました。

逮捕されたのは新宿区中井一丁目の自称陶芸家、亀山和之、三十一歳。凶器の包丁に残っていた指紋が同容疑者のものと一致、また自宅からは多量の血液が付着した衣服が押収され……』

犯人……あの男が？

ほとんど呆気に取られて、僕はテレビ画面に目を釘付けにしたままその場に立ち尽くした。

『……先月二十九日と今月四日に発生した二件の小学生殺害事件についても、同容疑者の犯行である疑いが強いとの見解で、今後徹底した事情聴取が行なわれることに……』

画面にはまだ、同じ写真が映し出されている。僕はまじまじとその顔を見つめる。

これが、この男が、あの夜あの子供を切り裂いた犯人だというのか。

全体的に線の細い、おとなしそうな面立ちだった。とりたてて特徴のない髪型に特徴のない輪郭。ありふれたデザインの、メタルフレームの眼鏡。レンズの向こうの目は何だか陸に揚げられた深海魚のようにどろんとしていて、それが不気味と云えば不気味だけれど、ことさらに邪悪な感じもしないし、凄まじい狂気を潜ませているようにも見えない。あまりにもどこにでもありそうな、一度や二度見ただけだとすぐに忘れてしまいそうな顔。

——ああ、ある意味ではこれも「顔がない」ことになるのかもしれないが。

画面が切り替わる。

大勢の警察官や報道関係者に取り囲まれた中、容疑者亀山某が移送用のワゴン車に乗り込んでいく映像だった。容疑者は頭からすっぽりと黒いジャケットのようなものを被せられて、どんな顔をしているのかはまったく見えない。——ああ、これもある意味で「顔がない」なのか。

やがてまた画面が切り替わり、たった今まで流れていたニュース映像とはまるで不釣り合いな華々しさで、新発売の清涼飲料水のCMが始まった。僕は大きく息をついて店先を離れ、小雨の中を歩きはじめる。歩きながら考える。

いま見たあの写真の男、あれが本当に、子供たちを殺した犯人なのだろうか。そのことに間違いはないのか。

証拠がいくつも挙がっているようだから、きっと間違いはないのだろうと思う。「自称陶芸家」という妙な肩書のあの三十男が、どうしていきなり今回のような凶行に及んだのか。そこにもきっと、何かあの男なりの動機が、他者に理解可能なものかどうかはさておき、あったわけなのだろう。

しかし——。

それで済ませてしまっていいのだろうか。単にそれだけで済むことなのだろうか。

犯人は別にいる、などと思いたいのではない。そうではない。子供たちを殺したのはやはりさっきの男なのだろう。ただ……。

小雨の中を足速に歩きつづけるうち、林立する高層ビルの狭間にT＊＊医科大学病院の建物が見えてきた。その傍らに隠れるようにして建つ精神神経科の病棟の影も、やがて。あの病棟の一室で、今もきっとベッドに横たわったまま、茫然と孤独な時を過ごしているに違いない母。その姿をここで想像しようとすると、おのずから最後に訪れたあの日の彼女の様子が思い出され、重ね合わせられてしまう。あの時の彼女の表情が、動きが、声が、言葉が、必要以上の生々しさで脳裏に再現されてしまう。

――ひっ……ひぃっ！

病室の澱んだ空気を震わせる叫び。

――いやよ。いやよ。いやよ。いやよ。いやよ。いやよ。いや……。

両手で顔を覆い、しゃにむに頭を振り動かす彼女。

――いやよ。いや……来ないで。こっちに来ないで。やめて。殺さないで。

――来ないで。殺さないで。ああ、いやっ……。

あんなにも彼女が忌み嫌うもの。あんなにも彼女が恐怖するもの。それは――それが、「あいつ」なのだ。

――あいつが、来る。

突然の真っ白な閃光とともに現われるあいつ。汚れた黒い服を身にまとったあいつ。顔がない――首がないあいつ。

──バッタが。

──バッタの飛ぶ音が……。

ショウリョウバッタの飛ぶあの音が響き渡る時、世界は血飛沫と断末魔の悲鳴で埋め尽くされてしまうのだという。

白髪痴呆の発症以来、母は日を追うごとにみずからの記憶を失っていきつつある。現在の記憶から始まって過去の記憶へと、律儀なくらい規則的に。しかも──。

強度の高い記憶ほど、失われる順番はあとに。──そう。そうなのだ。

病状が進み、いよいよ末期が近づいてきた彼女の中にも、いまだに根強く残っている記憶がいくつかある。彼女が物心ついて間もない頃に経験したという、例の〝恐ろしい出来事〟の記憶こそ、その中の代表的な一つだ。今後なおいっそう病状が進み、なおいっそう多くの記憶が失われていっても、もしかしたらそれは消えずに残りつづけるのかもしれない。そうしてついには……。

……ああ、だからどうだというのか。

僕は自問する。

だったら何がどうなるというのか。

そこでふと思いついたある仮説に、僕は思わず戦慄し、すぐさまそれを否定した。

……莫迦な。

そんな莫迦なことが。

ビルの間に覗く病棟の影から目をそらし、僕は自分のこめかみを拳で小突く。幾度も小突く。

そんな莫迦げたことがあるものか。そんな……。

助けを求めるような気持ちで、おろおろと周囲を見まわした。

薄暮のオフィス街。いくらか強くなってきた雨。灰色に濡れた歩道を急ぐ人々は、その半数近くが手に手に傘を差している。黒に赤に緑に白に……色とりどりの傘によって、彼らの肩から上はすっかり隠されてしまっていて……顔がない。ああ、みんな顔がない。

通りを行き交う車の群れ。交差点の信号が変わり、こちらに向かって走りだした宅配便のトラックが、やにわにヘッドライトを点灯させる。突然の白い光に目が眩み、僕は慄然と立ち竦む。

さらに追い討ちをかけるようにして——。

遥か頭上から、何やら異様な音響が。

地上の喧噪をすべて掻き消そうとするかのように轟き渡る、この激しい音はいったい……ああそうか、これはヘリコプターの爆音ではないか。何とか事態を冷静に把握しようとする一方でしかし、僕はそこに、けたたましく羽根を震わせて飛ぶあのバッタの音を聞き取っていたのだった。

「ひっ……ひいっ！」

病室の母と同じような悲鳴が、抑えようもなく喉を衝いて出た。そしてそんな自分自身の声を聞いてしまったことで、かろうじて保たれていた理性が吹き飛んだ。

「嫌だ。来るなっ」

取り乱した声で叫ぶや否や、僕は全速力でその場から逃げ出した。

5

どの道をどのように辿ってきたのか、よく憶えていない。いや、憶、え、て、い、な、い、の、で、は、な、く……と、こんな状況であってもなお、そう確認しておかないと不安でたまらない。とにかくあの場から逃げ出したい一心で、どこへ向かおうと考える余裕もないままに走ってきたから。走りつづけてきたから。だから分からない。それだけのことだ。——そうだ。

いつしか小雨はやんでいた。陽はすっかり落ちている。道を行く人々の影も、車のヘッドライトも見えない。ヘリの爆音も聞こえない。

大都市の真ん中で期せずして行き当たった、それこそ嘘のような、奇妙な静寂。——ここは？　ああ、ここは……。

何となく見憶えのある公園沿いの道に、僕はいた。

まだ夜は早いというのに、何故だかあたりは閑散としている。たむろする若者たちの姿も浮浪者の姿もない。街灯の白々とした光の下、公園内に立ち並んだ木々や植え込みはすべて真っ黒なシルエットに見えた。

……ここは。

……この公園の、この光景は。

不穏な既視感(デジャ・ヴュ)に戸惑いながら、僕はふらりと公園の中に足を踏み入れる。それを待っていたかのように、体内時計の狂ったアブラゼミが何匹か鳴きだし、僕の心の内側では何かしら嫌な軋(きし)み音がしはじめ……。

向こうの木陰のベンチに一人、誰かが坐(すわ)っているのに気づいた。

暗がりにぼんやりと、レモン色のTシャツを着た後ろ姿が滲(にじ)んでいる。こちらに背を向けて坐っている。体格からしてまだ幼い子供のように見えるが。

雨で湿った柔らかな地面に、僕はおっかなびっくりで足を踏み出す。アブラゼミの鳴き声で足音が消され、ベンチの子供はこちらを振り返る気配もない。

「どうしたの、君」

二、三メートルまで距離を詰めたところで、僕はそろりと声をかけてみた。

「こんな場所に、一人で？」

いきなり話しかけられても別段びっくりした様子もなく、僕の方を振り向くことさえせ

ずに、

「うん、そうだよ。一人だよ」

そんな答えが返された。声はやはり子供の声、変声期前の男の子の声だった。察するに、小学校二年生か三年生か、そのくらいの年頃だろう。

「何をしてるんだい、そこで」

僕は続けて訊いた。

「何か面白いことでも？」

子供は背を向けたまま、「さあ」とわずかに首を傾げる。

「——別に、何も」

「あのさ、あんまり良くないんじゃないかな」

「何が」

「もう暗くなったし、家へ帰らないと」

「どうして」

「最近ほら、何かと嫌な事件も起こってるしね。こんなところに一人でいちゃあ、危ないだろう」

「ぼくは平気だよ」

「でもね、君」

「犯人はもう捕まったんでしょ」

「あ、それは」

「知ってるよ。三人殺して、四人目を狙ってるうちに捕まっちゃった」

「それは……」

「いつも、どこでもね、大人は子供を殺すのさ。子供は大人に殺される。殺されつづけなきゃならないのさ」

「ちょっと君、何でそんな……」

得体の知れぬ何ものかにからかわれているような心地に、ふとなってきた。相手の後ろ姿をまっすぐ見据えたまま、僕はさらに一歩ベンチに近づく。

「ねえ、おにいさんはどうしてここにいるの」

と、今度は子供の方がそんな質問をしてきた。何だか不意打ちを喰らった気分で、即座には返答できなかった。

「ね、どうしてここにいるの」

「僕は……僕は、たまたまここに」

「たまたまここにいるの？」

「――ああ」

「ここにいたいの？」

「そう云われてもなあ。本当にたまたまいるだけで、別にいたいわけじゃあ」

「いたくないの？」

「いや、それはだから……」

「いたくないんだったら――」

云いながら、子供はおもむろにベンチから立ち上がる。僕の胸許までしかない上背だった。相変わらずこちらに背を向けたまま、そうして子供は静かに言葉を続けた。

「いなくてもいいんだよ、無理に」

「えっ？」

「い、い、い、いなくなっちゃえばいい、いい、いんだよ」

「何を……君は」

僕は思わずベンチに駆け寄り、子供の肩に手をかけた。

「君はいったい」

加えられた力にいっさい抵抗することなく、子供はゆらりとこちらを向いた。街灯の仄白い光に照らされたその顔を見た瞬間――。

「うわっ」

僕は相手の肩から手を離し、一気に何メートルも後ろへ跳び退いた。

「いなくなっちゃえばいいんだよ。ねえ、おにいさん」

ベンチのそばに立ったまま何ら動ずる素振りもなく、こちらを見つめる子供。その顔には見憶えがあった。

口の両端が頰にかけて、無惨に切り裂かれている。剝き出しになった歯や歯茎はもちろん、頰も鼻も額も、赤黒い血でべとべとに汚れている。

この顔は、この子供は、あの……。

「いなくなっちゃえばいいんだよ」

同じ言葉が静かに繰り返される。

「ほんとは分かってるんだよね。そうだよね、おにいさん」

僕は目を瞑り、耳を塞いで絶叫する。その声に竦み上がってしまったかのように、アブラゼミがぴたと鳴きやんだ。

6

どの道をどのように辿ってきたのか、よく憶えていない。やっとの思いで高田馬場の自分の部屋まで帰り着いた時、僕は全身汗まみれになっていた。

玄関のドアを開ける際には、ひどく緊張した。その向こうにあいつが潜んでいて、ドアを開けた途端、物凄い勢いで襲いかかってきそうな予感がしたからだ。

幸いその予感は外れたけれど、中に入ってしまってもまだ恐怖は鎮まらない。今にもどこからか真っ白な閃光（せんこう）が降りかかってきそうで、今にもどこからか禍々（まがまが）しいあのバッタの羽音が聞こえてきそうで、今にもそして……。

……ああ、いけない。

しっかりしろ、森吾。

ようやくそこで、我れに返った。

僕は玄関ドアの内側に立ったまま、みずから何度も壁に額を打ちつけた。

しっかりしろ。気を確かに持て。

さっきあの公園で見た子供は、あれはもちろん僕の幻覚だ。聞いた声はもちろん僕の幻聴だ。そうだ。そうに決まっているじゃないか。

西新宿の路上で見たものは、ただ単に傘を差した人々の群れだ。トラックのヘッドライトだ。聞こえてきたのは、たまたま上空を飛んでいたヘリコプターの爆音だ。――そう。それだけのことだったのだから。

何も恐れる必要はない。子供たちを切り裂いた犯人も逮捕された。亀山某、三十一歳、自称陶芸家。今頃は留置所の中にいる。あの男が犯人だという証拠もちゃんと挙がっているのだ。だから、もう何も……。

いやしかし、僕の心の中には依然として消し去れぬ疑念が。それはあの時、高層ビルの狭間に覗く病棟の影を見ながらふと思いついた、あの……。

……何か音が鳴っている。

部屋の奥で何か、何故か懐かしい感じのする音が鳴り響いている。

僕は靴を脱ぎ、散らかり放題のリビングルームに転がり込む。

音の正体は電話の呼び出し音だった。まもなくそれが途切れ、出来合いの応答メッセージが流れはじめ、そうしてやがて――。

「えっと、波多野君？　お久しぶり」

聞き憶えのある軽やかな声が。

「藍川です。やっと東京に戻ってきたんだけど、どうしてる？　心配してるんだよ、ずっと。お願いだからさ、一度連絡を……」

……唯。

泣きたくなるような気分で、僕は受話器に手を伸ばす。

第6章

1

「やあ、母さん」

なるべくさりげない調子で声をかけた時、病室のベッドに横たわった母がこちらに向けた目は、これまでにも増して虚ろに見えた。艶のない白髪にやつれた頬。色褪せ、ひび割れた唇。僕の姿を認めても、茫漠としたその表情にはほとんどと云って良いほど変化がない。見舞いに来なかったこの半月余りの間で確実にまた病状が進行していることが、それだけでも窺い知れた。

「僕だよ。森吾だよ。分かる？」

ベッドのそばに寄り、身を屈めてそう尋ねてみても、彼女の反応はない。首を傾げることすらせず、横になったままぼうっとこちらを見上げている。

「森吾だよ。ね、母さん。波多野森吾。母さんの息子の、森吾だよ、森吾。し、ん、ご」

「……ああ」

唇がかすかに震え、文字どおり蚊の鳴くような声がようやく発せられた。

「しんご……ああ、しんご、しんご」

「そうそう」

僕は大きく頷いてみせ、

「今日はね、嬉しい知らせがあって来たんだよ。もう駿一兄さんか誰かから聞いているかな。水那子にね、赤ちゃんが生まれたんだ。元気な女の子だよ。母さんの孫だよ」

ゆっくりと、噛んで含めるように話したのだけれど、母の反応はやはり思わしくない。どこまで僕の言葉が理解できたものか、しばらくぼんやりと宙を見つめ、それから枕に載せた頭をのろりと少しだけ動かした。

「分かるかい。水那子に赤ちゃんが生まれたんだよ。母さんの孫娘だよ」

「……ああ」

とまた、かすかに唇が震えた。

「まご……みなこ、しんご……」

「水那子が産んだ、母さんの孫だよ。女の子で、水那子に似てて、名前は千花って付けるんだって」

「みなこ、しんご、みなこ、しんご……ああ、ああ、ああ、ああ、ああ、ああ」

ひとしきり「ああ」という単調な呻き声を繰り返したかと思うと、ふいに彼女の顔が冷たくこわばった。いったいどういう脈絡があったのか、僕には分からない。当たり前な脈絡など、まるでなかったものと考えるべきなのかもしれない。

「ああ」という発音の形に唇を開いたまま、凍りついたように動きを停止した表情。そこにやおら滲み出してきたのは――。

強い怯えの色。

見る見るうちにそれは、激しく物狂おしい恐怖へと膨らんでいき……。

「……ひっ、ひっ」

母は両手で耳を塞ぎながら、喉に物を詰まらせたような声を洩らしはじめた。

「ひっ、ひっ、ひっ……いやっ、ひっ、いやっ、いやよっ」

胸が荒々しく上下する。きつく目を瞑り、顔全体をいびつに引きつらせ、もそもそと身をよじって何かから逃れようとしている。

「あ、波多野さん」

受付からこの病室まで一緒に来てくれた四十年配の看護婦が、慌ててベッドに駆け寄った。耳を塞いだ母の手の甲に自分の掌を重ねながら、

「大丈夫ですよ、波多野さん。何も怖いことはありませんよ。怖くないですよ。大丈夫。

大丈夫ですからね、波多野さん」

根気良く看護婦がなだめるうち、喉から洩れ出す声は止まり、胸の上下も徐々に小さくなっていった。耳に押しつけられていた手の力が緩み、看護婦の誘導に従って身体(からだ)の両脇に下ろされる。

「最近、いつもこの調子なんですよ」

と、看護婦が僕の方を振り向いて云った。

「ちょっとしたことですぐ、こんなふうに取り乱して、嫌だ嫌だ、怖い怖い……って。何だか目が覚めている間中、ずっと何かに怯えて、何かを怖がっておられるような感じで」

「そうですか」

……ずっと何かに怯えて。

——バッタが。

「できるだけ優しい声で、そっと話しかけるようにしてあげてくださいね」

「ああ、はい」

……何かを怖がって。

——バッタの飛ぶ音が。

「じゃ、私はこれで。困ったことがあったらナースコールをお願いします」

云い置いて、看護婦は病室を出ていく。部屋の入口付近には、アイボリーのパンツスーツを着た藍川唯がいた。ある程度は想像していたのだろうけれど、それでもやはりショックを隠しきれない様子だ。小振りな眼鏡のレンズの向こうで大きく目を見開き、両手に淡い青紫色の花束を抱えたまま佇(たたず)んでいる。

「どうぞ」

と、僕は声を投げた。

「人に危害を加えたりはしないから、心配要らない。少し変わった惚(ぼ)け方をしているだけだから」

2

九月十八日、土曜日の午後。

一昨夜の唯からの電話に出た時、僕の精神は相当以上に不安定な、危うい状態だったと思う。二、三言葉を交わす間に、彼女はもちろんそれを察知したに違いないけれども、具体的に何がどうなっているのかを問いただすことはせず、僕の方も事情を話すことはしなかった。

あの時、電話で唯の声を聞いてずいぶんと気持ちが落ち着いたのは確かだった。どうしてそうなるのか、何となく不思議な心地もした。だから、彼女がそこで母の見舞いの件を持ち出した際には、もはや「やめた方がいい」とも云えなかったのだった。

「今日はね、友だちも一緒なんだ」

気を取り直して僕は、ベッドの上で虚ろな目を開いた母に話しかける。

「どうしても母さんのお見舞いに行きたいって云ってくれてね」

僕は唯を手招いた。

「彼女、藍川さん。ほら、僕が小学生の時の同級生で」

「こんにちは、お母さん」

と、唯が朗らかな笑みを作って会釈した。持ってきた花束を窓辺に置いてから、静かに僕の傍らまでやって来る。ラヴェンダーの甘やかな香りが仄かにそよぎ、薬臭さと病人の体臭で澱んだ空気をわずかに潤した。

「お久しぶりです。藍川です」

そう云って母の顔を覗き込むが、母の反応は鈍い——と云うよりも、ないに等しい。焦点が合っているのかどうかも分からない視線をそろっと唯の方に向けたきり、魂が抜けたように弛緩した表情をぴくとも動かさない。半開きになった唇の端から細い顎へ、だらしなく涎が垂れている。

「子供の頃、何度かおうちにお邪魔したこともあるんです。憶えてませんか」

唯は笑みを崩さず、そんなふうに話しはじめた。当然のように母の反応は、ない。

「ずいぶん昔のことですもんね。憶えてなくっても当たり前ですね。波多野君、あの頃はほら、おとなしくてとても気が弱くって、クラスの男の子たちによくいじめられたりしてたでしょ。わたし、そういうの放っとけないからいつも助けてあげて……でも、女の子に助けられたって云って波多野君、またみんなに意地悪されて」

「ちょっと藍川、やめろよ」

思わず口を挟んだ。小学生の頃にそのようなことがあったのは事実で、その記憶自体が僕自身、ひどく気恥ずかしかったというのもあるのだが。

「そんな話をしても、母さんに分かるわけが」

「いいの」

唯は僕の方を横目でねめつけ、きっぱりとかぶりを振ってから、

「あのね、お母さん」

と云って、再び母の顔を覗き込む。

「波多野君を送っておうちに寄せていただいた時とか、お母さんはわたしにも、とっても優しくしてくれましたよね。わたしね、自分のお母さんがもういなかったから、凄く嬉しかったの。手作りのお萩やプリン、ご馳走になったりして。おいしかったなあ、あのお萩。今でもよく憶えてるんです」

熱心に話しかける唯と、何の反応も表わさない母。どうにもやりきれない思いで、そん

な二人の姿に視線を往復させながら——。

ああ、そういうこともあったっけ。

ふと妙に感傷的な気分が、僕の昏く狭い心に湧き出してくる。

唯とは、小学校の二、三年生からずっと同じクラスだった。僕はその頃、確かにおとなしくて気の弱い、ややもすれば自分の内側に閉じこもりがちな男の子で、彼女の方は対照的に、たいそう活発で男勝りな、正義感の強い女の子で……。

六年に上がる前に僕は、父の転勤に伴ってあの町を離れることになり、東京の小学校へ転校した。唯とはその後、幾度か年賀状や暑中見舞いのやり取りをしたようにも思うが、やがていつしか、そういったつながりもなくなっていったのだ。だから——。

大学に入って何ヵ月かした頃、たまたまキャンパスで彼女と再会した時には、その偶然の巡り合わせに驚いた。単に驚いたと云うより、何だかひどく呆気に取られてしまったものだった。

「ね、分かります？　お母さん」

唯はなおも熱心に話しかける。

「藍川です、藍川唯。『唯ちゃん』『唯ちゃん』って、お母さんはいつも呼んでくれてたんですよ」

「……ああ」

相変わらず無反応な状態が続いていた母の唇が、その時かすかに動いた。

「ゆい、ちゃん」

抑揚の失せたかぼそい声で、そう呟いた。「唯」というその名前が、いまだ彼女の大脳に残存するわずかな記憶と響き合ったのだろうか。

「ゆい……ゆい」

「分かりますか」

と、唯が顔を近づけて訊いた。

「わたしの名前、憶えてます？　唯です。あいかわ、ゆい」

「……ゆい」

抑揚の失せたかぼそい声で、母は繰り返す。

「ゆい……ああ」

「分かるんですね、唯っていう名前が。ね、お母さん？」

「……ゆい」

それから何秒かの間、母はふつりと口を噤んだ。瞼を閉じ、眉間の皺を増やし……そうやって何ごとかをしきりに思い出そうとしているようにも見えた。――そして。

「……わたし」

ふっと瞼を開くと、喉の奥深くから絞り出すようにして再び声を発しはじめる。

「わたし……ゆい、わたし」

——と、そこでまた。

虚ろに宙を見据えた彼女の目に、彼女の表情に、やおら強い怯えの色が滲み出してきたのだった。

「ゆい……ちがう」

そう云って、母は枕の上でのろりと頭を振った。

「ああ、ちがう……ゆい、ちがう、ちがう」

途切れ途切れに吐き出される、幼児の片言のような言葉。その間隔がやがて、だんだんと短くなっていく。「ちがう」に合わせてのろりと振られていた頭の動きも、それとともにだんだんと速く、激しくなっていき……。

「ちがう、ちがう、ちがう」

「お母さん?」

と、唯が訝しげに声をかける。

「母さん、どうしたの」

と、これは僕。

「ちがう、ちがう、ちがう」

制御装置が壊れて暴走しはじめたかのように、「ちがう」を繰り返すその発声は加速していった。頭を振る動きも、それに連動した肩の動きも、本当にこれが痴呆症の末期で寝たきり状態の人間かと疑いたくなるような激しさになってくる。

「ちがう、ちがうちがうちがうちがう」

ほとんどそれは、死の寸前の発作のようにさえ見えた。恐ろしくなって、僕は「母さんっ」と声を荒らげた。

「母さん。しっかりして」

「ちがうちがうちがうちがうちがう」

「母さんってば」

「ちがうちがう」

「お母さん、落ち着いてください」

覆い被さるようにして唯が、痙攣めいた動きを続ける母の両肩を押さえつけた。——その時。

唯のジャケットの内ポケットからベッドの上に、ぱさりと落下したものがあった。僕はすぐに気づいたが、落とした本人は分かっていない。白い掛布団に埋もれたその小さな銀色の機械を僕が拾い上げようとすると、一瞬早く、母の痩せこけた手がそれを摑んだ。

「あっ」と、そこでやっと唯も気づいたようだった。

「すみません。それ」

母の手が取り上げたのは、唯の携帯電話だった。

「それ、わたしの……」

母は不思議そうに小首を傾げながら、握りしめた銀色の機械を見つめる。初めて目にするものではないはずだけれども、すでに多くの記憶を失ってしまった彼女にしてみれば、今やそれは、これまで一度も見たことがない奇妙な物体としか捉えられないわけなのだろう。

――と、突然。

「ひいいっ」

掠れた悲鳴を上げたかと思うと、母の手から携帯電話が取り落とされた。

「ひっ、ひいいいっ」

落ちた電話機からは、かすかにブザーのような音が鳴っている。バイブレーターの振動音だ、と僕はすぐさま了解した。

「……バッタが」

母の喉から絞り出される声が、それまでの何倍も高くなった。

「バッタが、バッタの音が……」

携帯電話に内蔵されたバイブレーター。その振動音が、退行した母の心の中に、例の「バッタの飛ぶ音」を呼び出してしまったということか。

「……いや。いやよ」

ベッドの上から電話機を払い落とすと、母は先ほどと同じように両手で耳を塞ぎ、きつく両目を瞑り、抑えきれぬ恐怖に顔を引きつらせ、そして――。

「いやあっ！」

狂おしい叫びを病室に響き渡らせた。

唯は呆然と立ち尽くしていた。僕は床に転がり落ちた電話機を拾い上げ、彼女の手に押しつけた。バイブレーターの振動はまだ続いている。

「ごめんなさい。電源を切るの、忘れちゃってて」

電話機を受け取ると、唯はあたふたと液晶画面に目を落とす。そうしてすぐ、小走りに病室から出ていった。

3

病院を出ると、僕と唯はどちらが云いだしたわけでもなく、新宿中央公園の方へ足を向けた。ひどく喉が渇いていたのだけれど、どこか喫茶店に入るにしても、なるべく病院からは離れたところにしたい気分だった。

時刻は午後四時半を回っていたが、陽はまだ高い。九月も半ばを過ぎて、残暑も徐々に和らいできた頃だった。

秋晴れと云ってもいいような爽やかに澄んだ青空が、今日は頭上に広がっている。湿度もかなり低めだろう。

超高層ビルが建ち並んだ副都心の西端に位置する、広大な公園。その敷地内に一歩入っただけで、不思議と空気の匂いが変わる。緑と土の匂いが、ささやかに。車の排気ガスからもアスファルト道路の熱気からも隔てられ、吹き過ぎる風は思いのほか涼やかで心地好い。先ほどまでいた病室での出来事が、何だか異界の悪夢じみたものにさえ思えてくる。

しばらく行くうちにしかし、ここにはここで何かしら異様な雰囲気が漂っていることに気づいた。

土曜日の午後だというのに、遊びまわる子供たちの姿はもちろん、若い男女のカップルの姿もほとんど見当たらない。その代わり、広場のそこかしこに散らばっている、いくつもの動かぬ人影。

いかにも浮浪者然とした風体の連中もいれば、中にはきちんと背広を着てネクタイを締めたサラリーマン風の男もいる。長引く不況でリストラされた会社員、なのだろうか。老人の姿も目立つ。老女もいる。木陰のベンチに、芝生の上に、コンクリートの階段の隅に……彼らは一様に肩を落とし、俯き加減の姿勢で坐っている。ぐったりとその場に身を横たえている者もいる。

　何をするわけでもなく、彼らはただじっとしている。人間としての動きを完全に止めてしまっているようにすら見える。

　何もすることがなくて、ああしているのか。何をすれば良いのか分からないのか。彼らは何を考えているのか。何を考えることもできないでいるのだろうか。――人の形をしているだけのオブジェたち。できそこないの。傷だらけの。

　この前この公園の中に入ったのはいつだったろう。もう何年も前のことのように思うけれど、あの時もここはこんなふうだっただろうか。

　晴れ渡った空と涼やかな風と豊かな緑と。まるで生気の失せた、物のような人影の群れと。両者の対比がいかにも異様に感じられて、僕は思わず少し足を速めた。

　……何なんだろう、この世界は。

　唐突にそんな、誰に尋ねても返答に窮されるか、でなければ鼻先で笑われるかしそうな疑問が降りかかってくる。

　何なんだろう、この世界は。

　何のために世界は、こんな形でここに存在しているのだろうか。そして何故、僕はこうしてここにいるのだろう。いなければならないのだろう。

　――いなくてもいいんだよ、無理に。

　――いなくなっちゃえばいいんだよ。

ああ、これは一昨日の夜の、あの……。

——ほんとは分かってるんだよね。そうだよね、おにいさん。

芝生の上でじっとしている人影の一つにふと、自分と同じ顔をした薄汚い老人の姿が見えてしまったような気がして、僕は思わずまた少し足を速める。

4

肩を並べて公園の遊歩道を歩きながら、唯がしきりに話しかけてくる。僕は意識の半分を彼女に向け、繰り出される質問に答える形で、自分を取り巻く状況についてぽつぽつと語っていった。

昨年発症した母の病気が、当初は早発性アルツハイマー病と診断されたのだが、実はそれとは別の痴呆症かもしれないと疑われはじめたこと。〈簑浦＝レマート症候群〉——通称〈白髪痴呆〉というその病気の、現在のところ判明している実態。母がこの奇病に冒されているのはほぼ確実で、だからこそ早々に、さっきの大学病院に入院させられたのだということ。

それから——。

白髪痴呆が〈家族性〉であった場合の、親から子への遺伝に関する問題。母の母もやはり惚けて死んだらしいということ。僕がその遺伝可能性に対して強い不安と恐れを抱き、それを家族の誰にも云えずにいること……。

「遺伝って」

　唯は少々驚いたふうに一瞬、歩を止めた。

「そんな心配、今からマジで？」

「早ければ二十代の終わりにも発症する病気なんだ。気にならない方がおかしいだろう」

「でも、まだはっきりした話じゃないんでしょ。そういう可能性もあるかもしれない、っていうだけで」

「可能性はある。それで充分さ」

「何が充分なのよ」

「さっき母さんと会ったろう」

　と云って、僕は唯の横顔に険しい視線を流した。

「発症すれば一、二年でああなってしまう、そんな病気なんだよ。いまだ原因も分からない。治療法もない。どんどん記憶が失われていって、知的能力が壊れていって、挙句は死んでしまうのさ。他にどうしようもない」

「でも」

「百パーセントの可能性じゃない。だけどゼロでも決してない。ある、、、確率で僕は、母さんと同じあの病気の原因遺伝子を受け継いでいる。それが客観的に見た現実であって……だから」

「だから？」

「この春から研究室に行くのをやめたのも、要はそのせいで」

「…………」

「だって、そうだろう。いくら熱心に研究活動を続けてみたところでね、もしもあの病気が発症したら、何もかも文字どおり無意味になってしまうんだから。そう考えると、何だかもう莫迦莫迦しくなってきて」

唯は前方に目を向けたまま、ちょっと唇を尖らせている。困っているのか怒っているのか、何ともコメントしようとはしない。

これまで僕は、こと自分が志す研究については、人一倍の熱意をもって取り組んできたという自負がある。目標の大学に入るための勉強も、誰に尻を叩かれることもなくやった。合格したあとも同じだ。必要な知識や教養を修得するための努力を惜しまず、将来の研究課題について日々考えを巡らせ……そうして大学院への進学が叶った。

院生になってからの毎日も、基本的には同じような努力の繰り返しだった。勉強して「知る」こと、得た知識を基に「考える」こと、実験をし、論文を作成し、独自の発見や発明をめざすこと。それこそが、自分にとって最も意義深い営みであると信じつづけてきたのだ。ところが――。

母の白髪痴呆が〈家族性〉である可能性は五十パーセント。その場合、それが僕に遺伝している可能性も五十パーセント。単純に計算して四分の一の確率で、僕の脳は将来、母と同じ病に冒されることになる。これまで学んできたすべてのものが、そうなると短期間のうちに否応なく無に帰してしまうわけで……。

「莫迦莫迦しくなってきて」と云ったのは、たぶん僕の本心だ。

莫迦莫迦しくなった。虚しくなった。やる気がなくなった。だから研究室へ行かなくなった。――世間の常識的な感覚に照らし合わせてみて、これはそんなに責められるべき話だろうか。

公園を南方向へ縦断していくにつれて、周囲の様子はいくぶん変わってくる。

初めに通り過ぎた広場のあの異様さは徐々に薄れていき、若者たちがスケートボードで遊ぶ陸橋を渡って新たな区画に入った時には、「人の形をしているだけのオブジェたち」と感じたような人影は一つも見えなくなっていた。

〈ちびっこ広場〉という表示に、やがて出遇った。ブランコやシーソーや、ジャングルジムと滑り台が合体したような代物や……子供のためのそんな遊具があちこちに設置されている。けれど、そこで遊ぶ子供たちの姿はまったくなくて、広場は閑散としていた。

近くであんな殺人事件が続いた直後なのだから、それもまあ当然だろう。いくら容疑者が捕まったと云っても……。

「つきあってた彼女、亜夕美さんと別れたっていうのは？」

しばらく口を閉ざしていた唯が、出し抜けにそんな質問をしてきた。

「彼女にはいま聞いたような事情、話したんでしょ」

僕は「ああ」と溜息に似た声を洩らし、ちょうどすぐそばにあった黄色いベンチに腰を下ろした。

「彼女は――」

云いかけて、何となく言葉を詰まらせる。ことさらのようにゆっくりとした動きで煙草を取り出し、唇の端にくわえた。

「彼女には……要点だけはね、一応。あまり詳しいところは云ってない」

「どうして」

「詳しく話しても仕方ないと思ったから」

「どうして……」

「答えは見えていたから。だから」

「答え？」と首を傾げながら、唯は僕の横に坐った。

「何それ。どういう意味」

「単純な話さ」

煙草に火を点け、ことさらのようにまたゆっくりと煙を吸い込む。顔をしかめたくなるほどに苦い味がした。

「彼女――中杉亜夕美と僕はいずれ結婚する約束をしていた。彼女は僕の、研究者としての優秀な才能を、頭脳を愛した。僕は……僕も、そうだったのかもしれない。むろん他にもいろんな魅力はあったけど、何よりまず、優秀な同業者としての彼女の才能に、僕は惹かれていたんだと思う。

僕たちはよく語り合ったものだった。将来どんな子供が自分たちの間に生まれるだろうか、って。いつも彼女は云っていた。わたしたち二人の遺伝子を掛け合わせた子なんだから、優秀な子に決まってる。とても優秀な、わたしたちの子供。今から本当に楽しみ……ってね」

僕はちらと唯の方を窺う。さっきと同じように彼女は、困っているのか怒っているのか、ちょっと唇を尖らせて何ともコメントしようとしない。

「というわけだからね、端から答えは見えていたんだ。彼女が僕に求めるものを、僕は彼女に与えられない。彼女の望みには応えられない。あの病気の遺伝可能性に目を瞑って、自分の子供を作ることなんて僕にはできないさ、絶対に。だから彼女とは結婚できない。だから別れることにした」

「――そんな」

　と、そこで唯が口を開いた。

「そんな……彼女は納得したの？　別れることにしたって、そんな簡単に」

「納得は、したよ。『要点』を説明しただけで、呆気ないくらいすんなりと」

　僕は自嘲混じりに答えた。

「生物学的に見て、しごく当たり前な姿勢じゃないか。ねえ。別に僕は、そういった彼女を怨んだり責めたりする気はないし……」

「ほんとに？」

「――うん」

「辛くないの、そんなふうに云っちゃうのって」

「それは」

　辛くないわけなどない、もちろん。それほど僕は冷徹な人間じゃない。なりたくてもそうはなれない。僕は……。

「理屈は一応、分かるけどさ」

　と云って、唯はまた唇を尖らせた。

「やっぱり何か、変だよ。波多野君も彼女も。人を好きになるのって、そういうことじゃないんじゃないかなぁ。その人とずっと一緒にいたいと思って、結婚っていう形を取りたければ結婚して……そりゃあ子供も欲しくなるだろうけど、それだけじゃないでしょ」

「――そうかな」

「そうよ。わたしだったら……」

「藍川だったら？」

唯ははっと口を噤み、一瞬の間をおいて小さな吐息を落とす。赤く染めたショートヘアが後ろから吹きつける風で乱れ、桜色の頬を隠すようになびいた。

僕は根元まで灰になってしまった煙草を足許に捨てて、新しい煙草に火を点けた。その一本がまた灰になるまで、緩やかに沈黙が流れた。

「おなか、減ったなあ」

ぴょこんとベンチから立ち上がって、唯が云いだした。

「何か食べにいこっか。今日はわたしが奢ってあげる」

「今日も」の間違いだろう、と思いつつ、僕はふと気になって尋ねた。

「さっきの電話は？　何か急ぎの用だったんじゃあ」

「ああ、あれ。野暮な業務連絡。この仕事、土日も関係ないしさ」

「大丈夫なのかい」

「全然ＯＫ。それに――」

何歩かベンチから離れていって、唯はくるりとこちらを振り返る。

「まだ聞かなきゃいけないことも、だいぶ残ってるし。ね？」

5

時間が早いせいか、店内に客の姿はまばらだった。中央公園の南側に建つビルの一つ、その高層階にある小洒落たレストランバー。

テーブルに着くなり、唯は前に会った時と同じカクテルを注文した。彼女にとって「食べにいこう」と「飲みにいこう」とは、ほぼ同義らしい。それに合わせてというわけでもないけれど、珍しく僕もアルコール入りの飲み物を頼んだ。食欲はあまりなかった。

「『バッタの音』って何なの」

と、唯が訊いてきた。当然される質問だろうとは思っていた。

「どうして波多野君のお母さん、あんなにバッタの音を怖がるの」

「正確には『ショウリョウバッタ』なんだ」

と、僕は答えた。彼女にはすべてを話してしまおう、という腹はもう決まっていた。

「『ショウリョウバッタが飛ぶ時の音』さ」

「ショウリョウバッタ？」

「知らないかな。飛ぶ時にキチキチって音を立てるやつ。『キチキチバッタ』と呼ばれたりもする」

「キチキチ……ああ」

唯はこくんと頷いて、

「あれかぁ。うん、キチキチバッタね。むかし見た憶えがある」

「東京じゃあ、ほとんど見かけることがないものね。『ショウリョウ』は『精霊』っていう漢字を書くんだ。妖精の『精』に霊魂の『霊』、それで『精霊』――『精霊飛蝗』」

日本全国に広く棲息し、成虫は夏から秋にかけて出現する。旧暦の盂蘭盆、つまり精霊会の頃に最もよく見られるので、そんな名前が付いたらしい。体長は雄で四センチ。雌は八センチにもなり、これは国内のバッタの中でも最大級の大きさだという。

「河原とか、あと校庭の叢なんかにもいたよね。男の子たちが捕まえたの、見せてくれたっけ」

遠い季節を懐かしむように、唯は目を細くする。

「キチキチっていうあの音は、羽根の音?」

「前羽根と後ろ羽根が打ち合わされて、あんな音が鳴るんだってさ。鳴るのはでも、雄だけで……」

「どうして」

唯が質問を繰り返す。

「そのショウリョウバッタの音を、どうしてお母さんは、あんなに」

「昔から、なんだよ」

意識的になるべく感情を抑えながら、僕は答える。

「僕が初めてその話を聞いたのは……いつだったたっけな」

幼い日のあの春の昼下がり、レンゲの花が咲き盛る田圃(たんぼ)のそばで、僕が戯れに捕まえたバッタ——ショウリョウバッタではなかったが——を見て、

——駄目よ、森吾ちゃん。

ひどく血相を変えた母。

——やめなさい、森吾ちゃん。捨ててしまいなさい、そんな……。

そう。あれが僕の、最初の記憶だ。

どうして母さんはバッタを嫌がるのか。当初は子供心に、女の人はそもそもああいう虫が嫌いなものなんだと思っていたのだが、そうではない、どうやら彼女の場合はそんなに単純な問題ではないみたいだと、やがて分かってきた。

「母さんは昔、何か物凄(ものすご)く恐ろしい目に遭ったらしいんだ。小学校に上がる前の、まだごく幼い時分に。どういういきさつでそんな目に遭うことになったのか、細かいところはよく憶えていないと云ってたけど……」

何歳の時だったのか、正確には分からないという。小学校に入る前だから、四歳か五歳か、そのくらいだろうか。

ある秋の日の出来事だったという。秋祭りの日の黄昏時の……といった記憶も、かすかにあるらしい。とにかく母はその〝体験〟をした。少しでもそれを思い出すとどうしても平静でいられなくなってしまうような、その〝恐怖の体験〟を。

突然どこかから現われた何者かが、そこで遊んでいた母たちに襲いかかってきたのだという。

いきなり真っ白な、稲光のような激しい閃光が降りかかった。目が眩んで一瞬、何も見えなくなった。すると次に、その音が聞こえてきた。

——あれは……そう、あれはバッタの音だったわ。

ショウリョウバッタが飛ぶ時の、あの独特の羽音が鳴り響き、

——バッタが飛ぶ時の、あの……。

そしてその直後には、一緒に遊んでいた「みんな」が次々に倒れていった。顔や手や首や肩や……身体のあちこちから、真っ赤な血が噴き出したり流れ出したりしていた。悲鳴を上げる子もいれば、声一つ出せぬままくずおれる子もいた。何者かは母にも襲いかかってきた。バッタの飛ぶ音がまた鳴り響いた。満足な抵抗などできるはずもなく、母は独りそこから逃げ出した。何者かは執拗に追いかけてきた。吠えかかるような恐ろしい声で、母の名を呼びながら。母は必死で逃げた。あまりの恐怖に泣き喚きながら、命からがら逃げ出してきたのだという。

と、そんな話を僕は、あれは小学生になってしばらくした頃だったか、初めて母の口から聞かされたのだった。

だから彼女は、あんなにも稲妻の閃光を恐れるのだ。「バッタが飛ぶと人が死ぬ」と云って、あんなにもその音を恐れるのだ。それらしき昆虫の姿を見るのも恐ろしいのだ。だから――。

――駄目よ、森吾ちゃん。一人でうろうろしちゃあ。

だから彼女は、あの秋祭りの日、あんなふうに僕をたしなめたのかもしれない。

――特にそう、お祭りの日の、こんな夕暮れ時にはね。大勢の人たちが集まってくるところには、必ず怖い人が混じっているのよ。だから……。

「白い閃光、バッタの羽音……か」

呟き（つぶや）ながら、唯は小さく幾度も頷いた。

「それが何だったのかはともかくとして、要するにお母さん、子供を狙った殺人鬼、みたいな奴と出遭っちゃったわけね。そりゃあトラウマにもなるなぁ」

6

「母さんの右手には、二の腕に古い傷が残っていてね。事件の時、その『何者か』に襲わ負った傷らしいんだ。かなり大きな傷痕だから、きっと出血もひどかったに違いないけれど、幸いにも母さんは、追いかけてくるそいつから何とか逃げおおせて……」

「どんな奴だったの、そいつ。男？　まさか女？」

「男だろうとは思うんだけど、はっきりとそう聞いたわけでもない。その辺の記憶はあやふやみたいで、昔から僕が、もっと具体的な話を聞き出そうとしても、母さんは怯えた顔でかぶりを振るばっかりで。分かっていることと云えば――」

僕は軽く目を閉じ、息をついた。

「分かっていることと云えば、そいつは汚れた黒い服を着ていたとか、手には何か刃物らしきものを持っていたとか……で、そいつには顔がなかったんだ、とか」

「顔がない？」

唯は訝しげに眉根を寄せた。

「どういうこと」

「それは……」

昨年になって初めて耳にした言葉だった。「汚れた黒い服」「刃物らしきもの」「顔がない」……それらはすべて。

――あいつは汚れた黒い服を着ていたわ。

ゴールデンウィークに実家へ帰った際、母が急に自分の生まれ故郷について話しはじめた、あのあとのことだった。

――あいつにはね、顔がなかったの。

テレビに映ったカマキリを見た彼女が、例によって昔の事件を思い出して取り乱してしまった、あの時。「もっと具体的なところは、やっぱり憶えていないわけ？」という僕の問いに答えて。

――手に何か、刃物らしきものを持っていて……。

白髪痴呆(ちほう)の患者は発症直前、何故か非常な記憶能力の亢進(こうしん)を示すという、そのせいで蘇(よみがえ)ってきたディテールだったのかもしれない。

「『顔がない』というのはつまり、『首がない』ってことだろ。むかし何かの漫画で見た『首なし男』の絵を、僕はとっさに思い浮かべたんだけれども」

「『首なし男』って、それじゃあまるっきり化物か妖怪じゃない」

「まあ、確かに」

「化物とか妖怪に襲われたっていうの？　お母さん」

ちょっと呆(あき)れたように、唯は片頬を膨らませる。

んなものが実在するとでも」

何とも云わず、曖昧(あいまい)に首を振り動かした。ジントニックのグラスを口に運びながら、窓に目を流す。外はもうだいぶ薄暗くなってきていた。空には赤黒い夕焼け雲が広がっている。

「捕まったの？　犯人は」

唯が訊いた。僕はグラスを持ったまま、

「分からないそうなんだ、それも」

今度ははっきりと首を横に振り、そう答えた。

「だけど、大勢のお友だちが襲われて、血まみれになって……きっと死んじゃった子もたくさんいたんでしょ。大事件じゃない」

「うん。——でも」

「そんな大事件が、あの町で？　お母さんが幼い時分……仮に今から四十五年前の出来事だとしても、そんな話はわたし、噂にも聞いたことがないなぁ」

「あ、それは違うんだ」

僕はまた首を横に振って、

「母さんがその事件に遭ったのは、藍川や僕が生まれ育ったあの町じゃない」

「そうなの。じゃあ……」

「母さんは以前、よその土地に住んでいたんだよ。どこか山間の小さな町。そこで生まれて、幼年期を過ごして、そのあとあの町に移り住むことになった。柳の家——僕の祖父母の許に、養女として引き取られて」

「養女？」

「そう。さっき公園でちらっと云ったろう。母さんの母さんも惚けて死んだらしい、って話。それが白髪痴呆だったのかどうかは不明なんだけどね、その『惚けて死んだ祖母』というのは、だから柳の祖母のことじゃない。別の町に住んでいた、母さんの産みの母親のことで」

「どこなの、お母さんが生まれたのって」

「——分からない。聞いてないんだ」

「うーん」

「とにかくそんなわけだから、問題の事件が起こった場所も、僕らが知ってるあの町じゃなかったのさ。あそことは違う、母さんの生まれ故郷で……」

ぼそぼそと言葉を連ねながら、僕は再び窓の外に目を流す。

赤黒く染まった空の下、今しも町並みの向こうに沈もうとしている夕陽の影が見えた。幼い日の夏の夕暮れに見たあの太陽とは、大きさも色合もずいぶん異なって感じられたけれど、

——あれはヒトの血の色。

僕の耳にはどうしても、あの日の母の声が蘇ってきてしまう。

——ヒトの身体の中を流れている血の、あの真っ赤な色と同じ。

彼女が幼い頃、初めて目にした「ヒトの血の色」は。

――怪我をして、身体からたくさん血が外に出ちゃうとね、ヒトは死んでしまうの。

――正体不明の「何者か」によって切り裂かれた「みんな」。その身体から噴き出した血飛沫の色こそが、あるいはそれだったのかもしれない。

――死んでしまうの。血まみれになって、動かなくなってしまって。

「きれいね、夕焼け」

僕の視線を追って外に目を馳せた唯が、ぽそりと呟いた。

「こんなふうにして見るの、久しぶりかも。何だか怖いくらい、きれいねえ」

7

唯に注文を任せた料理を適当につまみながら、二杯目のジントニックを飲んだ。酒に酔うのは本当に久々で、それ自体はあまり心地好いものでもなかったのだが、アルコールによって無理やり体温を上昇させられる感覚が何かしら妙に新鮮ではあった。

「波多野君、変だよね、やっぱり」

テーブル越しにじっとこちらを見つめて、唯が云った。僕は火照った頬を指先で撫でながら、

「変……かな」

「事情はだいたい分かってきたけどさ。それにしても波多野君自身、何か凄く……」

「変に見える？」

「どう云えばいいのかなあ。バランスを崩しちゃってる、みたいな」

　バランスを崩している。――そう。まさにそうなのだろう。この何ヵ月かの間で僕は、心の平衡感覚をすっかり失ってしまいつつある。自分でもよく分かっているのだ。これではいけない、このままではいけない、と。しかし……。

「一昨日の電話だって、あの時は訊かなかったけど、明らかに変だったもの。声が震えて、引きつってたよ。今にも泣きだしそうな感じもして……ねえ、何があったの。どうなっちゃってるの」

　僕は答えに詰まった。

　ここで言葉に表わして説明したとして、それでどこまで彼女に伝わるだろうか。昏く狭い僕の心の内の、今のこの状態が。

「ねえ、波多野君？」

「――ああ」

　二杯目のグラスの中身を残らず飲み干す。身体が熱い。あちこちの血管の律動が、幾重にもなって耳に伝わってくる。僕は上目遣いに唯を見、そして――。

「怖いんだ」

　そう訴えた。

「怖くてどうしようもないんだ」

「怖い……病気の遺伝が？」

「もちろんそれも、ある。何かが正確に思い出せなかったり、記憶が曖昧だったり、髪に白いものが混じっていたり、そんなことがちょっとあるだけでびくびくしてしまう。もう自分にも症状が出はじめたんじゃないかって、そのたびに。——でも、ここのところ何だか、それとはまた別の恐怖に襲われることも多くて。このままだと本当に気が変になってしまいそうで」

　喋るうちに、身体がいよいよ熱くなってくる。脈搏が速くなってくる。その変化に引きずられるようにして、これまでなるべく抑え込もうとしていた感情が高ぶってくる。

「先月末の、藍川と出会ったあの夜、その直前に公園で子供の惨殺死体を見たって云っただろう。あの時にも……そうなんだ、白い閃光が見えたりバッタの音が聞こえたりしたんだ。気のせいだとは思うんだ。幻覚とか幻聴の類なんだろうと。だけどその一方で」

「その一方で、何？」

「だからつまり、むかし母さんたちを襲った化物が、今ここに現実の存在として現われたんじゃないかと」

「えっ？」

「そいつが今も、子供たちを切り裂いてまわってるんじゃないかと」

「そんな」

唯は慌てたふうに何度も目を瞬かせ、

「何云ってるのよ、波多野君。それ、連続子供殺しの容疑者って、このあいだ捕まったじゃない。知らなかったの？」

「――いや、知ってる」

亀山和之（31）　自称陶芸家

店先のテレビに映っていたあの顔。どこにでもありそうな、一度や二度見ただけだとすぐに忘れてしまいそうな顔の、あの……。

「知ってるよ。でもね、それでもやっぱり僕は……」

「逮捕された容疑者は犯人じゃない、と思うの？」

「――いや。あの男は確かに、その手で子供たちを切り裂いたのかもしれない。けれども本当にそれが、あの男自身の意志による犯行だったのかどうかは……」

「分からない、って云いたいの？」

「――そう」

ゆっくりと深く、僕は頷いてみせる。そうして一昨日の夕刻に西新宿の路上で思いついた「ある仮説」を、唯に話しはじめた。

「白髪痴呆の病状の進行については、さっきざっと説明したよね。現在から過去へ、新しい記憶から順番に失われていく。強度の高い、強烈な印象を持った古い記憶ほど、ずっとあとまで残ることになる。とすると、母さんの場合はどんな結果になる?」

「どんなって……」

「ここまで病状が進んできた母さんの頭の中は、もはやその『強烈な印象を持った古い記憶』が、ほとんどそれしか残っていないような状態だと考えられるだろ。今日の母さんの様子を見て、やっぱりそうなんだと確信したよ。あの人の頭はもう、ショウリョウバッタの羽音に代表される〝恐怖の記憶〟でいっぱいになりつつあるんだ、と。今はまだその他の記憶もいくらかは残っているけど、いずれは先に消えていってしまって、最終的にはそれだけになってしまうのかもしれない。そうなったら本当に、来る日も来る日も母さんは、ひたすら同じ恐怖に苛まれつづけることになるわけで……ねえ藍川、そうだろう」

「…………」

「どんな気持ちだと思う。目覚めている間も眠りの中の夢でも、そのことばかりを思い出す毎日、そのことしか思い出せない毎日が続くんだ。もしかしたら死の直前まで、えんえんと。最期の最期まで母さんは、バッタの音や白い閃光や顔のない殺人鬼の影に恐怖しつづけなきゃならない。言葉の真の意味で、それがあの人の〝最後の記憶〟になってしまうわけで……」

「………」

「凄まじい恐怖だろう、と思うんだ。今のこの段階でも、きっと。日に日に他の記憶が欠落していって、その分〝恐怖の記憶〟ばかりが煮詰められて濃くなっていって、みたいな感じでね。それで、あまりにもどろどろに煮詰められすぎたその〝恐怖の記憶〟が、何て云うんだろう、限界を超えて、あの人の内側に収まりきらなくなって、とうとう外の世界に溢れ出てきてしまったとしたら？　そしてそれが――『子供を切り刻む顔のない殺人鬼』という観念そのものが、現実に対して〝力〟を及ぼしはじめたとしたら？」

唯は呆気に取られた面持ちで、「マジ？」と首を傾げた。

「何よ、それ。本気で云ってるの、そんな」

「非現実的な、非科学的な、って？」

僕は真顔で訊き返した。

「確かに非科学的だと思う。むちゃくちゃな話だとも思うけれど、でも僕にはどうしてもそんな気がしてならないんだ。母さんの内側から溢れ出してきたそれは、実体としては存在しないのかもしれない。云ってみれば、過剰な恐怖心が産み出した〝観念の化物〟だ。でもね、それがたとえば、逮捕されたあの容疑者の、元々ある種の歪みを持っていた精神に対して、何らかの影響を与えていたんだとしたら」

「実行犯はあの男だけど、真犯人はその〝観念の化物〟だってこと？」

そう云って、唯はまた「マジ？」と首を傾げる。

「ほんとにむちゃくちゃで、強引すぎるよ。下手なホラー映画じゃあるまいし、そんなことが実際に起こるはずないでしょ」

「――そうかな」

「そうよ。どうかしてるよ、波多野君」

「突拍子もない話だってことは充分に承知している。そんなことが実際にあるはずがないっていうのも、常識的に考えればそのとおりだとは思うんだ。――分かってるよ。分かってるんだ。だけど、どうしても僕には……」

両手で頭を抱え込み、僕はテーブルの上に顔を伏せる。酔いで熱くなっていた身体が、今度は急激に冷えてきたような感覚に囚われた。腕や肩や膝が細かく震えだし、止めようと思っても止まらなかった。

「それが――それの影響を受けた誰かが、何かが、今度はこの僕に襲いかかってくるんじゃないかっていう気がして、怖いんだ。ひょっとしたら僕自身がそれの影響を受けて、乗っ取られてしまうんじゃないかっていう気もしたりして、怖いんだ。こんな非科学的で莫迦げた仮説を真面目に考えて、こうして本気で怖がっている自分の精神状態そのものも、怖いんだ。先週も学習塾の教室であいつが見えたんだ。一昨日だって妙なものが見えたり聞こえたりしたんだ。ああ、だから僕は、僕は……」

8

いったん冷えはじめたこの身体はどこまでも冷えていって、冷えきって、ついには決して溶けることのない氷の塊になり果ててしまうんじゃないか。そんな埒もない予感を抱きながら、テーブルに顔を伏せたまま震えつづけた。昏く狭い僕の心はさらに昏く、さらに狭くなっていき、感情や思考はどんどん弾力性を失い、いびつな形に固まっていき……。

もう嫌だもう駄目だもうたくさんだ、と喚きだしそうになった、その時。

「大丈夫だよ」

囁きかけるような声が聞こえた。

「大丈夫だよ、波多野君」

頭を抱え込んだ僕の手に、僕の皮膚よりも温かな指先が触れた。

「かなりヤバい線まで来てるかもしれないけどさ、わたしにそこまで話すことができたんだから、大丈夫」

指が僕の手を、頭から引き離す。僕はゆっくりと面を上げる。そうして――。

唯と目が合った。小学校の同級生だった頃の彼女の顔が、今そこにいる彼女の、すっかり成長して面変わりした顔にぼんやりと重なって見えた。

「普段あんまり飲まないんでしょ、お酒。これっぽっちでこんなに酔っちゃって」

震えが止まった僕の手からそっと指を離して、唯は云った。

「一度カウンセリングとか、受けてみる？　知り合いに優秀なカウンセラーがいるから、紹介してあげるよ」

口を噤んだまま僕は、かすかにかぶりを振った。

「無理にとは云わないけど。――うーん、それじゃあ」

唯はテーブルに両肘を突き、細い顎の下で指を組み合わせながら、

「さっきはずいぶん自暴自棄なことを云ってたけど、波多野君さ、ほんとはどこかで『違う』って思ってるでしょ。違う、そうじゃない、って」

「…………」

「研究室にも戻りたいって、どこかで考えてるんでしょう」

云われて、僕は思わず「えっ」と声を洩らした。

「――いや、そんなことは」

「考えてるはずよ。でなきゃあ、本当に莫迦莫迦しくなって全部投げ出すつもりだったのなら、休学じゃなくって退学届けを出すんじゃないの。いつか戻る、戻りたいっていう気

持ちがあるから、だから休学なんでしょ。間違ってる？」
改まってそう指摘されて、初めて僕は自覚できた――ような気がした。彼女の云うとおりなのかもしれない。何だかんだと悲観的な理屈を捏ねてみせながらも、結局のところどこかで僕は、自分はシロだと信じようとしている、信じたがっている。そういうわけなのか。

「止まってたら悪くなるだけだよ」
と、唯が云った。不審も疑いも嫌悪も恐れも、彼女の表情には窺えない。まっすぐに僕の目を見据え、けれどもとりたてて力む様子もなく語りかけてくる。

「不安や心配ごとがある時には、とにかくまず動くべし。ってね、これはわたしの持論、と云うか、今までのささやかな経験に基づいて決めた方針なんだけど」

「――動く？」

「じっとしてても、何の解決にもならないでしょ。動きを止めてあれこれ悩んでないで、とにかく何かできることをする。気懸かりな問題があるんだったら、ちょっとでもそれが解決に向かうような動きを始めてみる」

「――でも、動くって云ったって、僕は」

「動きようがない？」

「――と思う」

「そんなことないよ」

「――と云われても」

どうすれば良いというのか。何に向かってどのように動けば良いというのか。

「今日聞いた話からするとね」

テーブルから肘を上げて背筋を伸ばしながら、唯は云った。

「とにかくまず一度、あの町へ行ってみることじゃないかなぁ」

「あの町って、むかし住んでいた、あの？」

「そう。そこで手がかりを探すの」

「手がかり？」

「お母さんの生まれ故郷がどこだったのか、その手がかりを。そうでもしないと分からないんじゃないの？」

「――かもしれない」

「お母さんの育てのご両親は、今は？」

「柳の祖父母なら、だいぶ前に片方は亡くなってる。祖母の方」

僕は記憶を手繰り寄せる。古いカラー写真のような褪せた色合で、あれはもう十年以上も前になるだろうか、最後に会った時の祖父母の姿が脳裏に浮かび上がってくる。

「こっちに引っ越してきて以来、柳の家とはすっかり疎遠になっていて……祖母の葬儀には確か、母さんだけが。駿一兄さんはもちろん、僕も水那子もまったく交流がないような状態で」

「それじゃあ、生きておられる方――お祖父さんに訊いてみれば、分かる可能性があるわけね。お母さんがどこから養女に貰われてきたのか」

「――うん」

電話をかけて訊く手も当然あるが、ことがことだけに、やはり実際に会って話を聞いてみる方が良いだろう。そう思えた。

「お母さんの故郷と生家が分かったら、次にそこを訪れてみるの。でもって、お母さんのお母さんがどんなふうにして亡くなったかを確かめることができれば、ね？」

「ああ……」

若林助教授も云っていた。母の産みの母がどのように「惚けて死んだ」のか。その事実を押さえておかなければならない、と。

そう云われたものの、しかし僕は、これまでどうしても動きあぐねていたのだった。

仮に母の実母もまた白髪痴呆を発症していたという事実が確認されたならば、自分にそれが遺伝している確率は、四分の一から二分の一に跳ね上がることになる。もしもはっきりとそう判明してしまったら、と思うとどうしようもなく怖くて、だから僕は……。

「ついでにそこで、昔お母さんが巻き込まれた事件についても、何か情報が得られるかもしれないでしょ」

もたもたしている僕の手を引っ張るように、唯はてきぱきと話を進める。

「何がどうだか分からない状態、っていうのが一番良くないんだよね。〝不安〟は〝不明〟から来るもの。少しでも分かっちゃえば楽になることも多いし、たとえ何か悪い結果が出てきたとしても、それだったらそれで具体的な対処法を考えればいいわけ。でしょ？」

「――かもしれないね」

「じゃあ、そうだなぁ」

唯は自分の腕時計をちらりと見て、

「今日が十八日だから、ええと……来週の後半になっちゃうけど、その頃にどう？」

いきなり訊かれて、僕はたいそううろたえてしまった。

「バイトは、入ってても休めるよね。わたしの方は、できれば週末にかかってくれると動きやすいんだけれど」

「ちょっと藍川、それってつまり……」

「一緒に行こうよ」

と云って、唯はあっけらかんとした笑みを見せる。――赤毛の仔ギツネ。先月彼女と会った時に感じたそんなイメージを、そこでふと思い出した。

「わたしも久しぶりにあの町、行ってみたいし。ね、行こうよ」

返事をためらう僕の顔を、唯は少し困ったような目で睨(にら)みつけ、そして云った。

「昔とおんなじで、どうも放っとけないんだよね、波多野君のこと」

II

第7章

1

　幼い日の、あれは夏の終わりの午後だったろうか、父と母と僕と、三人で歩いた海辺の小道には他に誰の姿もなくて、緩やかに湾曲した海岸に沿って延びるその道がずっと遠くで見えなくなってしまうあのあたりに、ひょっとしたら世界の果てがあるのかもしれないと思ったりしたものだった。さざ波に揺れる海の色は、晴れ渡った空のような青だった。水平線を境にして上方に広がる空の色は、穏やかな海のような青だった。どちらの青も僕の目には、深みはあるけれど翳りのない、何かとても特別な色に見えた。

「空にもきっと、海みたいにいっぱい水があるんだね?」

　他愛のない僕の問いかけに、あの時の母は静やかに微笑むばかりで、何も答えてはくれなかったように思う。潮の香りを心地好いものに感じながら僕は、幾度となく海と空の様子を見比べて、こう続けた。

「だから空からは雨が降ってくるんだよね。雲は〝空の波〟なんだね」

一緒にいた父も、母が微笑むのを見て同じように微笑んでいたように思う。どうして僕たち三人が、そんなふうにして海辺の道を歩いていたのか、前後の状況は憶えていない。

晴れ渡った空のような海。穏やかな海のような空。

幼い日のあの午後のイメージをそのまま再現したような、深みはあるけれど翳りのない青の広がりが前方に現われて、僕は瞬間、冷え固まった心の芯がふいに疼きだすような、予想外の感覚に戸惑った。唯の運転するバルケッタが長いトンネルを抜け、ひとしきり急な坂道を下っていって、おもむろに視界が開けた時のことだった。

車はやがて海岸線に出た。

綿飴のような白い雲が幾筋か流れているだけの、初秋の青空。その下で揺れる青い海。無数の波頭の白が、まるで〝海の雲〟のように見える。

空と海の色がこんなにも似て感じられるのは珍しいことだと、その後の経験から僕は知ったつもりでいる。とすれば、これは生まれ故郷のこの土地の自然の、久々に帰ってきた者に対する歓迎の意思表示なのか。そんな、およそ今の僕には似つかわしくない甘い感傷が、ふと胸に滲んだ。

十何年かぶりに出遇う故郷の海の姿に、年月による変化はまったく窺えない。懐かしいの一言で表わしてしまうのには抵抗のある、複雑な感慨に囚われる。どことなく気恥ずかしいような、やるせないような。同時にまた、たまらなく哀しいような、逃げ出したくなるような。僕の方はこんなに、こんなにも変わってしまったというのに。

「ずいぶん変わっちゃってるよねえ」

と、唯が云った。僕は思わず「え？」と首を傾げ、運転席でハンドルを握った彼女の横顔に目を向ける。

「この国道、昔はもっと狭くてぐねぐねしてたものね。沿道にはお店なんか一つもなかったし」

窓から吹き込む風にさらさらの赤毛をなびかせながら、そう云って唯もこちらに視線を流す。

「あそこにはほら、家がたくさん建ってるじゃない。あんな住宅地も昔は全然なかったでしょ」

「ああ……そうなのかな」

僕は頭の後ろに両手を回し、深く息を吸い込んで薄っぺらな胸を反らした。

「いつまでこの町にいたんだっけ、藍川は」

訊くと、唯はカーステレオのヴォリュームをちょっと絞りながら、

「中学まで」

と答えた。

「高校に上がる年に、お父さんが一大決心をして地元の会社を辞めてね、転職先を見つけて首都圏に引っ越したの」

「ということは、だいたい十年ぶり？」

「そうね。こっちには親戚とか、いないし」

「小中学校時代の友だちは？」

「年賀状のやり取りの続いている相手が、一人二人。――おかしいよね。けっこう何人も『親友』がいたはずなのに」

高田馬場の僕の部屋を出発してから、かれこれ五時間以上も経っている。その間、何度かの休憩を挟んでずっと運転を続けてきた唯だが、疲れた気色はさほどもない。一方の僕はと云えば、ただ助手席に坐って窓の外を眺めたり、気がつくとうたた寝をしていたり、という道中だったにもかかわらず、もう一日の終わりが近いかのようにぐったりした気分でいる。

カーステレオから流れる音楽は、名を聞いてもまるでぴんと来ない国内のインディーズバンドのナンバーばかりだった。痙攣のようなビートに乗せて連射される過激な言葉の断片、あるいはスロウな変拍子のピアノに絡む珍奇な独白、あるいは七〇年代ロックのいびつなパロディめいた狂想曲……そのようなものが、どうやら唯の趣味らしい。どれを取ってみても僕には、どうでもいいような雑音にしか聞こえなかったのだけれど、文句をつける筋合でもないと諦めて黙っていた。

車は快調に海沿いの国道を走りつづける。

しばらくすると行く手に、白い橋門が見えてくる。町外れに流れる川を渡る橋だが、昔の記憶にあるそれとは明らかにたたずまいが異なることに、僕はすぐ気づいた。

「この橋も新しくなったんだ。ほんと、ずいぶん変わっちゃったよねぇ」

と、唯が同じ感想を繰り返した。

「お祖父さんちまで、ちゃんと辿り着けるかなぁ」

「道順は一応、憶えてるつもりだけど」

答えながら僕は、そろそろと頭の中に古い地図を広げてみる。かつて僕たち家族が住んでいた家と柳の祖父母の家とが、地図上の二点で鈍く光った。

よし、大丈夫だ。忘れてはいない。僕の記憶はまだまだしっかりしている。――ああ、またこうやって自分に云い聞かせている。もはやすっかり習い性になってしまった、その場凌ぎの不安鎮静法。

「多少、町並みが変わっていてもまあ、見つけられないことはないと思うから」

「了解。信じた」

ダッシュボードの時計をちらりと見て、唯はアクセルを踏み込む。

「思ったよりも時間がかかっちゃったけど、とにもかくにも無事到着ね。どうする、波多野君。とりあえずどこか喫茶店にでも入って、一休みしよっか」

2

九月二十四日、金曜日。

この日の朝、僕は唯からの電話で目を覚ました。携帯電話の、普段ほとんど聞くことのない着信音が無遠慮に鳴り響いて、気だるい身体をベッドから引き剝がさざるをえなくなったのだ。

「うっす、波多野君。起きてた？　起きてる？」

……そうか。やっぱり今日なのか。やっぱり行かなきゃならないのか。

取り上げた銀色の電話機からは、ちゃきちゃきとした唯の声が響き出してきた。

「あと十五分くらいでそっちに着くはずだから、すぐに出られるようにしておくんだよ。いい？　分かった？」

念押しをして、僕が「うん」と答えるのを待ってから唯は電話を切った。それでもしかし、僕は積極的に「動く」ことができず、きっちり十五分後に彼女がやって来た時にはまだ、皺くちゃのパジャマを着たまま部屋の隅で膝を抱えていたのだった。

先週の土曜日に二人で母の見舞いに行ったあとの話の流れで、とにもかくにも「動く」ことに決めたはずの僕だった。あの夜、唯と別れて部屋に戻り、酔いの抜けないまま眠りに就くまでは、曲がりなりにもその意思は固まっていたのだ。ところが——。翌日、翌々日と時間が経つにつれ、固まったはずの意思はいともあえなく崩れていったのだった。

特にこれといった事件があったわけでもない。週明けには学習塾のバイトに行った。いつものように出勤していつものように生徒たちと接し、いつものように一人で帰ってきて……というお決まりの仕事をこなしたわけだが、あるいはそのせいで、いっときの気の高ぶりが冷まされてしまったのかもしれない。あまつさえ、まるであの土曜の夜、唯に強く背中を押された反動のように、気力そのものが急激に減退していき……。

もうどうでもいい、というのが少なくとも一昨日、水曜の夜の時点での、僕の偽らざる心境となっていた。

その日もバイトで、例の小学生のクラスを教えた。「いなくなっちゃった」嶋浦充という男の子は相変わらずいなくなったままで、生徒たちは相変わらずそのことには無関心な様子だった。嶋浦とは別に二人、先週から連続で欠席の子供がいて、

——いなくなっちゃえばいいんだよ。

僕は無性に気に懸かったのだけれど、生徒たちに訊いてもどうせ無駄なように思えたので訊かなかった。

――ほんとは分かってるんだよね。

いつだったかのように教室にあいつが現われたりすることはなかったが、帰りの道ではまた変なものを見たり聞いたりしないかと怯えどおしだった。やっと部屋に辿り着いた時にはひどい脱力感に襲われ、この塾のバイトもいい加減やめてしまおうかと真面目に考えはじめた。そして――。

「もうどうでもいい」

気がつくと独り、声に出してそう呟きつづけていたのだ。

もうどうでもいい。母の産みの母がどのような惚け方をして死んでいようと。白髪痴呆の原因遺伝子が自分の中にあろうとなかろうと。いずれ自分がその奇病に冒されてしまうことになろうとなるまいと。もうどうでもいい。なるようになればいい……。

「出発は二十四日」という連絡が唯から来たのは、その同じ夜、まさに僕がそういう状態に落ち込んでいた時のことだ。二十三日の秋分の日を返上して当面の仕事を片づけてしまい、代わりに翌日、休みを取れる見通しがついたから、と云う。

「別にそんな、無理して行かなくても」とか何とか、僕は煮えきらない受け答えをしたように思う。唯はしかし、有無を云わさず段取りを決めていった。

「出発は明後日、金曜の朝ね。列車で行くことも検討してみたんだけど、それよりわたしの車で動いた方が、何かと便利だと思うの。長距離の運転はけっこう慣れてるし、交替なしでも全然平気。予報によれば週末は快晴だから、きっと楽しいドライヴになるよ。お祖父さんの方はその日、大丈夫だよね。明日にでもちゃんと予定を伝えて、向こうの都合も聞いておくこと。分かってるよね」

もういい、「動く」のはもうやめにしよう——とは、どうしてもそこで云いだせなかった。いや、云いだす気力すら絞り出せなかった、と云うべきか。

唯からは昨夜も、確認の連絡があった。

「迎えにいく前に一度、電話するから。寝る時も留守電にはしないで、ケータイの電源もONにしておくように」

そう命じられて、やはりそこでもうやめにしようとは云いだせず、「ああ」と生返事をした僕だったのだが……。

「どうしたの、波多野君。行く気あるの？」

ドアを開けた僕のパジャマ姿を見るなり、唯はさすがに呆れた目をしてそう云った。

「——あまり、ない」

僕は消え入りそうな声で答えた。

「ごめん。せっかく藍川が……」

「どうして。今さらそんな」

俯いた僕に近づき、横から顔を覗き込みながら、

「怖いの？」

と、唯は訊いた。

「あれこれ調べて、本当のことが分かってしまうのが怖いわけ？」

「ああ……いや」

彼女の視線から逃げるように、僕はのろのろと首を振った。

「もういいんだ、どうでも」

「何を寝ぼけてるの。どうでもいいはずがないでしょ」

「いいんだよ、ほんとに」

「ちょっと、波多野君」

「身体がだるい。動きたくない。——気力が湧かない」

「何云ってるんだか」

唯はさっと右手を挙げ、僕の額に掌を押しつけた。

「熱はなし。車に乗り込んじゃえば、君は助手席でじっとしてるだけでいいんだから、ほとんど動く必要もなし。気力が湧かないのは、わたしが何とかしてあげる」

「――でも」

「駄目だよ、波多野君」

と云って、唯は真顔で僕をねめつけた。

「単に逃げてるだけじゃない、それって」

「…………」

「云ったでしょ、こないだ。止まってたら悪くなるだけだよ、ってさ。あの時は納得してたじゃないの」

「ああ……うん」

「このままだと波多野君、マジでおかしくなっちゃうよ。今からわたしと一緒に出発するか、それが嫌なんだったら専門のカウンセラーに診てもらうことにするか、どっちかを選びなさい」

止まっていたら悪くなるだけ。――そう。確かにそうなのだろう。頭では理解しているのだ、充分に。こうして面と向かって諭されれば、どうにか気を持ち直すこともできるのだけれど。

「さあさあ、とにかく着替えて。でもって、可及的速やかに出発」

僕の沈黙を前者の選択と了解したのか、唯はあっけらかんと尻を叩いた。

「――まだ何も準備、してないんだけど。旅行の荷物とか」

恐る恐る僕がそう云うと、彼女はからりと笑って、

「そんなのは適当でいいから。足りないものはあとで買えばいいんだし。財布とケータイだけは忘れないようにね。さ、早く動いた動いた」

こうしてようやく、この日の僕の「動き」は始まったのだった。ほとんど中身が空っぽのデイパックを一つ持ち、僕が唯のバルケッタの助手席に乗り込んだのは確か、午前十時を何分か過ぎた頃だったと思う。

3

「お祖父(じい)さんちには今日のこと、連絡してあるんだよね」

渋滞のひどい都内を脱出して、バルケッタがやっとスポーツカーらしい走り方をしはじめたところで、唯が「そうそう」と呟いて僕に確認してきた。流れる景色をぼんやりと目に映していた僕は、ドアに寄せていた肩をはっと離し、

「ああ、いや、それが」

返すべき言葉をしどろもどろで探した。

「まさか連絡してないの?」

「それがその……」

「一昨日の電話でちゃんと念を押したのに……って、まあ、してないものは仕方ないか」

　気を取り直そうとするように、唯はぶるりと頭を振ってから、

「一度電話をしてみた、とは云ってたよね」

「――うん。近々そっちへ行くかもしれないって話は、その時にしたけど。いつでもおいでなさいって云ってくれてたから、たぶん大丈夫なんじゃないかと」

「大丈夫じゃなかったら困るでしょ」

　唯は「ふう」と溜息を落としながら、運転席の窓を開け放つ。思いきり良くカーステレオのヴォリュームを上げる。


　あれは五日前、十九日の日曜日。

　前夜のテンションがまだそれほど低下しないうちに、僕は古い手帳や住所録を引っくり返して、柳の家の電話番号を探し出した。とにかく一度、事前に連絡をしておかねばという常識が働いて、その日の午後にさっそく電話をしてみたところ、祖父と同居している叔父の、聞き憶えのあるまろやかなバリトンが応答に出た。

「あの、ご無沙汰してます。波多野千鶴の息子の、森吾ですが」

　おずおずとそう告げると、叔父――名前は要一郎という――は、受話器の向こうで「おやあ」と大声を上げた。

「森吾君？　そうか、森吾君か。いやいや、ずいぶん長く顔を見ていないが、元気で頑張ってるか」

母よりも二つか三つ下だから、叔父の年齢は四十七、八。口のまわりがふさふさの髭に覆われた、何となくチャウチャウ犬を連想させるような風貌が、僕の記憶の中にはあるのだけれど、今でも彼はあんな髭を伸ばしているのだろうか。

「大学院で何やら難しい研究をやってるんだってなあ。お母さんから聞いてるよ。勉強もむろん結構だが、少しは身体も鍛えるようにな」

「あ……はい」

「バイクには今も乗ってるのかな。気が向いたらたまには、ツーリングがてらこっちにも遊びにくればいい」

そう云えば、そう、要一郎叔父は五年八ヵ月前に父が急死した際、葬儀に来てくれていた。通り一遍の挨拶を交わしただけで、話らしい話はしなかったように思うが、僕がバイクに乗っていると誰かから聞いて、自分も昔は「超」が付くほどのバイク好きで何台も持っていたのだとか、そんなことを云われた憶えがある。

突然の、しかも長年の間ほとんど連絡などしてきたことのない不義理な甥っ子からの電話だというのに、叔父の反応は思いのほか温かく感じられた。おかげでいくぶん緊張は解けたものの、それでも何をどう切り出したら良いのか、僕はたいそう迷った。

「お母さんは元気にしてるか」

そう訊かれて、迷いはいっそう強まった。同時に胸が鈍く痛みもした。

母の発病と入院の事実を、叔父はまったく知らないのだ。当然だった。僕も水那子も駿一も、その件についてはいっさい祖父や叔父たちの耳に入れていなかったのだから。

一番の当事者である母自身の、それは意向なのだった。昨年末の入院に際して彼女が、当時まだかろうじて残っていた理性がそう云わせたのだろう、わたしの病気のことは柳の実家には伝えないように、と僕たちに訴えたのだ。よけいな心配はかけたくないから、と彼女は云っていた。実は血のつながっていない彼らに対する、どうしても消し去れぬ遠慮のような気持ちが、きっとそこにはあるのだろう――と、僕はひそかに想像したものだったが。

「――で？」

僕が何も云おうとしないのをどう受け取ったのか、要一郎叔父は心持ち声のトーンを下げて訊いてきた。

「どうしたんだ、森吾君。何か困ったことでもあるのかな」

「実は――」

云いかけて、僕は受話器を耳に押し当てたままゆっくりと深呼吸をした。

「実はですね、お祖父さんに会ってちょっと尋ねたいことがあるんです」

「親父に？　急にまた、何を」

「それは……とにかく一度そちらへ伺って、お話ししたいんですが」

「――ふむ」

何か思うところがあったのだろうか、叔父はそれ以上こちらの事情を問いただそうとはせず、

「いいよ。いつでもおいでなさい」

と答えた。僕は内心ほっとしながら、

「ええと、たとえば今度の週末とか、その頃に行っても構いませんか」

「おお、構わないとも。親父ももう八十が間近で、しょっちゅうあちこち具合が悪いとぼやいているが、東京から珍しい孫が訪ねてくると聞いたら、少しは元気も出るだろう。いつでもおいでなさい。歓迎するよ」

母が柳家に引き取られた養女だったということを、彼女の弟である叔父は知っているのだろうか。話している間中、気になっていたのだけれど、そこでそれを訊いてみる踏ん切りはつかなかった。

4

正午前、最初の休憩のために立ち寄ったドライヴインで、僕は唯にせっつかれて柳の家に電話をかけることにした。電話番号は新しい手帳に転記してあって、幸いその手帳はデイパックのポケットに放り込んであった。

扱い慣れない携帯電話を握り、幾度もボタンを押し間違えている僕の様子を見て、

「ほんとに普段、使ってないのね」

唯はおかしそうに目を細めていた。

向こうで電話を取ったのは、要一郎叔父の息子だった。雄喜という名前の、僕よりも五、六歳年下の従弟だ。この十数年間、一度も会ったことがないから、彼がまだ年端も行かなかった頃の顔しか、僕の記憶にはない。当然ながら声も少年期のものしか知らないわけで、だから最初にその声が聞こえてきた時には、いったい何者が出たのかと少々うろたえてしまった。

「……ああ、うんうん。話は父さんから聞いてるよ。今日来るの？」

僕がひととおり事情を説明すると、雄喜は別に訝しむふうもなく、この日の柳家の状況を教えてくれた。

「父さんは仕事に出てるから、帰ってくるのは夜になってからだね。祖父ちゃんは確か、夕方に近所の寄り合いみたいなのがあって、帰りはやっぱり暗くなったあとかなあ。俺も午後からちょっと出かけちゃうし……あ、母さんがね、どうぞ早くにいらしてくださいっ

て云ってるけど」
「いや、それじゃあ今夜、あんまり遅くならない頃合を見計らって伺います。——という
ことにしても、大丈夫だろうか」
「全然いいんじゃないかな。父さんも祖父ちゃんも、楽しみにしてるみたいだしさ。その
うち森吾君が遊びにくるぞってね、こないだからずっと」
「そうか。じゃあ今夜……」
傍らで僕たちのやり取りに耳をそばだてていた唯の、かすかな安堵の吐息が聞こえた。
電話を切ると僕は唯に背を向け、ジーンズの前ポケットに指先を潜り込ませながら頭上
を仰いだ。晴れ渡った空の明るさとはまるで裏腹に、相変わらず気分は重苦しく停滞して
いた。できるものなら今からでも逃げ帰ってしまいたいという気持ちが、この時はまだ心
の何分の一かを占めていたように思う。

第8章

1

「……わりとこの近くなんじゃないの、それって」

「近い近い。ほら、市営プールの前の坂を登ってって……」

「ああ、分かった。あそこの……」

「そうそう。小学校の通学路がそばを……」

「一昨日（おととい）の夜？」

「だって」

「それで、その子……」

「ニュース、見てないの？」

一つおいた隣のテーブルから、途切れ途切れに聞こえてくる会話。注意して耳を傾けなければ聞き取れないような、ひそひそ声の。

「……ひどい。よくそんな……」

「うちの弟がね、見たんだって。ブランコに痕が残ってるの」

「痕って、血とか？」

「そう。血の痕がべったり付いてて、ブランコは使用禁止に……」

「……怖い」

「怖いよね」

声の主は二人の若い女性客だった。見たところ、地元の女子大生か専門学校生か、といった感じだが。

「最近そういう事件、多いね」

「やっぱ、そうなのかなあ」

「東京の方でもほら、こないだずいぶん騒いでたじゃない」

「あれは犯人、捕まったんでしょ」

「うん。ヤバいよね、あいつ」

「ヤバいよねえ、ほんと」

「自分でも何でやったのか分かんないって、そんなこと云ってるらしいよ。頭ん中に特別なケータイがあって、それに誰かが電話してきて命令したんだとか。何て云うんだっけ、そういうアブナいの。ええと……」

「電波系？」

「あ、それそれ。ああいう事件が一つ起きるとさ、あちこちで似たようなことする連中が出てくるし……」

……何なのだろうか。

いったいどんな「事件」が、「この近く」で起こったというのだろう。

湧き起こる不穏な胸騒ぎに耐えながら、僕はくわえていた煙草に火を点(つ)ける。立ち昇る紫煙の狭間(はざま)に一瞬、

——ほんとは分かってるんだよね。

惨(むご)たらしく切り裂かれ、血にまみれた男の子の顔が揺らめく。

——そうだよね、おにいさん。

ああ、これはあの……。

強く頭を振って、僕はかすかに震える手で冷たいグラスを取り上げる。ストローは使わずに直接、中身のジンジャーエールを喉(のど)に流し込む。

向かいの席に唯の姿はない。彼女の頼んだケーキとアイスティーのセットが、手つかずのままテーブルには置かれている。

「……次も、この近くで起こると思うな」

「嫌だぁ、もう」

「目撃者とか、誰もいないらしいし。捕まる前にあと何人か犠牲者が……」

「やめてよ。脅かさないで」

「あたしたちは大丈夫だから。狙われるのはきっとまた、子供だから」

「そんなの、いつ気が変わるか分かんないでしょ。どうせその犯人、アタマがどうかしてるんだろうし……」

「あ、マジで怖がってる？」

……駄目だ。聞いちゃいけない。聞きたくなどない。こんな話を、こんなところで。

吸いかけの煙草を灰皿に置き、僕は両手を耳に押しつける。女性客のひそひそ声とは別に、今ここにあるはずもない音が
——バッタが。

どこかから聞こえてきそうな気がして、おどおどと店内を見まわす。

——バッタの飛ぶ音が。

レジのそばに立ったウェイトレスが、訝しげな顔でこちらを窺っている。僕は何とか平静を取り繕い、それでも両手は耳に押しつけたまま、窓の外へと目を逃がす。

国道沿いの喫茶店だった。流行遅れのカントリー&ウェスタンが似合いそうな、素朴なログハウス調の建物。

店の前の広い駐車場には、僕たちの乗ってきたバルケッタが駐めてある。そこを共同の駐車場にして、隣ではコンビニエンスストアが営業している。今やすっかりお馴染みの全国チェーンだけれど、むかし僕が住んでいた頃にはまだ、この場所にこんな店はなかったように思う。

時刻は午後四時前。空はまだ、変わらぬ青さを保っている。

降り注ぐ陽射しのあの目映さを、昏く狭いこの心の内に少しでも取り込めたならば。

そんな考えをふと、これまでになく切実に抱く。今さら考えてみても無駄なことだろうか。——そうなのかもしれない。どのようにあがいてみたところで、どうせもう……。

……ふいに。

目に映る風景の何分の一かが、どこかで何かのスイッチが切り替わりでもしたかのように暗くなった。流れてきた雲のかけらが太陽を隠し、地上に大きな影を落としたのだ。

雲の動きに合わせて、風景を明暗に二分した境界線もゆっくりと移動していく。意識して見守っていると、その運動は何故だか妙に秘密めいていて、さらには何故だかひどく物恐ろしげにも感じられた。

影はやがて、駐車場全体をすっぽりと呑み込んでしまう。唯のバルケッタの車体が、ついさっきまでとはまるでニュアンスの異なる色合に見える。

僕は空に目を上げる。そして——。

陽光を遮った薄灰色のちぎれ雲。その様子にその時、強い違和感を覚えた。

刻一刻と形を変えている。単に風に流されているにしては不自然な動き方をしている。

何かが、どこかが変だ。普通じゃない。あれは、あの雲は……。


——バッタが。


流されているのではない。

みずからの力で動いているのではないか、あれは。

僕ははっと息を呑む。窓のガラスに顔を近づけ、せいいっぱいに目を凝らす。すると、その正体が見えてくる。あれは雲ではない。あれは……ああ、やっぱりそうだ。何か小さなものが、たくさん。何か小さな黒いものが、たくさん。何か小さな黒い動くものが、たくさん……。


……バッタだ。

バッタの群れなのだ、あれは。

何千匹、何万匹、いやもっとたくさん……途方もない数のバッタが大群となって飛んでいるのだ。それがまるで雲のように……。

思わず叫びだしそうになった。

——バッタの飛ぶ音が。

忌まわしいバッタの羽音が今、上空では無数に渦巻いているのだ。それが窓ガラスを突き抜けて響き込んでくるのを、僕は必死になって遮ろうとする。耳に押しつけていた両手に痛いほどの力を込めながら、テーブルの上に顔を伏せる。全身が小刻みに震えだす。心臓の鼓動が加速する。呼吸が荒くなる。顔を伏せたまま、僕は激しくかぶりを振る。脂汗の滲んだ額がテーブルにこすりつけられる。きつく閉じた瞼の裏側で、血の色が波打つ。熟れきったオレンジとリンゴをどろどろに溶かし合わせたような……。

——あれはヒトの血の色。

……ああ母さん、あいつが来る。

こんなところにまで、僕を追いかけて。

——あれはヒトの血の。

母さん、あいつが来るよ。

あなたの記憶の中から溢れ出した〝恐怖〟が、もうすぐここに。今度はきっと、この僕の身体を切り刻むために。

半ば観念して、僕は耳から手を離す。

「何やってんだろ、あの人」

聞こえてきたのはショウリョウバッタの羽音ではなく、こちらを窺いながら気味悪そうに囁き合う女性客二人の声だった。

「さっきから何か、ヤバい感じだよね」

「電波系、かな」

「しっ……もう出よっか」

「そだね」

2

二人が出ていくのとほぼ入れ違いに、唯が店に戻ってきた。

愛車の色に合わせたような、くすんだオレンジ色のシャツにデニムのジャケット、黒いレザーのパンツ、といういでたちが相変わらず、ちょっと嫌味なくらいさまになっている。ほっそりとした、どちらかと云えば中性的な体型とあいまって、といった部分もあると思う。

彼女は自分のバッグとは別に、白いビニール袋を手にぶら下げている。隣のコンビニへ買い物に行ってきたのだ。

「お待たせ」

テーブルに着くと唯は、アイスティーのグラスにストローを入れながら、

「どうよ」

と、僕に訊いた。

「少しは気力が湧いてきたりは？」

僕は何とも答えられず、恐る恐る窓の外に目を向ける。青空を流れる雲を見上げ、それが間違いなく雲であることを確認して、心中ひそかに胸を撫で下ろす。

「大丈夫？　波多野君」

唯は心配げに首を傾げ、そんな僕の顔を見据えた。

「気分、悪いの？　長距離のドライヴでくたびれちゃったかな」

「いや……」

僕は俯き、返事を濁す。

さっき見えたバッタの大群のことは、ここでは話すまいと決めた。どうせあれは――あれも、不安定な僕の精神が産み出した幻覚の類に違いないのだから。

小さく咳払いをして、僕は煙草の箱に手を伸ばす。中はもう空っぽだった。すると唯が、傍らに置いていたコンビニの袋をテーブルの上に載せて、

「煙草も入ってるよ。キャスターマイルドで良かったっけ」

「あ……うん」

「適当に必要そうなもの、買い込んできたから」

「――悪い」

「何か足りないものとか、あるかなぁ。一応チェックしてくれる？」

僕は袋を手許(てもと)に引き寄せ、云われるままにその中身を確かめる。歯磨きセットに髭剃(ひげそ)りに、櫛(くし)にタオルにハンカチに……替えの下着と靴下まで入っている。

「いま電話して、今夜の宿は確保しておいたんだけど。安いビジネスホテルだから、あまり備品も揃ってないだろうし」

「…………」

「それに、ひょっとしたら波多野君は、お祖父(じい)さんちに泊まることになるかもしれないでしょ。だからまあ、いろいろ持っておいた方がいいかもって」

そこまで気を回してくれなくても……と、今さらのように僕は自分の不甲斐(ふがい)なさを呪いたくなる。

「下着のサイズや趣味は知らないから、ほんとに適当だけど、ま、着替えがないよりはましでしょ。——あ、それから」

唯は少し身を乗り出して、袋の口を開いた僕の手許を覗(のぞ)き込み、

「使い切りカメラが一個、入ってるけど、それも波多野君が持っておいて」

「使い切りカメラ？」

正式な一般名称は、確か「レンズ付きフィルム」というのだったか。部品がリサイクルされるシステムになっているから、「使い捨て」ではなくて「使い切り」なのだろう。

「わたしのカメラを持ってくるつもりだったんだけど、忘れちゃったの」

「何で、そんな」

「お母さんの生家の写真とか、撮ろうと思って」

「何でそんな？」

と、僕は繰り返した。

「そんな写真を撮って、いったい」

「お母さんに見せてあげたらどうかなって」

「…………」

「いい刺激になるかもしれないでしょ。多少なりともそれで、病気の進行が……」

なるほど、そういう話か。

唯の気持ちは分かるし、そのように考えてくれること自体をありがたくも思う。けれど一方で、お節介もたいがいにしてほしい、とも思ってしまう。それが自分の身勝手な苛立(いらだ)ちだとは、十二分に承知の上で。

「エネルギー補給」と称して唯はケーキを食べはじめ、僕はその間、ちらちらと窓の外に目をやっては上空の雲に不審な動きがないことを確かめつつ、閉塞(へいそく)的な沈黙を続けた。やがて、ぺろりと「補給」を済ませてナプキンで口許を拭(ふ)きおえた唯が、

「さてさて」

と云って、腕時計に目を落とした。

「まだだいぶ時間がある、か。今夜あんまり遅くならない頃合に、って云ってたよね、お祖父さんちに行くの」

「ああ、うん」

「じゃあ、それまでの間ちょっとつきあってくれる？」

「——って、どこに？」

「久しぶりに帰ってきたんだし……ね、せっかくだからほら、懐かしいところ巡り、しようよ」

3

旧来の町の中心部から周囲の新興住宅地に向かって人口が流出していくという、いわゆるドーナツ化現象が、多くの例に洩れずこの町でも進行している。むかし僕や唯が住んでいたのは、町の西外れに近い山手の地区だったのだが、毎年のように近所の田圃や畑が姿を消し、そこに新たな宅地が造成されていったのを憶えている。

バルケッタの幌をオープンにして、僕たちは昔の記憶を頼りに、子供時代をともに過ごしたその界隈へと向かった。

通り抜ける町並みのそこかしこに当時の面影が残っているのを見つけるとそのたび、嬉しいようなせつないような気分に胸が疼いた。同時にしかし、「ずいぶん変わっちゃってる」ところも決して少なくなくて、それはそれでまた、別の形で僕の胸を疼かせた。かつての生活圏に近づいていけばいくほど、両者のぶつかり合いは頻繁になってくる。あの店がなくなっているとかこんなビルが建っているとか、唯は何かが目につくたび、感慨深げに声を上げた。賛同できる変化もあれば、あまりぴんと来ないものもあった。僕より四年ほども長く、彼女はこの土地に住んでいたわけだから、その差ゆえの、当然の反応の違いだろう。

通っていた小学校の正門前に辿り着いた時には、僕も思わず「ふうん」と声を洩らした。もちろん予想はできていたことだけれども、本当に、当時とはすっかり様子が違ってしまっていたから。

記憶にある木造校舎は取り壊され、鉄筋四階建ての新しい校舎に変わっている。門を入ったところには、昔は確か、鯉や金魚を飼っている小さな池や百葉箱の据えられた芝生があったのだが、それらもなくなってアスファルト敷きの駐車場になっている。真新しい体育館ができているのも見える。夕方の下校時間はもう過ぎた頃だけれど、それにしてもあたりにはまったく子供の姿が見当たらない。その代わり、今から校内に向かう大人たちの姿がちらほらと見える。少子化による児童数の減少を受けて近年、学校の施設を地元住民に開放しようという動きが盛んだと聞くが、これもその一環なのだろうか。

僕が通っていた当時、この学校にはどんな先生がいたのだったか。——思い出そうとしても、誰一人として顔が浮かんでこない。名前も出てこない。これはしかし、最近になってその記憶をなくしてしまったわけではないのだと分かっている。だから、そう、怯える必要はない。

もうずっと前……六年生に上がる前にここから転校してしばらくした頃には、僕はもはやこの学校の教諭たちの顔や名前を忘れてしまっていたような気もする。こんなことを人に話すと首を傾げられるかもしれないが、当時の僕にとってはそれほどに、彼らはどうでもいいような、むしろ存在しないでいてほしいような大人たちに見えていたから——なのだろうと思う。

「憶えてる？　波多野君。ここだよ、わたしが住んでたの」

そう云って唯が車を停めたのは、小学校から子供の足で二十分くらいの場所、古びた鉄筋コンクリートの団地が幾棟か建ち並んだ敷地の前だった。

「あの一番端っこ、A棟の三階だったんだけど」

「遊びにいったこと、あったっけ」

「ドアの前まではね」

「中には入れてくれなかった？」

「狭い部屋だったし。一丁前に見栄、張ってたのかも……嫌な子供よねえ」

そんなふうに話す唯の顔には、珍しく自嘲めいた色が見えた。

「お母さんも兄弟もいなかったし、お父さんは仕事で遅くなるし。いわゆる鍵っ子だったんだよね。波多野君のおうち、羨ましかったんだよ、凄く」

唯の住んでいたその団地からさらに子供の足で十分ほど離れたところに、当時の僕の家はあった。この町の支店に転勤してきた父が母と知り合い、再婚した際に新居として借りた家で、狭いながらもいちおう南向きの庭が付いた木造二階建てだった。

そこまでの道のりを取り巻く風景もまた、当時とは確実に変わってしまっていた。のろのろと車を走らせる唯は、けれどもここに来ていやに口数が少ない。彼女には彼女の、過去に対するさまざまな想いの交錯が、もちろんあるのだろう。そう察するだけの余裕を、何故かこのとき僕は持てるようになっていたのだが——。

かつての我が家がすでにかつての場所には存在しないことを、まもなく僕は知った。かつての両隣の家もそこには存在せず、それらを一つにまとめた敷地に、近年になって造られたと思しき瀟洒なマンションの姿があったのだ。

——あれは上弦の月。

母がそう教えてくれた二階の窓辺を思い出しながら、僕は改めて、何とも複雑な感慨に囚われる。

——これからだんだん円くなっていって、満月になるの。

レンゲの花が咲き盛っていたあの田圃も、

――あれはレンゲ草。

――田圃の肥料にするために種を蒔くんですって。

その向こうに広がっていた菜の花畑も、

――あっちにはほら、黄色い花がたくさん咲いているでしょ。

今はもう、どこにも存在しないに違いない。付近を探索してみるまでもなく、僕はそう確信するのだった。

4

時間は妙な速足ですり抜けていった。気がつくと僕たちの現在は夕暮れの中にあって、午後六時が近いその時刻を声に出して確認すると唯は、最初からそこへ行こうと決めていたのだろうか、この地区を流れる大きな川のほとりへとバルケッタを走らせた。

土手の上の道をひとしきり、下流に向かって進んでいった。

夕映えの空。夕映えの川。そして夕映えの町。……茜色に染まった風景の向こうから、夜の気配が覗いている。家々はこれまでで一番暗くて冷たかった闇の記憶に怯え、息をひそめて身を寄せ合っているように見える。

川沿いのずっと遠くにやがて、特徴的な輪郭を持った大きな建物の影が見え隠れしはじめる。あれは――。

昔からそこにあった、S＊＊化粧品の工場だ。

実際にどんな製品を作っていたのかは知らないけれど、僕たちは勝手に「香水工場」と呼んでいた憶えがある。

「香水工場って呼んでたよね、あれ」

考えが響き合ったかのように、唯が口を開いた。

「まだ残ってるんだ。わたしが引っ越した頃に、もうすぐ閉鎖されちゃうっていう話を聞いたんだけどな」

「じゃあ、あれは廃工場？」

「買い取り手がないまま放置されてるのかもね」

さらにひとしきり進んだところで唯は、土手から河原に下りる道を見つけ、ゆっくりとそちらにハンドルを切った。降りた先にはコンクリート舗装された駐車スペースらしきものが設けられていたが、先客は幾台かの自転車だけだった。

エンジンを止めると、いろいろな音が聞こえてきた。

河原を吹き過ぎる風と草木のさざめき。川の流れの水音。コオロギやキリギリスの鳴き声。遠くでヒグラシも鳴いている。それらに混じって、どこかから子供たちのはしゃぐ声が。

あたりを見まわしてみると、少し離れた場所にささやかなグラウンドがあった。そこで幾人かの子供が遊んでいる。キャッチボールか何かをしているように見える。

「むかし一緒にここに来たの、憶(おぼ)えてる？」

シートベルトを外して一度大きく伸びをしたあと、唯が云った。

「自転車で二人乗りしてさ、この辺まで遠征したの」

「そんなこと、あったっけ」

「駄目だよ、忘れちゃ」

「いや……うん。そう云われればあったような気もするけど」

「あれはね、四年生から五年生に上がる春休み、だったかなぁ。波多野君の自転車だったんだけれど、わたしが運転して君は後ろに乗って。あの時も今日みたいな夕焼けが広がってて、波多野君の顔もわたしの顔も夕陽で真っ赤になっちゃって」

「――ああ」

「暗くなってきて、君は早くうちに帰りたそうだったの。それをわたしが無理云って引き留めて……憶えてない？」

「――だいぶ思い出してきた」

「良かった」

唯は心なしか寂し
浮かべたかと思うと、シートを斜めに倒し、両手を頭の後
ろに当てて凭れ込
工場まで行ってみたかったんだ、わたし。ほら、噂が立ってたで
「ほんとはあの下には凄い秘密の迷路があって、そこに入って出てこられなくなった
しょ。あのる、っていう。そんなものがあるんだったら見てみたいって。そしてね、
子供が何分の家には戻りたくないとも」
そのまくない？」
「戻
僕は驚いて唯の方を見た。唯はシートに凭れ込んだまま、
「何となくね」
と答えた。
「どこかへ行ってしまいたかったのね。別にその迷路に迷い込みたかったわけじゃなくって、何となくどこかへ。そういうこと、波多野君はなかった？」
「どこかへ……」
——ねえ君。
どういう脈絡でだろうか、心の隅にふと例のキツネの面が滲み出てきて、くぐもった声で囁いた。
——生きているのは楽しいかい。

「……ああ。あったかもしれない、そういうこと」

「そっか。やっぱりね」

「けど、何か意外だな」

「意外？」

「藍川でもそんなふうに思うことがあったんだ、って」

「誰だってあるんじゃないかなぁ。特に子供の頃は。現に波多野君だってそうだったわけでしょ」

「いや、僕は……」

……僕は？

子供の頃に限った話じゃない。あの頃も、あのあとも、そして今現在も、僕はたぶんずっ……。

「藍てさ、あの時分からとても、何て云うんだろう、いろんなものと上手に折り合いをつけるように見えてたから。自分より何倍も大人なんだなって、思ってた」

「そう？」

唯はちら

「そりゃあきっらを振り向き、すぐにまた目を戻して、

——あっ、あれれ少なかれ、そうしないとうまく生きていけないものだろうけど。

唐突に声を高くして、唯は右手をまっすぐ天に向かって突き上げる。

「ほらほら、飛行機が」

僕は唯が指さす方向に視線を飛ばす。そうしてそこに、黄昏（たそがれ）の空をゆっくりと移動していく小さな赤い光の明滅を見つけた。

「やあ、本当だ」

「飛行機の衝突防止灯、だよね」

「うん」

「あの時――むかし二人でここに来た時も、こんなふうにして空に赤い光を見つけたんだよ。憶えてる？」

「そうだったっけ」

「わたしはよく憶えてる。あの時もわたしがそれを見つけて、『何だろう、あれ』って云ったの。そしたら波多野君が、『飛行機のライトだよ』って。赤くて点滅しているから、機体に付いた衝突防止灯だって教えてくれて……ね、憶えてるでしょ？」

「ああ、まあ何とか」

「そのあと波多野君が何て云ったのかも、わたしはよく憶えてるよ。分かる？」

「ええと、それは……」

「『飛行機はすごいなあ』って。『あんな高いところを、ヒトが自由自在に飛びまわれるんだよ』って」

唯はそこで言葉を切り、身を起こして運転席のドアを開けた。地面に降り立つと、車の前方から助手席側に回り込んでき、窓の開いたドアに両肘を載せて僕の横顔を見つめる。

「普段の波多野君とはまるで違う調子でね、何だか得意げな表情で、あれこれと飛行機のことを話してくれて。——で、最後に君、どう云ったと思う」

「どう云ったんだっけ」

「もう。ちゃんと憶えておいてよ」

苦笑混じりに文句をつけると、唯は背を伸ばして空に目を上げながら、

「『ぼくは大きくなったら、誰も見たことがないような、新しい形の飛行機を造るんだ』って」

「ああ……」

そこまで聞いてやっと、その時の記憶がはっきりと蘇ってきた。——そう。確かにそんなことを、僕は話したように思う。

「真面目な顔でそう云うものだから、わたし、何を子供みたいな夢見てるんだかって……自分だって同い年の子供だったくせに、ほんと嫌な子供だよね」

僕が何とも相槌を打たずにいると、唯はまた助手席のドアに両肘を載せながら、「だからね」と言葉をつなげた。

「だから、大学に入って波多野君と出会った時にはびっくりしたんだよ」

「びっくり？」

「そ。だって、理工学部で航空力学を専攻してるって云うんだもの」

「あ、そうか」

「子供の頃に抱いた夢から、凄(すご)くまっすぐにここまで進んできたんだ、この人は。なんてね、びっくりして、何だか感動しちゃって」

「感動は大袈裟(おおげさ)だろ」

「大袈裟じゃないよ」

きっぱりとそう云って、唯はドアから離れる。風に散る赤い髪を押さえながら、そして彼女はこう付け加えた。

「あんまりいないもの、そういう人。少なくともわたしのまわりには、これまでいなかったから。だから……」

5

幼い日の、季節はもっと秋が深まった頃だったろうか、宵の空でちかちかと瞬いている小さな赤い光を指さして僕が、「あれは何ていうお星さま？」と訊(き)いたのに対し、

——お星さまじゃないのよ。

そう教えてくれたのは、それもやはり母だったように思う。

——あれは飛行機ね。機体のライトが点いたり消えたりしているの。

赤い光は明滅を続けながら暗い天空を移動し、いくつもの星々とすれ違っていった。僕は身じろぎもせずにその様子を見守りながら、

「あんなに高いところを飛んで、お星さまとぶつかっちゃわないの？」

そんな質問をした記憶がある。

——ぶつかっちゃったら大変ねえ。でも大丈夫。お星さまはもっともっと高いところにあるんだから。

そう答えて母は、僕の肩を抱き寄せた。当時住んでいたあの家の庭に、僕たちは立っていた。何のために二人で庭に出たのか、前後の状況は憶えていない。

「飛行機はどうして飛ぶの」

続けて僕がした質問に、母は「さあ」と少し首を傾げて、

——翼があるから、かしら。

「つばさ……鳥とおんなじ？」

——そうねえ。でも、鳥のよりもっと大きな翼ね。

——もっと大きくて頑丈な、鉄の翼。

そんな、きっと思い浮かぶままに返したのだろう母の言葉を、けれども僕はほとんど夢見心地で聞いていたように思う。さらにいくつもの星々とすれ違いながら、そのうち視界から消え去っていった赤い光に重ねて、あのとき僕はどんな「翼」を心に描いてみていたのか。何故か、いつの頃からか、どうしても思い出せないでいるのだけれど。

第9章

1

柳の家は大ざっぱに云うと、町の中心からやや東に外れたあたりにある。頭の中の古い地図と現在の町並みを突き合わせながら、唯のナビゲーター役を務めてそこまで行き着くのに、当初思ったほどの苦労はなかった。

昔からの家並みが多く残る地区だったが、と云っても当然、十数年の間にはすっかり様変わりしてしまっているところもある。幾度か道に迷いそうになったのはそのせいで、僕の記憶に不備があったわけではない。――そう。やはりそれは肝心な問題なのだ。

ささやかな門の奥に建つ、茶色い壁に黒い屋根瓦の二階屋。ごく庶民的ではあるが、首都圏の建て売り住宅などに比べると遥かにゆったりしたたたずまいだ。外観の印象はおおむね子供の頃の記憶に一致するものの、一方でどこか変わったなという気もする。何らかの改築が行なわれたのかもしれないけれど、それもまあ、経過した年月を考えれば当然のことだろう。

「おお、森吾君。待っていたよ」

鳴らした呼び鈴に応えて玄関に現われたのは、藍染めの作務衣を部屋着代わりに着た要一郎叔父だった。日曜日の電話で聞いたのと同じまろやかな声で、穏やかな面差しで、僕を迎えてくれた。

「どうも、お久しぶりです」

僕はおずおずと会釈をして、

「ええと、突然すみません。ええとあの、夜分にこんな」

もう何分かで午後八時になる、という時刻だった。

「おいおい、そうしゃちほこばることもなかろう。遠路はるばる、よく来てくれたね。とにかくまあ、お上がりなさい」

口のまわりには今も髭を生やしている。父の葬儀で会った時と大差のない、どことなくチャウチャウ犬を思わせるようなその風貌を目の前にして、多少なりとも僕の緊張は解けつつあった。

「あ、はい。恐縮です」

それでもしゃちほこばった調子を崩すことができずにそう応えて、

「ええとですね、叔父さん、その」

「うん？　どうした」

「あのですね、実は……」

云いあぐねるうち、僕の斜め背後に唯がひょいと進み出てきて、「こんばんは。はじめまして」と叔父に挨拶した。

「やっ。お連れがいるのか」

叔父はずいぶん面喰らった様子だったが、すぐに「ははあん」と呟いて、髭面に楽しげな笑みを広げる。

「ええと、彼女は藍川……」

「なるほど。そういうことか、森吾君」

「はい？　何がそういうことなんですか」

「まあまあ、そう照れなさんな」

叔父はますます楽しげな笑顔で、

「急に森吾君が訪れてきた理由……ふん、なるほどな、そういう事情だったわけだ」

「あ、ちょっと待ってくださいよ」

どんな早合点をされているのか、何となく見当がついてきたものだから、僕はあたふたと両手を振って、

「彼女とは小学生の頃、こっちで同級生だったんです。それが向こうでたまたま再会してですね、それでつまり……」

「分かった分かった」

叔父は鷹揚に頷いてみせると、

「二人ともまあ、遠慮なくお上がりなさい。話はゆっくり聞かせてもらおう」

「お邪魔します」

唯は僕の傍らに並び、まるで気後れするふうもなく云った。

「波多野君の友だち、と云うか幼馴染みで、藍川唯といいます。今日はわけあって、彼の付き添いみたいな感じで来させていただきました」

「ほう。藍川……ゆいさん、と？」

叔父は心なしか不思議そうな目で唯を見据えたが、すぐにまたにこやかな笑みを広げ、僕たちを手招いた。

「さあ、どうぞ。親父——祖父さんもそのつもりで待っているよ。いったい何ごとかと気懸かりなようだがね。雄喜もそのうち帰ってくるだろうし……」

2

僕たちは応接間に通された。なかなか立派なソファセットが置かれた広い洋間で、昔はこんな部屋はなかったように思うから、きっとやはり、わりに大がかりなリフォームが近年なされたのだろう。

「いらっしゃい、森吾さん。ほんとに久しぶりねえ」

お茶を持ってやって来た叔母も、叔父と同様、しごく穏やかな面差しと物腰で僕たちを迎えてくれた。

「そちらは藍川さんといって」

叔父が唯の方を示して云った。

「森吾君の……ふむ、思うに二人は恋人同士か、あるいはもう婚約者同士か」

「あらら、そうなの」

「違うんです」

僕は慌ててかぶりを振って、

「ですから叔父さん、彼女は昔の」

「そうむきにならなくても良かろう」

叔父はソファに腰を沈めると、作務衣の袖の左右に逆側の手をそれぞれ潜り込ませながら、

「要はこういうことなんじゃないのか。君ら二人は近い将来、一緒になりたいと望んでいるわけだな。ところが千鶴姉さん――森吾君のお母さんが、そいつに猛反対している。困り果てた君らは一計を案じ、ここに来た。つまり、私や祖父さんにその事情を説明して、何とか仲裁に入ってもらおうと」

「だから、違うんですってば」

僕は語気を強め、きっぱりと叔父の勘繰りを否定した。

「そんなんじゃないんです。彼女は本当に、昔からの友だちとして僕のことを心配してくれて、僕一人だとその、頼りないから、それで一緒に来てくれただけで」

同意を求めて僕は、唯の横顔に視線を投げる。変な軽口を叩かれはしないかと一瞬不安を覚えたが、彼女は神妙に頷いてみせ、

「波多野君の云うとおりです。ほんとにそうなんです」

叔父はすると、分厚い唇を丸めて突き出し、「むぅ」と唸った。並んでソファに坐った僕と唯の顔をまじまじと見比べながら、

「――とすると、はて」

物思わしげに腕組みをする叔父の傍らで、

「お夕飯は？　森吾さん」

と、叔母が尋ねた。

「あ、食事はさっきファミレスに寄って、軽く済ませてきましたので」

「何だ、そうなの。遠慮はなさらないでね。おなかが減ってきたら、いつでも云ってくださいな」

「ああ、はい。でもほんと、お気遣いなく」

「お酒は？　召し上がる？」

「いえ。僕はあまり強くないので」

「藍川さんは？」

さすがに唯も、ここでみずからの肝機能の強靭さをアピールすることはせず、

「ありがとうございます。ですけどわたし、車の運転がありますから」

「東京からは彼女の車で来たんです」

と、僕が云い添えた。

「あらあら、それはお疲れだわねえ」

「バイクじゃなかったのか」

と、これは叔父。何やら不満げに云って、また唇を丸める。

「まあ、その軽装で長距離ツーリングもないわな」

それから叔父は叔母に向かって、

「私はビールを頼む。——祖父さんは？」

「それがね、ちょうどお風呂に入られたところで」

「そうか。上がってきたら、森吾君が来てると伝えてくれ」

「分かってますよ。——お二人とも、どうぞごゆっくり」

叔母が応接間を出ていくと、要一郎叔父はソファの肘掛けに片肘を載せて顎に掌を当てながら、改めて僕の顔を見据えた。僕と唯の関係についてはとりあえず、誤解が解けたようではある。

「どうだ、そっちはその後。水那子ちゃんの結婚式には行きたかったんだがなあ」

そう云えば——と、僕は思い出す。去年六月の水那子の挙式には当初、叔父夫婦も出席してくれるはずだったのだけれど、急な事態が重なって叶わなかったのだった。確かそう、叔母の実家の方で不幸があったので、とかいう話だった。

「水那子は先日、無事に赤ちゃんを。女の子です」

「やあ、そいつはめでたい。千鶴姉さんもさぞかし喜んでるだろう」

「——はあ」

「姉さん——お母さんは元気にしてるか」

「ええ……あ、いえ、その……」

日曜日の電話でも受けたその質問に対しては、僕はすぐに満足な返答をすることができなかった。叔父は「ん?」と眉をひそめ、じっと僕の口許に視線を注ぎ、そして質問を重ねた。

「どこかお母さん、具合でも悪いのか」

「——はあ」

「具合が……そうか。どこがどう?」

「あの、それが」

ここで何をどのように話したものか、話すべきなのか、僕にはよく分からなかった。あらかじめよく考えてきてもいなかった。

「ご病気なんです、波多野君のお母さん」

答えたのは唯だった。見かねて助け船を出してくれたように、僕は感じた。

「もう何ヵ月も病院に入っておられて」

「どんな病気に」

と、叔父はさらに質問を重ねる。僕の顔色や素振りを見て、状況の深刻さの程度を悟ったのだろう、さっきまでのような穏やかな笑みは表情から消えていた。

「若年性の痴呆症、だそうです」

ちらりと僕の方に目配せしてから、唯はそう答えた。

「痴呆？」

「——ええ」

「そりゃあ……まだまだ惚ける年でもないだろうに」

「ですから『若年性』なんだと」

「ふうむ。——容態は？」

その問いには、僕が無言で首を横に振って答えた。叔父は眉間に幾本もの縦皺を刻みながら、

「何だって森吾君、それを……」

言葉の続きを遮るように、僕は意識的にぴんと背筋を伸ばし、改まった調子で「叔父さん」と呼びかけた。

「叔父さんと母さんとは、本当は血がつながっていない姉弟なんですってね。そのこと、叔父さんもきっとご存じなんですよね」

叔父の反応は顕著だった。「うっ」と呻くような低い声を洩らして、唇を凍らせる。ちょうどそこへ、叔母がビールを用意してやって来た。

「何か込み入ったお話かしら」

と、叔母は叔父に問いかける。この場の緊張をとっさに感じ取ったらしい。

「あたしは遠慮した方が？」

「ああ、いや」

「お義父(とう)さん、急いでもらいましょうか」

「ああ……いや、別にそんな、せかす必要はないが」

「そう」

それ以上は嘴(くちばし)を入れることなく、叔母はテーブルに置いたグラスにビールを注ぐと、再び部屋を出ていった。その姿を見送ってから、叔父はおもむろに僕の方に向き直る。面差しには明らかに当惑の色が窺(うかが)えた。

「森吾君」

叔父はそろりと尋ねた。

「今の話を君は、千鶴姉さん——お母さんの口から?」

「——はい」

僕もそろりと頷(うなず)いた。

「去年の春頃に、ひょんなことで」

「そうか。姉さんが」

独りごつように呟(つぶや)いて、叔父はビールのグラスに手を伸ばす。ぐいと一口飲んで、髭(ひげ)に付いた泡を手の甲で拭(ぬぐ)う。それから何秒かの沈黙の後——。

「私が三歳の頃だったかな、あれは」

みずからの膝頭に視線を落としながら、叔父は口を開いた。

「初めて姉さんと会った時のことは、不思議とはっきり憶えている。ある日、親父とお袋が知らない女の子を連れ帰ってきてね、『今日からお前のお姉ちゃんだよ』と云われたんだな。それまでこの家の子供は私だけだったわけだが、その時はさほど疑問にも感じなかった。途中から家族に姉が加わったことの正確な意味を理解できたのは、もう少しあとになってからだったと思う」

「母さんはどこか別の家で生まれ、叔父さんが三歳の頃、柳の家に養女として引き取られた。そういうことなんですね」

叔父は「うむ」と頷き、ゆっくりと視線を上げる。

「このことはずっと、なるべく人には云わないようにしてきたんだが」

「叔母さんもご存じない？」

「と思うが」

「秘密、だったんですか」

「いや、そういうのとは少々ニュアンスが違う。秘密にするとか隠すとかいうのではなくて……何と云うんだろうか、私たち自身が、親父も死んだお袋も弟の私も、昔から極力その事実を意識しないようにしてきた、とでも云うのかな」

「どういう意味でしょう」

「それはね、恐らく親父たちは、実の息子だとか養女だとか、そんな区別をして子供を育てたくなかったんだろう。私もその気持ちが分かったから、ある時期以降は千鶴姉さんのことを、血のつながった実の姉だと思うようにしてきたわけで」

言葉を切ると、叔父はグラスに残っていたビールを一気に飲み干す。そうして、今度は髭の汚れを拭おうともせずに続けた。

「それでも、そうだな、姉さんの方は何か、負い目とか引け目みたいな思いをどこかで抱きつづけていたんじゃないか。そんな気もするな。表には決して出さない人だったが」

「母さんが父さんと結婚して、僕が生まれて……この町を離れて東京へ行ったあと、柳の家とはすっかり疎遠になってしまいましたよね。それも、やっぱりそのせいで？」

「——かもしれないね」

答えて、叔父はやるせなさそうな乾いた息をついた。

「私としては、これでもけっこう気にはなっていたんだが。まさかしかし、姉さんがそんな病気になっているとは」

「……………」

「どうしてもっと早く知らせてくれなかったのかな」

「——母さんが、知らせるなと。叔父さんたちによけいな心配をかけたくないと云って」

「ああ……」

叔父は乾いた吐息を繰り返し、グラスに新たなビールを注ぐ。唯は身じろぎもせず、僕たちのやり取りを見守っている。僕は意識的にまた背筋を伸ばしながら、やや声高になって「ね、叔父さん」と云った。

「何かな」

「母さんは昔、どこから引き取られてきたんでしょうか。母さんが生まれたのは、どういう家だったんでしょうか」

「それは……いや、私もその辺の詳しい事情は知らないんだが」

「お祖父さんは当然、ご存じですよね」

「ああ。そりゃあまあ、知ってるだろう」

「ですよね。だからあの、それを聞きたくって僕……」

そんなところへまた、叔母がやって来た。叔父と僕と唯、三人の様子にざっと目を配ってから、

「お義父さんがお風呂から上がられましたけど」

と、彼女は告げた。

「こっちじゃなくて、奥の和室の方でお会いしたいって」

3

案内された和室は新しい畳の匂いがする八畳間で、床の間の脇には黒い仏壇が置かれていた。その前に、叔父と同じような作務衣姿の、すっかり頭の禿げ上がった老人が坐っている。十何年かぶりに会う柳の祖父だ。名前は確か、哲郎というのだったか。

「ほう。大きくなったのう、森吾。前に来た時はほんの子供だったのになあ」

皺くちゃの丸い顔をさらに皺くちゃにしながら、祖父は玄関先まで届きそうな大声を出した。八十が間近の年齢だというから、相応に耳も遠くなってきているのだろう。だからつい声が大きくなる。

「こんばんは、お祖父さん。ずいぶんご無沙汰して……」

「まあまあ、こっちへ来てお坐りなさい。せっかくだからまあ、死んだ祖母さんに線香の一本でも」

そこまで云ったところで、祖父は唯の姿を認めて「おや」と小首を傾げ、

「そっちのお人は？　はて、どなたでしたかなあ」

「ええとですね、彼女は」

「森吾君の婚約……ああいや、幼馴染みのお連れさんで」

と、叔父が紹介するのを受け、

「藍川唯といいます。はじめまして」

云って、唯は丁寧にお辞儀をした。祖父はすると、「ほほう」と唸って落ち窪んだ目を幾度もしばたたきながら、

「ゆいさん、とおっしゃるか」

何だろう――と、僕はこの時、軽い違和感を覚えた。先ほど叔父に彼女を紹介した時にも、「唯」というその名前を聞いて、何やら微妙な反応があったように思うのだが。

祖父が脇に移動し、仏壇の前の座布団を空けてくれた。そこに正座すると僕は、燭台で灯っていた蠟燭の火を線香に移して香炉に立て、しずしずと手を合わせる。

仏壇の上には遺影が飾られていた。着物姿の祖母――千枝という名だった――が、おっとりと微笑んでいる。享年六十だったという話を、そう云えば聞いた憶えがある。

この写真はいつ頃のものなのだろうか。老女という感じでは、まだ全然ない。若い時分にはきっとたいそうきれいな人だったんだなと思わせる顔立ちだけれども、そこにふと、母の面影が滲んで見えるような……いや、違う。それは違うのだ。この人は母の産みの親ではなかったのだから。母はどこか別の家で生まれ、この柳家に引き取られてきたわけなのだから。

「千枝が――祖母さんが死んで、もう何年になるかのう」

祖父が云うのに叔父が答えて、

「ちょうど十年だよ、親父さん」

「十年……そんなになるか」

祖父は目を閉じ、ゆるゆると首を振り動かす。

「風邪をこじらせて寝込んでいたかと思ったら、どんどん具合が悪くなっていって、そのまま逝ってしもうた。知らぬうちに肝臓だか膵臓だかがやられておったそうでなあ」

僕は「はあ」と殊勝に項垂れるしかなかった。祖父は乱れのないテンポと発音で話しつづける。

「離れて住む千鶴のことは、いつも気に懸けておったよなあ。あまり音沙汰がないのを、ひそかに気に病んでもおるようだった。いまわの際に会わせてやれんかったことが、今となっては悔やまれるよのう」

「――はあ」

「千鶴はどうしている。元気にしておるかな」

「はあ、それがその……」

「親父さん、実はな」

と、そこで叔父が割って入り、僕の代わりに事情を説明してくれた。

「姉さんは何やら難しい病気に罹ってしまって、具合が良くないらしい。もう何ヵ月も病院に入っているそうだ」

「難しい病気、と？」

「ああ。何でも若年性の痴呆症だとか」

その病名の意味するところをどこまで正しく理解したものか、祖父はしばし絶句し、それから深々と溜息をつく。叔父が続けて、

「よけいな心配をかけたくないからと、こっちには知らせないよう、森吾君たちは千鶴姉さんに云いつけられたらしいが」

「――水臭いことを」

ぼそりと呟いたあと、祖父は小さく何度もかぶりを振りながら、

「あの子はあの子なりに、わしらのことを案じてくれておるんだろうが、それにしてもなあ。決して分け隔てなどしてこなかったつもりだが、やはりどうしても……」

終わりの方はほとんど独り言のようになってしまって、ちゃんと聞き取ることができなかった。「分け隔てなどしてこなかった」とはつまり、養女である母と実の子である叔父を、等しく自分たちの子供として愛し、育ててきた――と、そういう意味だろうか。

幼い日に見た母の笑顔を、僕は思い出す。いつもとても美しかった母。いつもとても優しかった母。誰に対しても、分け隔てなく。――そう。彼女はそうだった。父の連れ子である駿一と実の子である僕や水那子を、決して分け隔てすることなく愛し、育ててくれた

のだった。柳の祖父母がそうしたのと、きっと同じように。

「見舞いに行ってやらねばなあ」

やがて云い落とされた祖父の一言に、

「いえ、それは」

と、僕は思わず難色を示した。

「母さんの病気は進行性の痴呆症で、かなり症状が進んでいて、ですからもう、僕なんかが会いにいっても、誰だかよく分からないような状態なんです。ですから……」

「何と」

呟いて、祖父はまた深々と溜息をつき、面を伏せてしばし絶句する。つられて僕も、続けるべき文句を見失ってしまった。

「姉さんの生家について知りたいと、そう思って森吾君は今日、こうしてここにやって来たというんだが」

と、そこで再び叔父（おじ）が、僕に代わってそれを伝えてくれた。

「姉さんが養女だったことを、森吾君は姉さん自身の口から聞いたんだそうだ。で、どこで姉さんが生まれたのか、どんな家で生まれたのかを知りたいんだ、と」

「――ほう」

祖父はのろりと面を上げて叔父を見、それから僕の方に目を移して、

「そんなことを知って、そうしてどうするつもりなのかな、森吾」

「あ、それは……」

僕は返答に詰まり、とっさに唯の方を振り返った。斜め後ろの畳の上に正座してこちらを見守っていた唯は、僕の視線を受けると、無言でかすかに頷いてみせた。

「行ってみようと思って」

と、僕は答えた。

「母さんがどんな土地で生まれて、どんな家で幼少の頃を過ごしたのか、行って、この目で見てみたいと思って」

白髪痴呆という特殊な病気のことや、その遺伝可能性を巡るあれこれについては、ここでは話す気はなかった。祖父や叔父を相手に詳細に事情を説明してみたところで、何がどうなるはずもない。それこそ彼らに、さらなるよけいな心配をかけるだけでもあるし、そのようなことはきっと母の本意でもないに違いないから。

「——あの子が生まれたのは」

僕の訴えをどのような気持ちで受け止めたものか、やがて祖父が、落ち窪んだ双眸をすうっと細くして口を開いた。

「姫沼、というところがあってな。ここから二つ三つ山を越した向こうに」

「姫沼」

その地名を繰り返しながら、僕はみずからの記憶をまさぐる。聞いた憶えがあるような、ないような……あるとすればたぶん、子供の頃――この町に住んでいたあの頃のことなのだろうが。

「あの子が――千鶴が生まれたのは、そこの咲谷という家でなあ」

祖父は続けて云った。

「咲谷の旦那様からぜひにと頼まれてなあ、わしら夫婦が引き取ることになった。忘れもせん。あの子が満六歳、小学校に上がる年の……」

4

「……姫沼はな、わしが生まれた土地でもある。咲谷家と云えば、あの町でも一番の名家でなあ、親父の代からずっと、わしらもずいぶんとお世話になったもんだ。親父は咲谷家に出入りしておった植木職人でな、わしもまあ、その跡を継いで同じ仕事をしておったわけだが、あの戦争が終わったあと、そう、思うところがあって姫沼を離れて、この町に出て独立しようと決めたんだな。その際にも咲谷の旦那様――英勝様は、何やかやと大変にお気遣いくださった。千枝を嫁にどうかと紹介してくださったのも、英勝様でなあ。千枝は咲谷家の遠縁の娘で、いっときは咲谷のお屋敷に身を寄せたりもしておったらしく……

血は遠かろうが、咲谷の筋の娘を嫁にというんで、そりゃあまあ、たいそう喜んだものだったわなあ」

祖父は目を細めたまま宙の一点に据え、そんな過去の経緯を語った。この時もやはり、乱れのないテンポと発音で。八十歳手前の高齢にもかかわらず、昔の記憶は非常にしっかりしているようだ。

「その英勝様からある時、折り入って頼みがあると云われたわけだ。わざわざこっちまで出向いてくださってなあ。何ごとかと思って話を伺ってみると、あの子を――ゆいを、わしらの養女に取ってほしい、と」

「ゆい？」

驚いて、僕は思わず声を発した。当の唯の様子を窺うと、彼女も驚いたふうに目を見開き、喰い入るように祖父の口許を見つめている。

「何ですか、お祖父さん。ゆいって、いったいそれ」

「千鶴姉さんの、元々の名前なんだよ」

祖父の傍らで叔父が云った。

「自由の『由』に伊東の『伊』と書いて、由伊。咲谷由伊。それが姉さんの、出生時の本名だったわけでね。この件については何も聞いてなかったのかな、森吾君」

「あ、ええ。――じゃあ、そのあと改名して千鶴になったんですか」

「そういうことだな」

「戸籍上も？」

「法的に改名が認められたのは、だいぶ後になってから、姉さんが二十歳前の頃だったと思うが」

　と、叔父は答えた。

「本名を変更するには、相応の正当な理由がないと裁判所の許可が下りないものなんだ。姉さんの場合は、千鶴という通称で長年呼ばれつづけてきて、すっかり周囲に定着してしまっているから――と、そんな判断で改名が認められた」

「そうだったんですか」

ようやく納得して、僕はまた唯の様子を窺う。「ああ、それで」とでも云いたげな眼差しを、彼女は僕に返した。

　心中に蘇ってくるのは当然のように、先週の土曜日、二人で母の病室を訪れた際の出来事だった。唯の名を聞いた時に母が示した、あの反応。

「ゆい……ゆい」とその名を繰り返すうち、母はふつりと口を噤み、瞼を閉じ……そうやって何ごとかをしきりに思い出そうとしているように見えた。やがてそして、

――わたし……ゆい、わたし。

――ゆい……ちがう。

そんなふうに、途切れ途切れの言葉を吐き出しはじめたのではなかったか。そう。そうだった。あれは――。

――ああ、ちがう……ゆい、ちがう、ちがう。

――ちがう、ちがうちがうちがうちがう。

あの時のあの異様な反応の理由は、こんなところにあったというわけか。

母の元々の名前は「由伊」だった。それと同じ音(おん)の「唯」という名を耳にして、痴呆(ちほう)化が進む彼女の頭の中では大きな混乱が生じてしまったのだ。自分は昔「由伊」だった。けれど今は「由伊」ではなく「千鶴」であるはずだ。自分は「由伊」ではない。「由伊」は違う。違う。違う、違う……と。

「でも、どうしてそんな改名を」

感じた疑問をそのまま投げかけると、祖父は額にゆるりと掌(てのひら)を押し当てながら、

「まあ、そうよな、由伊という元の名前については、いろいろとその、嫌な思い出があったみたいでなあ。その名に愛着があるふうでもまるでなかったから、咲谷を出て柳の娘になったのを機会に、いっそ別の名に変えてしまうのが良かろうという話になり……」

それで母は、育ての母である千枝の名前から「千」の一文字を貰(もら)って「千鶴」と名乗ることになった。そういう話なのか。

「――にしても、お祖父さん」

僕は祖父の顔に一直線の眼差しを向け、訊いた。

「母さんは何故、咲谷家を出されることになったんですか。どんな事情が、そこにはあったんでしょうか」

「ううむ。そいつはなあ……」

祖父はいくらか躊躇を見せたが、そのうち掠れた息を吐き落として、

「そもそも、これはまあ人の噂だが、咲谷の本家にはなかなか男の子供が生まれぬという話があってな。実際、英勝様にしても、上に何人かの姉様がいなさって、その後ようやっと生まれた男子の跡取りだったというしなあ」

「そのことが、いったい」

「英勝様の奥様はみつ子様とおっしゃって、お二人は一緒になられたあとも、長いこと子宝に恵まれなかったそうな。で、確か英勝様が三十、みつ子様が二十六の年に、やっと生まれたのが千鶴――由伊だったわけだが、案の定、望まれておった跡取りの男子ではなかったわけだわな。ところが、その由伊が六つの年になって、新しく生まれた赤子がおってなあ、それが待望の男の子だった」

「だからって、母さんを養女に出してしまうというのは」

「いや。実はその男の子はな、奥様のみつ子様が産みなさったお子ではなかったんだそうな。つまりだな、英勝様がよその女に産ませた子だったという話でなあ」

「えっ。じゃあ……」

「妾腹とは云え、ともかく念願の男の子の誕生を、英勝様はたいそう喜ばれた。それで、その子を正式に引き取って、咲谷の跡取りにすることに決めなすったんだな。そこでまあ由伊が、嫌な云い方になるが、邪魔になってしもうたわけなんだろう」

「でも、母さんを産んだ咲谷の奥さん――みつ子さんは、そんなことには大反対したんじゃあ？」

「英勝様が強く云って、反対などさせなかったんだろうなあ。妾腹の男の子を引き取って咲谷家で育てるに当たって、そこに由伊がおると、何かといざこざの種になる。大事なのはあくまでも自分の血を継ぐ男子であって、よぶんな娘は要らん。そう、英勝様はお考えになったんではないかのう」

「そんな……」

僕は半ば唖然とした。

いったいそんな、身勝手な話が罷り通るものなのか。

みつ子というその、母の産みの母の気持ちを想像すると、どうにもやりきれない気分になってしまう。そうやって〝家〟の都合で養女に出されてしまった、当時の母の気持ちを想像しても、もちろん同じだ。戦前戦中の封建的な家族制度を引きずった地方の名家であれば、そういうことも当たり前のように起こりえたのか――と、頭では理解できるけれど、とうてい納得はできそうになかった。

5

「あのぅ」

それまで一言も喋らずにいた唯が、初めて口を開いた。

「その、みつ子さんという方は、もう亡くなっておられるんですよね」

「ほほう。よくご存じですな」

「はい。それは波多野君から」

と、唯は僕に目配せする。「尋ねてみろ」と云いたいわけだ。僕は唯のあとを受け、祖父に向かって訊いた。

「みつ子さんが亡くなったのは……これも母さんからちらっと聞いたことなんですけど、年を取ってあっと云う間に惚けて死んでしまったらしい、というふうに。本当にそんな亡くなり方をされたんでしょうか」

祖父は「さてなあ」と首を捻り、

「みつ子様が亡くなられたのは、はて、いつだったかのう。千枝が死ぬより何年か前に、そう云えばそんな噂を耳にしたような気もするが。その後は、そうそう、さっき云った跡取りの男の子の産みの母親が後妻に入った、とも」

「みつ子さんがどんなふうに惚けて死んだのか、お祖父さんはご存じないでしょうか」

「どんなふうに、とは？」

「それは……ええとですね、たとえば急に性格が変わって怒りっぽくなって、とか、身体にも何か目に見える異常が出てきて、とか」

「さてなあ」

　と云ってまた、祖父は首を捻る。

「惚けて亡くなったというのは、確かにそんな話を聞いたようにも思うが、それ以上のことは知らんなあ」

「——そうですか」

　僕はこうべを垂れ、両手を畳に突いてちょっと尻を上げる。慣れない正座を続けたせいで、すっかり足が痺れてしまっていた。

　その様子を見て取った叔父が、「気にせんでいいよ」とでも云うように、みずから足を崩して胡座をかいてみせる。僕もありがたくそれに倣うことにした。

「まあ、ともかくそういった次第で、あの子は、千鶴はわしらの娘になったわけだわな」

　祖父が話の続きを始める。

「いま云ったような事情は、むろん千鶴自身もおおむね承知しておったはずだが、わしにしても千枝にしても、姫沼や咲谷の話題はなるたけ、あの子の前では持ち出さんように気をつけておった。要一郎もその辺はよくわきまえてくれておった。あの子もあの子で、ほとんど元の家の話をすることはなかったなあ。良い思い出があまりなかったのかもしれんな。咲谷の家では六年間、何やら少々変わった育てられ方をしたようでもあり……」

「あの、お祖父(じい)さん」

痺れの切れた足をそっと押さえながら、僕は云った。

「もう一つ、伺いたいんですが」

「何かの」

「母さんの右手の二の腕には、今もこう、大きな切り傷の痕(あと)が残っているんです。柳家に引き取られてきた時、あの傷痕はすでにあったんでしょうか」

「腕の傷……」

祖父はこっくりと頷(うなず)いて、

「引き取って早々に千枝が気づいて、びっくりしておったよなあ」

「どうして母さんがそんな怪我をしたのか、お祖父さんたちはご存じでしたか」

「ああ……それは」

言葉を切り、祖父は眉根を寄せて目をしばたたく。

「何でも、あの子が四つか五つかそこいらの時に、誰かに襲われてあんな傷を負わされたんだとか、そんなふうに聞いておるが」

四つか五つ——というと、今から四十五、六年前か。

「いったい誰に襲われたんでしょうか、母さんは。姫沼にいた頃に起きた事件ですよね、それって。だとすると……」

「分からん」

そう云って、祖父はきっぱりとかぶりを振った。

「わしらもそりゃあ気に懸かったからな、何があったのかとあの子に訊いてはみた。だがなあ、その話を持ち出すとあの子はいつもひどく怖がって、泣きだしたりもしおって」

とても詳しい事情を問いただせるような状態ではなかった、ということか。

「バッタの音、というのは？」

「バッタ？」

——バッタが。

「ショウリョウバッタが飛ぶ時の、羽根の音です。キチキチ……っていう、あの。母さんは何か、それについて云ってませんでしたか」

——バッタの音が。

「ううむ」と唸って、祖父は額に掌を押し当てる。

「怖がっておったなあ、そう云えば。バッタだの、それから雷だの」

「雷……そうですか。子供の頃から、やっぱり」

「森吾君」

と、そこで叔父が口を挟んできた。

「どういうことなのかな。昔から姉さんはバッタや雷が大嫌いだった、それは確かにそのとおりで、私もよく憶えている。嫌がる理由は、訊いても教えてくれなかったんだが」

「――いえ。別に大した意味はないんです」

何故そうしたのかは分からない。僕はとっさに、母を巡るさまざまな問題の、一つの〝核心〟であるのかもしれない事実を伏せて、叔父の問いに答えた。

「何であんなに怖がるのか、僕もちょっと気になっていただけで」

西新宿のあの病棟の一室で今頃、母はもう眠りに就いていることだろう。そうして今夜の夢の中でもまた、彼女は病に蝕まれたその脳に残存する〝恐怖の記憶〟に打ち震えなければならないのだろう。突然降りかかる白い閃光に、鳴り響くバッタの羽音に、襲いかかってくる殺人者の影に、子供たちが切り刻まれる血みどろの惨状に……繰り返し繰り返し、逃げ出すすべもなく怯えつづけなければならないのだろう。

僕は目を閉じて一度、小さく強く首を振る。脳裏に浮かぶ母の、激しい恐怖に歪んだ顔を消し去ろうとする。

「どうした、森吾君」

心配げな叔父の声が聞こえた。

「気分でも悪いか」

「ああ、いえ」

僕は慌てて目を開き、今度は大きく緩く首を振って答えた。

「大丈夫……僕は、大丈夫です。大丈夫ですから」

この町に来て、この家を訪れて、叔父と祖父から話を聞いて……ずいぶんといろいろなものが見えてきた。唯のアドバイスに従ってこうして「動いて」みたことは、どうやら正解だったらしい。少なくとも今は、そういう気がする。――けれど。

母が生まれ、幼い日を過ごしたところ――姫沼の町、そして咲谷家。とにかくやはり、そこへは行ってみなければならない。

そんなふうに考えている自分の積極性に驚きを覚えると同時に、僕にはそれが、何だかひどくいかがわしい、胡乱（うろん）な心の動きであるようにも思えた。

第10章

1

　唯が予想していたとおり、その夜、僕は柳の家に泊まることになった。市内にホテルを取ってあるので、と辞退はしたのだけれど、するとここぞとばかりに要一郎叔父から「恋人でも婚約者でもない女性とおんなじホテルか」と突っ込まれ、それ以上抵抗する気を殺がれてしまったのだった。もっとも、叔父はそう云ったのと同じ口で、唯に対しても「うちに泊まっていけばいい」と勧めていたのだが。

　唯はしかし、その誘いを固辞して独り宿に向かった。午後十時頃になって雄喜が帰宅したのとほぼ入れ違いだった。

「それじゃあ波多野君、明日は遅くても十時前にはチェックアウトして、ここまで迎えにくるから。いい？」

帰り際、唯はそう念を押した。明日はそして、彼女のバルケッタで姫沼へ向かおうという段取りが、その時すでに僕たちの間でできあがっていたのだ。

祖父が云ったように、姫沼はこの町からいくつか山を越えた向こうにある。N＊＊郡姫沼町、というのが現在の正式名称で、以前は日に何便かのバスがこちらとの間を結んでいたのだが、利用客の減少を理由に数年前、廃線になってしまったらしい。近くまで鉄道も通ってはいるものの、列車で行こうと思うと、ちょっと信じられないくらいの大まわりなルートで幾度か乗り継ぎを繰り返さなければならず、移動だけで半日仕事になりかねない。最も早くて便利な交通手段は自動車で、それだと一時間半もあれば行き着けるだろうという話だった。

姫沼までの道は、叔父が引っ張り出してきてくれたこの地方の地図で確認した。

「山に囲まれた小さな町」「山間（やまあい）のひっそりとした町」――と、確か母はそのように語っていたが、地図で見た感じ、決して辺鄙（へんぴ）な山村というふうではない。規模的にも、なるほど「町」の部類に属するだろう。

町は南北に細長く広がっている。人間の胃袋を上下に引き伸ばしたような形――というあまり優雅じゃないイメージが、何となく浮かんだ。北の外れには、これが地名の由来なのだろうか、小さな沼だか池だかがある。

聞けば、古くは林業と養蚕（ようさん）が盛んで、たいそう活気のある町だったらしい。それが大戦後の復興期から高度経済成長期にかけて、年々翳りが見えはじめ、人口の流出も加速していった。その後も林業と養蚕が中心的な産業でありつづけてはいるが、かつての賑わいにはほど遠い。近年になって良質の温泉が出たとかで、以来、何とかその効能をPRして観光にも力を入れようとしているという。

この姫沼町の、いったいどのあたりに母の生家はあるのか。祖父に尋ねてみたところ、

「本当に行く気か、森吾。まあ、絶対にやめておけとは云わんが」

そんなふうに応じて祖父は、いくぶん難色を示しつつも、昔の記憶を頼りにそのだいたいの場所を教えてくれた。

役場のある町の中心部から少し北へ行ったあたり――上糸追と呼ばれる地区に、咲谷の家はあるのだという。付近でも飛び抜けて広い敷地を持った立派な屋敷だったが、今でもきっとそうだろう。その辺の住民に訊いてみれば、誰でも知っているはずだから……とのこと。

「英勝様に会おうとも考えておるのか」

問われて、僕はとっさには何とも答えられなかった。

「森吾にしてみればまあ、血のつながった実の祖父様になるわけだからなあ。気持ちは分からんでもないが、はて、いきなり訪ねていって会ってくださるかのう」

「無理でしょうか」

「さてなあ。わしには何とも」

「英勝さんは、今もお元気でいらっしゃるのですか」

「さてなあ。あの方もずいぶんとお年を召して……確かもう、八十になられたのではなかったか。ここのところすっかり弱ってしまわれて、という噂も聞くが」

「――そうですか」

「まあ、あまり期待はせん方がいいかもしれんなあ」

「――そうですね」

　一度も会ったことのない、顔さえ知らぬ実の祖父。その昔、男子の跡取りができたからというそれだけの理由で、母をよその家へ出してしまったという祖父。仮に会うことが叶（かな）ったとして、そうして僕はどうするつもりなのだろう。どんな気持ちで、何を話すつもりなのだろうか。

「でも僕、とにかく行くだけでも行ってみます。姫沼へ行って、一目でもその、咲谷家の屋敷が見られれば、それだけでも……」

　唯を見送りがてら、家の前に駐（と）めてあったバルケッタまで自分の荷物を取りにいった。外気は日中よりもずいぶんとひんやりしていて、夜風が少し肌寒いほどだった。暗い空では月が蒼（あお）く照り輝いている。あと何日かで満月、という頃合だろうか。

「じゃあ明日、十時頃ね」

独り運転席に乗り込んでエンジンをかけたところで、唯はもう一度念押しをした。

「ケータイの電源、入れておいてね。ホテルを出る時に電話するから、それまでにちゃんと起きて、出かける用意をしておくように。分かった？」

「大丈夫。分かってる」

そう答えて、僕はしっかりと頷いた。今朝みたいに「動きたくない」などと云って唯を困らせるようなことは、明日はきっとないだろう。そんな確信を持っている自分が、この時もふと、何故かしらひどくいかがわしい、胡乱なものに思えたのだけれど。

2

唯が去ったあと結局、僕は叔父の勧めを断わりきれずにいくらかの酒を飲まされた。帰宅した雄喜と、それに叔母も一緒になり、最初に通された応接間に場所を戻してひとしきり飲んだ。祖父だけはしかし、そこには加わらずに寝室へ引き揚げていった。季節によってはまだあたりが真っ暗なほどの早朝に起き出す生活を続けているので、夜更かしはそろそろ限界なのだという。

その酒の席で分かったことなのだけれども、要一郎叔父は現在、市内で何軒かの園芸品店を経営しているらしい。何か商売をしているとは知っていたが、具体的な話を聞くのはこれが初めてだった。元々は祖父に倣って植木職人になるつもりでいたというのだが、何でも叔父は若い頃から高いところが大の苦手で、そのため早々に挫折してしまったのだそうだ。が、結果としてはそれが吉と出たことになるわけだろうか、園芸品店はたいそう繁盛しており、忙しくて嬉しい悲鳴を上げる毎日だとか。いずれは雄喜に店の一つを任せる心づもりなのだともいう。

酔いが回ってすっかり髭面を赤く染めた叔父は、そんな話を上機嫌に語っていたが、そのうちふと表情を硬くして、

「お母さんの件で、何か私に力になれることがあれば、遠慮なく云ってくれよ」

「ありがとうございます」

素直にそうは応えたものの、僕は内心、虚しくかぶりを振っていた。

「力になれるようなこと」など、叔父にはないと思う。病の当事者である母に対しては特に、何もあるはずがない。長く保ってもあと半年……それまでの間、ひたすら痴呆化が進行していくばかりの彼女に対して、そもそも誰がどんな「力になれる」というのか。息子の僕自身が、とうにそんな諦めを抱いてしまっているのに。

今夜はもう母のことは考えたくなかった。飲みかけの水割りのグラスを置き、代わりに煙草をくわえて一吹かししてから、

「叔父さんは今もバイク、乗っているんですか」

と、僕は話題を変えた。

「乗ってるも何も」

叔母が苦笑しつつ答えた。

「庭にそのためのガレージまで造っちゃってねえ。何台あるんでしたっけ、今」

「三台だけだ」

と答えて、叔父はぷっと頰を膨らませた。

「全盛期にはもう三台、維持してたんだが」

「一台はやっぱりハーレーだったりするんですか」

「いやあ。不思議とハーレーには執着がないんだな、私は。乗っていた時期はあるし、あれはあれで楽しいバイクだとは思うんだが」

「じゃあ、今のメインは？」

「BMWのR1100RT。今年になって手に入れたんだがね、凄いぞ。ヨーロピアンツアラーの一つの完成形だな。来年はこいつで日本縦断を目論んでいる」

「へえ。——雄喜君も？　バイクには」

「乗ってるよ、俺も。父親がこれだからね、影響を受けない方が難しいよね」

ちょっとはにかんだような顔で、雄喜は焦茶色に染めた長髪を掻き上げる。子供のころ以来、彼とは十数年ぶりの対面だったが、すっかり成長して面変わりもしているのに、こうして話してみるとさほどの違和感もなかった。地元の高校を卒業したあと、今はコンピューター関係の専門学校に通っているのだという。

「森吾さんもバイク好きなんでしょ」

気さくな笑顔で雄喜に訊かれ、僕はちょっと目を伏せて「ああ、うん」と答えた。

「ここしばらくは全然、乗ってないんだけど」

「何で乗らないの」

「お母さんのこともあるし、まあバイクどころじゃないだろうからな」

いたわるような調子で叔父が云い、それから僕の方を見やって、

「四輪には？」

「いえ、まったく。免許を取っただけで」

「うむ。なら、まだ復帰の可能性は高いな」

「そんなものですか」

「ああ。昔の仲間で、四輪に乗りはじめてバイクを捨てた奴らの何と多いことか」

嘆かわしげにそう云って、叔父はグラスの酒をぐいぐいと呷(あお)る。

「叔父さんは、じゃあ乗ってないんですか、四輪には」

「いや。仕事で必要だから、乗らないわけにはいかないんだが。軽のワゴンが一台、バイクのガレージの横で雨晒(あまざら)しになってるよ」

「ははあ」

「そりゃあまあ、四輪に転ぶ連中の心境は分かるがなあ。雨には濡れる。埃はかぶる。夏は暑いし冬は寒い。転倒の危険はあるし、二人しか乗れないし……で、確かに何と云うか、ちょっとした忍耐と意志の力が要求される乗り物だわな、バイクなんてのは。ことにロートルには辛い局面も多いがね、しかし、いいものはいい。仕方がない」

「そうですね」

「次にこっちへ来る時はぜひ、バイクでな」

「――ええ」

そんなこんなで夜は更けていき、用意された部屋の布団に僕が潜り込んだのは、午前一時を過ぎた頃のことだったか。二階にある雄喜の寝室の隣の和室だった。

その夜の眠りのどこかで僕は、まだ行ったことのないその土地の夢を見た。

……人気のない道の片側にえんえんと連なる高い土塀。途中で一ヵ所、それが崩れていて、中の広大な、けれどもひどく荒れ果てた風情の庭が垣間見える。正面に真っ白な壁の土蔵があり、あたり一帯には濃厚なキンモクセイの香りが立ち込め……何故かどこからか、季節外れの風鈴の音がいくつも重なり合いながら、緩い風に乗って鳴り響いてくる。

僕は崩れた塀に身を寄せ、亀のように首を突き出して庭の中を覗き込む。

山吹色の小さな花を無数に咲かせた大きなキンモクセイの木のそばで、大勢の子供たちが遊んでいるのが見える。男の子もいれば女の子もいる。楽しそうなはしゃぎ声が聞こえてくる。——もしかして、あの中に母さんもいるのだろうか。ああ、そうだ。きっとそう、いるに違いない。

塀の破れ目から半身を乗り出し、僕は思いきって彼女の名を呼ぶ。「千鶴」ではなく、「由伊」というその、幼い頃の彼女の名を。

僕の呼びかけに応えて、子供たちがいっせいに動きを止める。ぴた、と声がやむ。皆が一様に小首を傾げ、ゆっくりとこちらを振り返る。そうして彼らのその顔を見た途端、僕は思わず悲鳴を上げそうになる。全員が何か、祭りの露店で売られているような安っぽい面を付けているのだ。——中に一人、あのキツネの面がいる。男か女か、大人なのか子供なのかも定かでない、例のくぐもった声が、次の瞬間には僕の耳許(みみもと)に囁(ささや)きかけられる。

——ねえ君。

ああ、云わなくてもいい。云われなくたって、そんなことはもう……。

——生きているのは楽しいかい。

3

翌朝は、腕時計にセットしておいたアラームの音で目覚めた。

午前八時半。こんな真っ当な時間に起きるのはずいぶん久しぶりな気がするけれど、意外にすっきりとした、穏やかな目覚めでもあった。ほんの少し身体がだるいように思えるのは、昨夜の酒の名残だろう。

雄喜に借りたパジャマから、枕許に脱ぎ散らかしてあった自分の服に着替えた。茶色い襟なしの長袖シャツに黒いジーンズ。靴下は、昨日唯がコンビニで買ってきてくれた黒いソックスを下ろした。

これもまた唯が買ってきてくれた歯磨きセットと髭剃り、タオルを持って、部屋を出た。階下から、叔母が朝食の支度をしているのだろう、味噌汁の匂いが仄かに漂ってくる。多くの家庭ではごく当たり前な、こういった状況自体が何だかとても懐かしくて、胸が締めつけられるような心地になった。

二階にも一つ設けられている洗面所で顔を洗い、髭を剃り、鏡に映った自分の髪に目立った白毛が混じっていないことを確かめ……一度部屋に戻って荷物を整えてから、一階に降りた。台所ではエプロン姿の叔母が甲斐甲斐しく動きまわっており、居間兼食堂のテーブルには要一郎叔父がいて、新聞を開いていた。祖父と雄喜の姿は見えない。

「おはよう、森吾君」

紙面から顔を上げ、叔父が云った。

「昨夜はよく眠れたか」

「はい。おかげさまで、ぐっすり」

「まあまあ、そこに坐りなさい。もうすぐに飯だから」

そう云うと叔父は、読んでいた新聞を大ざっぱに畳んでテーブルの上に放り出す。勧められて椅子の一つに掛けようとしていた僕の目にそこで、その新聞の見出し文字が飛び込んできた。

「――何？」

思わず声が、喉を衝いて出た。

「うん？　どうした」

「ちょっと見せてください、それ」

と云って、僕は新聞を手許に引き寄せる。椅子に腰を下ろすのももどかしく、テーブルの上で紙面を広げる。

廃工場に他殺死体

児童二人、刃物でめった切りに

目に留まった見出しは、そんな事件の報道だった。社会面トップの大きな記事だ。

「これは……」

「ああ、その記事か」

応えて、叔父はあからさまに不愉快そうな表情を見せた。

「ひどい事件だな。小学三年の男の子が二人、殺されたらしい。むかし森吾君たちが住んでいた方なんじゃないか、その廃工場があるのは」

川沿いのずっと遠くに見え隠れしていた、あの「香水工場」の影。昨夕、唯と二人であの河原を訪れたあの時すでに、もしかしたらあの建物の中には、惨殺された子供たちの死体が……。

――うちの弟がね、見たんだって。ブランコに痕が残ってるの。

国道沿いのあの喫茶店での、女性客二人の会話が嫌でも耳に蘇る。

――痕って、血とか？

――そう。血の痕がべったり付いてて、ブランコは使用禁止に……。

「何日か前にもこの町で、子供が殺される事件があったとか」

速くなってくる動悸を抑えつつ、僕は訊いた。叔父は憂鬱げに眉を寄せながら、

「うむ。三日前の夜だな。公園で小学生が殺された。いわゆる通り魔殺人だという話だがね、続いて今度は二人も殺されたとなると、この町じゃあ前代未聞の大事件だな」

「同じ犯人なんでしょうか」

「その線が有力だと書いてあるが」

叔父はテーブルの上の新聞に向かって顎をしゃくり、

「東京でも最近、子供が何人も殺される事件があったんだろう」

「あ……ええ」

「犯人が捕まったニュースも見たが、ああいうイカれた奴がこの町にもうろうろしているのか。嫌な話だな……」

見出しの横の記事を読もうとしても、目が滑ってうまく文字が追えない。それほどに、僕の心は動転していた。


――いつも、どこでもね、大人は子供を殺すのさ。


……追い、か、け、て、き、た、ん、だ。

そう思った。何ら論理的な根拠があるわけでもなく。思いはじめるともはや、どうにも後戻りが利かなかった。


――子供は大人に殺される。

追いかけてきたんだ、あいつが。

まるで僕がこの町に帰ってきたのにタイミングを合わせるようにして、立て続けに発生した子供殺し。実際に犯行のなされたのが、昨日僕が来る前だったのか後だったのか、それはさほど大きな問題じゃない。三日前に起こった公園での事件は少なくとも「前」だったわけだが、だとしても、そう、僕が近々この町にやって来るのは一週間ほども前から決まっていたことではないか。だから、それであいつは先まわりをして……。

こんな話を唯にしたら、きっとまた笑い飛ばされるに違いない。彼女以外の、他の誰に話してみたところで同じだろう。笑われるだけではなくて、正気を疑われさえするかもしれない。——けれど。

——殺されつづけなきゃならないのさ。

追いかけてきたんだ、あいつが。

僕の頭の中の、理性ではどうしても制御できない部分が、繰り返し繰り返しそう叫びつづけて止まらないのだ。

母の心の中でどろどろに煮詰まった〝恐怖の記憶〟から、この現実世界へと溢れ出してきたあいつが、東京でそうしたのと同じように、誰かの心を乗っ取って、その肉体を操って。あるいは、もしかするとあいつそのものが、何らかの形で実体化して、そして……。

……そんな。

そんな莫迦な話があるものか。

何とか冷静にそう云い聞かせようとしてみても、いったん短絡してしまった思考は暴走をやめない。抑えようとしても、動悸はどんどん速くなってくる。首筋や背中に冷や汗が滲み出す。目に映る現実の輪郭が急速に薄らいでいき、かすかに耳鳴りがしはじめ、細く甲高いその音の向こうからやおら、

――バッタが。

近づいてくる禍々しい、あの……。

――バッタの音が。

「……まったくもう、世の中どこか狂ってるな。世紀末とはよく云ったもんだ」

すぐ近くで喋る叔父の声が、何故だかひどく遠くから聞こえてくるように感じられた。

「とにかく早いところ犯人が捕まってくれないとなあ、小さい子供がいる親は気が気じゃあるまい」

午前九時になり、食卓が調ってもまだ祖父と雄喜が現われないので、叔母が二人を呼びにいった。やがて、ぼさぼさに寝乱れた茶髪を掻きまわしながら、パジャマ姿の雄喜が二階から降りてき、続いて昨夜と同じ作務衣姿の祖父が入ってきた。それまでの間、叔父はぽつぽつと僕に世間話的な話題を振ってきたのだけれども、僕はほとんど上の空の応答しかできなかったように思う。

「森吾。探してみたら、存外すぐに先方の電話番号が見つかったもんでなあ、さっきちょっと連絡しておいてやったぞ」

祖父にそう話しかけられた時も、僕の反応は鈍かった。「はあ」と生返事をしてから「えっ」と声を上げるまでに、五、六秒も時間がかかったかもしれない。

「あの、それって」

僕は首を傾げながら、祖父に訊いた。

「ひょっとして、咲谷の家に」

「それ以外にどこかあったかのう」

「あ、はい、いえ……」

「英勝様はやはり、どうも具合がよろしくないそうでなあ」

祖父は椅子に腰を下ろし、湯呑みの茶を一口啜ってから続けた。

「咲谷の若旦那さん、つまり、ゆうべ話した妾腹の息子だわな、その若旦那を相手に、ざっと事情は説明しておいたが。だが向こうも、いきなりの話だしなあ、かなり戸惑っておるふうだったな」

「——でしょうね」

「一応それで、今日の午後にでもお前が訪ねていくかもしれんと伝えておいたさ。柳の名を出して、今朝わしが電話したことを先方に云えば、まあそうそう邪険に追い返されはせんだろう」

「――ありがとうございます」

まっすぐに祖父の顔を見て、僕は深く頭を下げた。

考えてみればこの人は、僕とはまるで血のつながりがない「義理の祖父」でしかないわけだが、なのにこんなにも、いろいろと僕のために尽力してくれる。要一郎叔父にしてもそうだ。そのことを本当にありがたいと思いつつも、しかし同時に、僕の心の半分かそれ以上の部分は、さっきまでと変わらない混乱状態にあった。

今にも現実にどこかから、けたたましいバッタの羽音が聞こえてきはしないか。今にもそして、血に濡れた刃物を持った何者かがこの家に飛び込んできはしないか。――そんな不安と恐怖にすっかり取り憑かれてしまい、何か物音がするたびに、びくびくと落ち着きのない視線をさまよわせていたように思う。

4

唯から連絡があったのは、約束の十時を三十分近くも過ぎた頃だった。時間が経つにつれて妄想じみた怯えがエスカレートしてきて、まさか彼女の身にあいつが何か……という懸念すら抱きはじめていたところへ、僕の携帯電話が鳴ったのだ。

息を切らせた唯の声が聞こえてくるなり、

「ごめん、波多野君」

「大丈夫かい」

と、僕は勢い込んで訊いた。

「何かまずいことでも」

「それがね、参っちゃったなあ、車が動かなくなってさ」

「車が？」

「そうなの」

答える唯は、珍しく意気消沈しているふうだった。

「チェックアウトして、動かそうとしたらうんともすんとも云わなくて。電気系統のトラブルみたいで。ＪＡＦを呼んだんだけどね、部品がないから直せないって」

「ううん、そりゃあ……」

「でもって、近くでこの車の部品があるような店がないか調べてるんだけど、どうも駄目みたいで」

「駄目って、じゃあ……」

「こうしてても埒が明かないし、とにかく車は放っておいてそっちへ行くから。今ね、タクシーを捕まえようとしてるところ。悪いけど、もうちょっと待っててくれる？」

「車のトラブル？」

と、雄喜が訊いてきた。電話での僕の受け答えを聞いていて、容易に察しがついたのだろう。

朝食の間は眠そうに何度も大欠伸をしていた彼だが、着替えを済ませ、乱れていた髪も整え……やっと目が覚めた、という顔で煙草を吹かしていた。

「ゆうべ家の前に駐めてあったフィアットかい」

「ああ、そうなんだ」

僕が事情を説明すると、雄喜は「うんうん」と頷いて、

「あれ、壊れるんだよね、すぐに。友だちでいるんだけどさ、持ってる奴が。車好きのおぼっちゃんで、高校を出るなり親に買ってもらって。そいつがね、しょっちゅうどこか調子が悪くなるってぼやいてるから。でもまあ、それがまた楽しいらしいんだけど」

「直してくれる店、ないのかな、この辺に」

「あるにはあるけど、部品の取り寄せだ何だでけっこう時間がかかるみたい」

「やっぱり……」

……どうしたらいいのだろう。

居間兼食堂のテーブルに頬杖を突き、僕は思案を巡らせる。

バルケッタの修理を待っているわけには、もちろんいくまい。祖父が電話をしてくれたことでもあるし、やはり今日午後には姫沼へ行き、咲谷の家を訪れなければならないから……いや、東京に帰る時期が遅れることとさえ厭わなければ、どうしても今日でなくてはならないわけではないのか。いやしかし、それでもやはり……。

できるだけ早く行かなければ、という切迫した思いが今、僕の中にはあるのだった。昨日の出発前とはまるで正反対のそんな思いが、奇妙なくらいに強く。子供を狙った残虐な殺人者が徘徊するこの町から一刻も早く離れたい、逃げ出してしまいたい——という気持ちもかなりの程度、そこには含まれているのかもしれないのだけれど。

「困ったことになったね、森吾君」

黙って僕と雄喜のやり取りを見守っていた叔父が、口を開いた。

「うちのワゴン車は仕事で使うしなあ。送っていってやればいいんだが、今日の午後からはどうしても休めなくってね。となると、レンタカーを借りるか、さもなければ……おおそうだ、バイクなら一台、貸してやってもいいが」

「叔父さんのバイクを？」

「BMW以外にも二台あるからな」

そう云って、叔父は愉快そうな笑みを見せる。

「森吾君が乗っていたのは？　どんなバイクだった」

「ホンダのSTEED、ですけど」

「ふん。じゃあ、似たタイプのがいいか。XVの400があるが、どうかな。ちょっと年式は古いけれども、メンテナンスはしっかりしてある」

ヤマハXV400——Virago、か。STEEDと同じVツインエンジンの、ロングセラーを続けている和製アメリカンだ。

「あれならタンデムも楽だろうしな。まあ、彼女がうんと云えばの話だが」

「はあ。けど、いいんですか」

「今からレンタカーを手配するより、その方が手っ取り早いだろう。よけいな金もかからない。それにね、私としては、森吾君がこれを機会にバイクに復帰してくれたなら、こんなに喜ばしいことはない。——うむ。悪くない。みんなが幸せなアイディアだな。ちなみに、もう一台はCLUBMANなんだが、250ccの単気筒というのもなかなか味があっていい。何ならそっちでも」

「あなた、でも」

と、そこで叔母が口を挟んできた。心配そうに叔父と僕の顔を見比べながら、

「そんな、慣れないバイクで」

「なあに、十分も乗ったらすぐに勘を取り戻すさ。あとは、気合だな。気合を入れて走ればそう簡単に事故るもんでもない。——どうだ、森吾君」

「ええ。それじゃあ」

腹を括(くく)って、僕は頷いた。唯が難色を示す可能性もあるが、その時は僕一人でも行くことにしよう。そう考えていた。

5

話が決まると、叔父はさっそくガレージから出したバイクを玄関先まで回してきてくれた。ヘルメットは、頭の大きさが合いそうな雄喜が貸してくれることになり、さらに彼は「その恰好(かっこう)だと寒いだろうから」と云って、自分の革ジャンを持ってきてくれた。今の季節にはまだ早すぎるような厚手のジャンパーだけれども、山道をバイクで走るのにはこのくらいがちょうど良い。万が一の転倒の際に安全でもある。

スモークシールドの付いた銀色のフルフェイスのメットの中には、ジャンパーと同じ黒い革の手袋も入っていた。これもまた、真面目なバイク乗りには必須のアイテムだ。

「ところで、雄喜君の愛車は何なの」

ふと気になって尋ねてみた。何となく想像していたのは、NSRとかTZRとかの、2サイクルのレーサーレプリカだったのだが、返ってきたのは少々意表を突いた答えだった。

「KATANAの250(ニーハン)だよ」

今から二十年近く前、ドイツの鬼才ハンス・ムートのデザインを得てスズキが発表したGSX1100S KATANAは、文字どおり「刀」をモチーフにしたその斬新な形状と性能で、愛好者の度肝を抜いた——らしい。当時は僕もまだ子供だったから、その頃の騒ぎを直接的に知っているわけではないのだが。

近年、このKATANAの忠実な再現モデルが400ccと250ccでも生産されていて、現在の目で見てもまったく古びない独自の存在感を誇っている。そのことは事実なのだけれど、雄喜くらいの年の若者が今、あえてそれを選んで乗るという例はあまりないのではないか。そうも思えたのだ。

「父さんが昔、オリジナルの1100Sに乗ってたんだ。めっちゃカッコ良かったんだよね、子供の目にも、あれが。いつか自分も同じバイクに乗りたいなって思うほど……それで」

「なるほどなあ」

「ねえ森吾さん、今度東京の方へも行くからさ、一緒にどこか走りにいこうよね」

「——ああ。いいね、そういうのも」

午前十一時を回った頃になって、唯がタクシーで到着した。先ほどの意気消沈ぶりからはもう立ち直っていて、僕の顔を見るや否や、彼女はレンタカーの手配をしようと云いだしたのだけれども、すでに決定済みの事態の打開策を僕が話すと、ちょっと呆気に取られたように目をしばたたいた。

「バイクって、それ、波多野君が運転するわけ？」

「藍川は免許、持ってたっけ」

「原付しか乗れない」

「だったら当然、僕が運転するしかない」

「でも……」

「一緒に来てくれるのなら、後ろに乗ってもらうことになる。嫌なら、僕一人で」

「ま、待ってよ」

唯はびっくりしたように片手を挙げ、掌をこちらに向けて僕の言葉を制した。

「ここまで来て、置いてけぼりはないんじゃない？」

「分かった。じゃあ……」

僕は真顔で頷いて、

「バイクの後ろには？　乗ったことある？」

「ご心配なく。学生時代の彼氏に一人、バイク乗りがいたから」

「そいつは初耳だなあ」

「――にしても」と、そこで唯は腕組みをし、僕の顔をしげしげと見つめながら「ふー

〈」と感慨深げな声を洩らした。

「何だよ」

「だって。変わるものだなあって」

「昨日はあんなふうだったのに、って？」

「そう」

「いいんだか悪いんだか」

自嘲気味にそう呟きながら、僕はそっと胸に手を当てる。動悸が、今朝の新聞で例の事件の報道を見て以来ずっと、普通よりも速くなったままでいるように思える。――怯えているのだ、相変わらず。今にもあいつが目の前に現われはしないかと、気が気でないのだ、やはり。

あの「香水工場」で昨日、子供が二人惨殺された。そのことを今、唯に話そうかどうしようかと迷っているところへ、貸してくれるバイクの点検を終えた要一郎叔父が、何やら薄汚れた青い布袋を小脇に抱えてやって来た。

「彼女も一緒に行くことになったのかな」

訊かれて、僕が答える前に唯が「はい」と返事をする。

「故障した車は、じゃあ、私が手配して修理に出しておいてやろう。雄喜に訊けば、店は分かるだろうから」

「すみません」

と、唯は殊勝に頭を下げた。

「お言葉に甘えてしまいます」

「藍川さんは家内のメットを借りればいい。ジェットヘルだから、眼鏡も掛けやすいだろう。上着も何か、適当に見繕って」

「あ、はい。お願いします」

「それから、森吾君」

そう云って叔父は、持ってきた布袋を僕の前に置いた。

「ちょっと重いが、こいつを君のデイパックの中に放り込んでおきなさい」

「何ですか、これ」

僕が訊くと、叔父はにっと笑って、

「お守り袋、だよ」

と答えた。僕は小首を傾げながら、

「お守り？　にしては大きいですね」

「実用的なお守り、なのさ」

「――と云いますと」

「中身をざっとチェックしてごらん」

「――はあ」

云われるままに僕は、袋を取り上げてその中を覗き込んだ。

「なるほど。これは……」

ガムテープとビニールテープが一巻きずつ。針金とナイロンの紐が、これも一巻きずつ。小型懐中電灯が一本。パンクの応急修理剤が一本。プライヤーと大型のカッターナイフが一本ずつ。軍手が一組。包帯に傷テープ……。

「どんなアクシデントがあるか分からないからな、付属の工具以外にも、このくらいは持っておいた方がいい。バイク歴三十年の知恵だ。使わなくて済めば、むろんそれに越したことはない」

「何から何まで、本当にすみません」

「気をつけてな」

にこやかに笑って、叔父はぽんと僕の肩を叩いた。

「雨はとりあえず大丈夫そうだが、もしも降られたら無理はしないように」

「夜には戻りますので」

「ああ。しかしまあ、場合によっちゃあ、向こうに一泊なんてことになるかもしれないしな。その場合には、一本電話を入れてくれればいいから」

「はい」

正午が近づいてきた頃、僕たちは柳の家を発った。唯の荷物はシーシーバーの後ろに荷紐でくくりつけ、僕はデイパックをそのまま背負って、久しぶりのバイクに跨った。いくぶん緊張しつつ、エンジンをスタートさせる。回りはじめたVツインの、独特の振動と排気音が、懐かしくも心地好い。

叔父に叔母に雄喜、そして祖父も、総出で玄関先まで見送りに出てくれた柳家の人々に一礼し、タンデムシートの唯に「出発」と声をかけて、僕はアクセルを開いた。

姫沼へ——。

五十年前、母が生まれた町へ。四十五年あるいは四十六年前、母の心に強烈な〝恐怖の記憶〟を植えつけた惨たらしい事件、その発生地である町へ——。

半ばそこに引き寄せられていくような気分で、僕はバイクを走らせる。

第11章

1

「姫沼町」と記されたささやかな標識に出遇ったのは、町を離れてから三つ目の峠を越えてしばらくして、行く手にまたぞろ急な登り坂が迫ってきたところでのことだった。

これをもう一つ越えたら、きっと町が見えてくるのだろう。シフトダウンして急勾配に臨みながら、僕はそう思った。タンデムシートの唯も同じように考えたらしい、

「あと一息？」

と、肩越しに問いかけてくる。ヘルメットのシールドを上げて僕が「たぶんね」と答えると、「うー」と声がして重心が一瞬、後方に偏った。シーシーバーに凭れかかって伸びでもしたようだった。

「疲れた？」

「うん、少し。バイクの後ろに乗るの、何年かぶりだしなぁ」

「ちょっとまた休もうか」

「ううん、大丈夫。あんまりもたもたしてもいられないでしょ」

時刻は午後二時半を回っている。

「一時間半もあれば行き着けるだろう」という叔父たちの話だったが、それは道に慣れていればのことだと分かった。実際には、町を出て姫沼に向かう県道を見つけるまでに案外な苦労があり、あとはほぼ一本道だったものの、かなりハードなワインディングロードの連続で気が抜けなかった。加えて何しろ久しぶりの、そして初めて乗る他人のバイクだ。運転の勘を取り戻し、車の癖やら何やらを摑めてくるまでには相応の時間がかかった。叔父は「十分も乗ればすぐに……」というふうに云っていたけれども、資質や能力の個人差は当然ながら存在するものだ。

後ろに人を乗せているというのもある。二人乗りの経験はあっても、その状態であまり長距離を走ったことはなかった。おのずと緊張の度合は高くなるし、バイクの操作も難しくなる。こういった山道だと、それはなおさらだった。

もっとも、だからと云って、ここまでの道中が苦痛であったわけでは決してない。叔父のメンテナンスの賜物か、相当な走行距離を稼いでいるにもかかわらずＶｉｒａｇｏのＶツインは快調そのものだったし、風景の瑞々しさや空気の澄み具合も含め、街乗りでは味わえないような爽快感も多くあった。後ろの唯が、ちょっとした景色の移り変わりに歓声を上げたり、急なカーヴやブレーキングでしがみついてきたりするのが、存外に楽しく感じられもした。

考えてみれば、そう、中杉亜夕美とつきあっていた頃にしても、こんなふうに二人乗りをしたことはほとんどなかったように思う。彼女がバイクを好まなかったから。「四輪に乗り換えればいいのに」と何度も云われたものだが、僕がその言葉に応じなかったのはやはり、根っからこの乗り物が好きだからなのだろう。

直接身体で風を切って疾走する感覚が、カーヴを曲がるのに思いきって車体を倒し込む時の感覚が、月並みかもしれないけれど僕はとても好きだ。それはもしかしたら、〝空を飛ぶ〟感覚に通じているからなのかもしれない。幼いあの日、宵闇に瞬く飛行機の赤い光を見て抱いた〝空を飛ぶ翼〟への夢見るような憧れを思い出すにつけ、そんな解釈も成り立つのかなと考えてみたりする。

四つ目の峠はこれまでで一番険しかった。この道をかつてはバスが走っていたのかと思うと、その運転手に対して大いなる敬意と同情を抱きたくなった。

いきなりカーヴの向こうから飛び出してくる対向車に幾度かひやりとしながら坂道を登りつづけ、ようやく勾配が下りに切り替わったところで、情景にも劇的な変化が訪れた。山林に挟まれて狭まっていた視界の片側が大きく開け、予想したとおり、そこに姫沼の町の遠景が見えてきたのだ。

「やったね」

　と唯が、半ば感慨深げに、半ばほっとしたような声で云った。

「あれが波多野君のお母さんの生まれ故郷、か」

「──ああ」

　頷いて、僕はアクセルを緩める。道幅にいくらか余裕のある場所を見つけ、バイクを停めた。

「え？　どうしたの」

「三分間の喫煙休憩」

　サイドスタンドを立てると、先に唯を降ろしてから僕もそれに続いた。脱いだヘルメットをミラーに被せて、バイクから離れる。汗で湿った手袋を外し、煙草に火を点けながらガードレールの際まで歩み出ると、改まった気分で眼下に広がる町を見渡した。

　──わたしが生まれたのもね、ちょうどあんな感じの、山に囲まれた小さな町だったのよ。

　昨年のゴールデンウィークのあの日、母の語った言葉がはっきりと耳に蘇ってくる。

　──わたしが生まれたのは、ああいう山間のひっそりとした町で、おうちはとても広くて古いお屋敷で……。

午後のこの時間だというのに、町は今、うっすらと白い靄に覆われている。そのため、ぽつぽつと建ち並ぶ家々は何やら、この世からは薄皮一枚隔たれたところにたゆたう幻めいて見えた。

吐き出した煙草の煙が風にたなびく。そのまま煙は遥かな距離を流れていって、眼下のあの靄に溶け込んでしまいそうな気がする。そうして靄は徐々に密度を増しつづけ、ついには濃霧と化して町を完全に呑み込んでしまうのだ。すれ違う人の顔すら見分けられないような、濃密な霧。昼なお薄暗い街路にはやがて、首のない殺人鬼が徘徊しはじめる。突然の白い閃光と禍々しいバッタの羽音の、狂気じみた交錯の中、霧は子供たちの流す血によって真っ赤に染まっていき……。

……いけない。

僕は慌てて強く首を振った。

どうして、こんな……。

「何だか急に曇ってきちゃったね」

傍らに立って同じように町を望んでいた唯が、上空を振り仰ぎながら云った。彼女に倣って、僕も目を上げる。――ああ、確かに。いつのまにか空が低くなり、灰色に塗り込められてしまっている。町を出る時にはあんなに燦々と照り輝いていた太陽が、今はどこにあるのかも分からない。心なしか、吹き過ぎる風も湿っぽい。

「降らないといいね、雨」

「――うん」

「いい人たちだよね、波多野君の叔父さんたち」

「ん？　まあ、そうだね」

「いい人たちすぎて、何だか……」

「何だか、何？　気味が悪いとか？」

「ううん、そうじゃなくって……」

「…………」

僕は短くなった煙草を地面に捨て、汚れた黒いウォーキングシューズの底で乱暴に踏み消した。

「行こうか」

そう云ってからもう一度、町の遠景を振り返る。薄靄に覆われて山間に沈んだその町が――そんな町の全体が、町そのものが、僕にはその時、太古からそこにある巨大な沼のように見えた。

2

ようこそ、姫沼へ

峠を降りてきたところにあった短いトンネルを抜けると、道路脇にいきなり大きな看板が立っていた。

姫沼レインボーランド

並んで、そんな広告の看板も。

癒しと安らぎの名所
万薬の効能　七色の秘湯
遊技・宿泊施設も完備
ご家族揃ってのお越しをお待ちしております

看板には大まかな地図も描かれていて、〈姫沼レインボーランド〉の所在地やそこまでの道順が明示されている。

なるほど。近年、新たに出た温泉を利用して観光にも力を入れようとしているという、これもその町興し計画の一環なのか。いわゆる「健康ランド」のようなものなのだろうけれども、それにしても「七色の秘湯」とはまた胡散臭い謳い文句を考えたものだ。「万薬の効能」にしても、下手をするとどこかからお咎めが来そうなコピーだが。

苦笑することもできず、僕はひどく鼻白んだ気分で、少々むきになってアクセルを全開にする。

「いいな、温泉」

どこまで本気なのかは謎だけれど、唯が看板を指さしながら楽しげな声で云った。

「帰りに寄ってみようよ。ね、波多野君」

3

町の中心部にある役場までは、さほどの苦労もなく辿り着くことができた。役場の前に出ていた周辺地図で上糸追という地区の位置を確認すると、僕たちはすぐさま目的の家を探しに向かった。本当は喫茶店にでも寄って一服したいところだったが、確かにあまりもたもたしてもいられない。

時刻はすでに午後三時を回っていた。

誰かに尋ねてみるまでもなく、おおよその見当をつけたあたりをゆっくりとバイクで走りまわるうち、それらしき家は見つかった。

祖父の云っていたとおり、なるほど付近で最も広大な敷地を持つ屋敷と見えた。いや、ない。
「付近で」どころか、この町全体に範囲を拡大してみても、それは当てはまる話かもしれ

いかにも地方の名家といった風情の、その古さ加減がみずからの価値を強くアピールしているような門構えだった。「咲谷」という表札を確かめると、そこですぐに呼び鈴を押すこともためらわれたものだから、とりあえず僕たちはバイクを門から少し離れた道端に置き、ヘルメットは二つとも車体のヘルメットホルダーに付けておいて、敷地のまわりを歩いてみることにした。

人気のない道路の片側に続く高い土塀。昨夜の夢で見た光景との類似にいささか戸惑いながら、うっすらと立ち込める靄の中を、唯と肩を並べて進んだ。

そうして敷地の裏手まで回り込むだけで、どれくらい時間がかかったろうか。想像するに、総面積はきっと何百坪とかいったレベルでは利くまい。もっとも、それを取り囲んだ塀はところによって漆喰が剝がれていたり、上部の瓦が波打っていたり欠け落ちていたりして、決して良好に維持されているふうでもないことが分かる。

この屋敷――こんな屋敷で母は生まれ、幼年期を過ごしたのか。

昨夜泊まった柳の家の、あくまでも庶民的なたたずまいを、その範疇内でのささやかな豊かさを思い返す。六歳の年、いきなりこの屋敷を出されて柳家に貰われていった時、幼い母の心はその変化を、いったいどのように受け止めたことだろう。

バイクを降りて歩きはじめてから、唯はずっと無言だった。僕の心中を慮ってか、それとも彼女は彼女で何か物思いに沈んでいるのか。——やがて。

えんえんと連なる塀の一角に黒い裏木戸のようなものが見えてきたところで、僕はふと思い出して、背負っていたデイパックのサイドポケットを手探った。確かここに、昨日唯が買ってきた使い切りカメラをしまっておいたはずだが……。

……あった。

「何？」と首を傾げて、唯が僕の動きを窺う。

「あ、そっか。写真？」

「ああ、うん」

僕は取り出したカメラの封を切り、袋の中から本体を取り出した。

「せっかくだから……」

フラッシュが内蔵されたAPS対応のものだった。同様の「レンズ付きフィルム」を使ったことはこれまでに幾度かあったので、僕は操作に迷うこともなく、屋敷の土塀や周囲の風景に向けてシャッターを切った。

「あとで玄関の方も撮らなきゃね」

「——うん」

「お母さん、写真を見て何か思い出してくれるかな」

「――さあ」

おざなりな返事をしてカメラをデイパックに戻そうとすると、「待って」と唯がそれを止めた。

「何だい」

「貸して、カメラ」

と、唯は右手を差し出した。

「波多野君、撮ってあげる」

「いいよ、そんな」

「駄目だよ。それこそせっかく、はるばる訪ねてきたんだから。記念に一枚、ね」

あまりそんな気分にはなれなかったのだけれど、頑強に拒否することもできず、僕は唯にカメラを手渡した。

「じゃあ、塀をバックにして……そう、そこでOK。はい、撮りまーす」

かすかに響くシャッターの音。無理に微笑んでみようとしたが、すぐに後悔した。フィルムにはきっと、泣き笑いのような引きつった表情が焼き付けられたに違いない。

「ちょっと暗いね。靄(もや)もかかってるし」

いったんファインダーから目を外したものの、唯はそう云ってカメラを構え直し、

「もう一枚」

と、僕に要請した。

「そのままでいいから、動かないで」

そして再び、シャッターボタンが押される。今度は内蔵のフラッシュが光り、一瞬僕の目を眩ませた。「もういいだろう」と云うつもりで僕はその場を離れ、前方に見えてきていた裏木戸に向かって先に足を進める。

「ねえねえ、波多野君」

すぐに唯が追いついてきて、何やら気ぜわしげな調子で云った。

「あのさ、今ふっと思いついたんだけど」

「何?」

「ひょっとしてね、これのことなんじゃないかな、お母さんが云う白い閃光って」

「えっ」

僕は足を止め、唯の方を振り返った。

「これって?」

「だからね、これ。カメラのフラッシュ」

答えて、唯は手に持った使い切りカメラに視線を落とす。

「フラッシュ……」

「そうよ。お母さん、雷の音じゃなくて光の方を怖がってるんだって、そう云ってたでしょ」

「うん、確かに」

「そっくりだと思わない？　カメラのフラッシュって、大きな音は伴わずに、いきなりピカッて光るでしょ。突然に降りかかる真っ白な閃光……違うかな」

「それは……」

一理あるかもしれない、とは思った。

そう云えば、そう、考えてみると僕は母の写真というものをあまり見たことがない。記憶にあるのは、父との結婚式の写真くらいだろうか。自分のアルバムについて思い返してみても、母と一緒に写っている写真は一枚もないのではないか。

母は写真を撮られるのが嫌いだった、という推測が、そこで成り立つことになる。さらには、それはすなわち、撮影の際に焚かれるフラッシュの光が嫌いだったから、怖かったから――という結論が導き出されはしないか。

「――仮にそうだとすると」

唯の手許を見据えながら、僕は云った。

「母さんが出遭った例の殺人者は、その時カメラを持っていたってことになるのか」

「単純に考えると、そうよね」

「そのカメラのフラッシュを焚きながら、母さんたちに襲いかかってきたってことに？」

「うーん。何か妙な光景だけど」

「しかし」と呟(つぶや)いて、僕は顎(あご)を撫(な)でた。

「ちょっと待てよ」

「何か」

「問題の事件が起こったのが、仮に母さんが四歳の時だとして、今から四十六年前、一九五三年のことだろ。昭和二十八年。その時期には当然、こんな使い切りカメラはなかったし、それどころか素人が手軽に扱えるようなカメラもあまりなかったんじゃないかな」

「あ、うん。そう云われれば」

「調べてみないと分からないけど、フラッシュが内蔵された小型カメラなんていうのも、きっと当時はまだポピュラーじゃなかったろうし。ということは……」

「ということは？」

「だからね、するとこの殺人者は、かなりその、カメラ好きの人間か、仕事や何かでカメラを扱い慣れた人間か……という話になりはしないだろうか」

唯は納得顔で「ふうん」と頷(うなず)き、それから小振りな色付き眼鏡の向こうで悪戯(いたずら)っぽく目を細めて、

「凄(すご)い。何か小説に出てくる探偵さんみたいだね、波多野君。その調子で昔の事件、解決しちゃう？」

「茶化さないでくれよ」

僕は緩く首を振り、再び歩きはじめる。

前方の黒い木戸が少し開いている様子なのに、そこで気づいた。昨夜の夢の、途中で塀が崩れていたあの光景を思い出しながら、僕はいくぶん足を速め、吸い寄せられるようにしてその木戸に近づいていった。

薄靄の中、仄かに漂ってくる香りがあった。甘酸っぱいような、何だかとても懐かしくて胸が締めつけられそうな……ああ、これはキンモクセイの花の香りか。

木戸はやはりわずかに開いていた。出入りのあときちんと閉め忘れたのか、それとも鍵が壊れるかどうかしているのだろうか。

戸の隙間から、中の庭の様子がちらりと覗いている。誘惑に抗うことができず、僕はそこに顔を寄せた。

「ああ……」

思わず声を零してしまった。

白壁の古びた土蔵が見える。傍らに立つ大きなキンモクセイの木が見える。咲き盛った山吹色の小さな花。緩やかな風に乗って流れてくる、濃厚なその香り……。

次の瞬間、僕は木戸に手をかけていた。ほとんど無意識のうちに、だったように思う。そろりと力を加え、木戸を開いた。中にはたいそう立派な日本庭園が、けれどもどことなく寂れた雰囲気で広がっていた。土蔵とキンモクセイの木は、その庭の片隅に、まるで僕に見せるために描かれた一枚の絵のような風情で、あった。

僕は、これもまたほとんど無意識のうちに木戸をくぐり抜け、一歩二歩と庭に足を踏み入れる。すると突然――。

真っ白な閃光があたりを瞬かせた。びっくりして振り返ると、唯が戸の向こうに立ってさっきのカメラを構えている。僕の後ろ姿を撮ったらしい。

「駄目だよ、藍川。よせ……」

慌てて彼女の行為を咎めようとした僕の言葉を遮って、

「何をしていらっしゃる」

鋭く問いかける男の声が聞こえた。

「勝手に他人の家の庭に入るのは、あまり感心できる行ないではありませんね」

見ると、土蔵から少し離れた塀際に立ち並ぶ庭木の陰から、おもむろに声の主が歩み出てきた。黒い和服を着流した、恰幅の良いその男の姿を認めた途端、

キチキチキチキチ……

独特の硬い音を響き渡らせて、下草に覆われた男の足許から飛び出してきたものが。

――バッタが。

なだらかな放物線を描きながら、それは何メートルかの距離を飛行し、土蔵の手前あた

りに着地して見えなくなった。

——バッタの飛ぶ音が。

「わあっ！」

僕は我れを忘れて悲鳴を上げ、その場にうずくまってしまった。

……バッタが。

ショウリョウバッタが、飛んだ。

あの忌まわしい音を立てて今、僕の目の前で。

地面に尻を落として膝を抱え込み、しゃにむに頭を振り動かす。全身が小刻みに震えている。

……あいつが？

すっかりパニック状態に陥った心の中で、僕は思った。

あいつが、来たのか。僕を追いかけてきたのか。今そこに現われた黒い和服の男、あの男が、あの男こそがきっと……。

「どうしました」

男の声がすぐ近くでした。

「あ、あ……」

僕は地面にうずくまったまま、顔を上げることもできずに喘いだ。

「すみません。わたしたち……」

背後で唯の声がした。

「すみません、無断で入ってきちゃって。でもあの、わたしたち怪しい者じゃありませんので」

「ご心配は無用。警察に突き出そうなどとは云わないから」

と、これは男の受け答え。唯が云った。

「あのう、失礼ですが、このお屋敷の——咲谷さんのおうちの方ですよね」

「そうですが」

「あのですね、実はわたしたち」

「柳哲郎というご老人から今朝、電話をいただきました」

「あ……」

「この方がその、波多野千鶴さんの息子さんなのですね」

「あ、はい。そうなんです」

「波多野さん」と男に声をかけられ、僕はゆっくりと目を上げた。

「大丈夫ですか」

「波多野君。さ、しっかりして」

唯が僕の腕を握り、立ち上がらせる。発作じみた恐慌からようやく脱した僕は、ジーンズの汚れを払いながら幾度か深い呼吸を繰り返し、それから和服の男に向かっておずおずと頭を下げた。

「――失礼しました。ええと僕、波多野千鶴の息子で、森吾と申します。すみません。母から聞かされていた土蔵がそこに見えたもので、つい……」

「なるほどね」

値踏みするように僕を見据えながら、男は軽く頷いた。

「私は咲谷雅英です」

この男がつまり、今朝祖父が話していたこの家の「若旦那」だというわけか。

「どんな事情がおありなのか、詳しくは知りませんが。とにかくまあ、こんなところで立ち話というのもないでしょう。表におまわりなさい」

4

昼間だというのにひどく薄暗い、広い座敷だった。

黒光りをたたえた漆塗りの座卓を挟んで僕たちと向き合った咲谷雅英の眼差しは、とても静かで、まるでわざとそうしているかのように感情が窺えない。怒っているのか喜んでいるのか、不愉快なのか愉快なのか、あるいは別にどうでも良いものとして僕たちを見ているのか、それすらも分からない。当然のように僕は戸惑い、ためらい、物怖（ものお）じするばかりだった。

「話を伺いましょうか」

座卓の前に坐（すわ）って何十秒かが経った時、ようやく雅英が口を開いた。それ以上沈黙が続いていたら、僕は何も喋（しゃべ）ることができずに逃げ出していたかもしれない。

「むかし当家に出入りしていた柳という庭師の存在については、今朝の電話のあとで確認しました。むかし私の姉が養女に出された先がその柳家であったことも、彼女が後に千鶴と改名して結婚し、波多野という姓になったことも」

誰にどうやって確認したのか。気になるところではあったが、こちらからそれを問いただせるような状況ではなかった。

僕は上目遣いに相手を観察する。

母が満六歳の年に生まれ、母と入れ違いにこの家に引き取られた——ということは、今年四十四歳か。要一郎叔父（おじ）よりも三つ年下という勘定になるが、実際の年齢差以上にこの男の方が若く見えた。恰幅は良いけれど、顔立ちはさほどふくよかでもない。むしろ逆に、鋭く尖（とが）った感じがする。

「あなたが——」

と、雅英は僕の顔を見据え、

―あなたがその、波多野千鶴の息子さんだとすると、私とは叔父と甥の関係だということになる。普通ならば歓迎すべきところなのでしょうが、この件を巡る事情は多少複雑です。それに」

「何でしょうか」

「私は血のつながりというやつが、あまり好きではないもので」

ぴしゃりとそんなふうに云われて、僕はたじろいだ。

「両親も兄弟姉妹もなく、たった一人でこの世に発生した身であれば、いったいどれほど世界は違って見えたことか」

「………」

「――失礼。ここであなたたちを相手に、こんな話をしてみても仕方がない」

みずからを冷笑するように、雅英は唇の端を曲げた。

「ところで、そちらの女性はどういう」

「あ、はい」

僕の隣で正座していた唯が、背筋を伸ばして答えた。

「藍川唯といいます。波多野君の幼馴染みで……」

「ゆい？」

柳の叔父や祖父と同じような反応を、雅英も示した。彼もまた、千鶴の元々の名が「由伊」だったことを承知しているからだ。

「咲谷さん」

思いきって僕が尋ねた。

「母と——波多野千鶴とお会いになったことは？」

「いいや」

と、雅英は素っ気なく首を振った。

「ひょっとしたら顔を合わせる機会はあったのかもしれないが、だとしてもそれは私が赤ん坊の時の話です。憶えているはずがない。私がいろいろな事情を知ったのは、確か中学に上がるか上がらないかの頃だったと思う。その時点で、むかし養女に出された姉の存在に対して、まったく関心を持たなかったと云えば嘘になります。しかし、仮にそこで私が姉を探して会うことができたとしても、それで何がどうなったはずもない」

雅英が云う「いろいろな事情」の中にはきっと、彼自身の出生の問題も含まれていたわけなのだろう。みつ子という名の父の妻が、実は自分の本当の母親ではないということ。本当の母親は父の愛人で、自分は生まれてまもなく、貴重な跡取りの男子としてこの家に引き取られたのだということも。

その後のどういった経緯が、経験が、現在の彼に「血のつながりは好きではない」などという文句を吐かせるようになったのか。無責任に想像を巡らせることはできるけれど、今ここでそうしてみたところで、それこそ何がどうなるはずもない——か。

僕は何となく視線の置き場に困り、薄暗い座敷の中をそろそろと見まわす。

床の間に飾られた大きな壺に、幾輪かの白いユリの花が。開け放たれた雪見障子の向こうには幅広の縁側が。縁側と庭の間には木枠のガラス戸が並んでいて、それも二枚分ほどが開け放たれている。

先ほど裏木戸から入った時にも同じように思ったことだが、外に広がる日本庭園はたいそう立派だけれど、どこかしらやはり寂れた風情でもあった。漂う薄靄のせいで、すべての色彩が褪せて感じられる。奥の方にぼんやりと、何か小さな建物の影が見える。例の土蔵とは別物の、離れと思しき木造の平屋だった。

「で、波多野さん」

落ち着き払った、と云うよりも、冷ややかに突き放すような雅英の声で、僕ははっと目を戻した。

「ご用件は？　柳さんの話だと、父にお会いになりたいとのことでしたが」

「あ……はい」

答えて、僕は座卓に視線を落とす。

「突然こんな……押しかけてきたみたいな感じで、申し訳ありません」

「父に会って、どうしようと」

「それは」

　僕は乾いた唇を軽く噛んだ。

「――母の話を」

「何か怨み言でも云うおつもりですか」

「いえ、そんな……そういうわけでは」

「咲谷さん」

　と、そこで唯が言葉を挟んだ。ちょっと気色ばんだ様子で身を乗り出し、

「波多野君のお母さんは……」

「藍川」と、僕が制した。振り向く唯に黙って首を横に振ってみせ、それから雅英の顔に視線を上げて云った。

「実は、母は昨年から重い病気を患って入院していまして。あと半年の命だと、主治医からは云われているんです」

「半年……」

　呟いて、雅英はわずかに眉根を寄せた。

「お気の毒に」

　僕は黙って項垂れる。雅英は何秒かの間をおいてこう続けた。

「子が親よりも早くに死ぬことを逆縁というが、そうはならずに済みそうだ」

「は？」

僕は思わず首を傾げ、

「と云いますと」

「長くはないのですよ、父も。半年どころではない。せいぜい保って一ヵ月、というのが医者の見立てです」

「そんなに……」

そんなに良くないのか、咲谷英勝の健康状態は。柳の祖父から今朝、「具合がよろしくないそうで」とは聞いていたけれども、まさかそこまで悪いとは考えていなかった。

「癌がすでに末期まで進行していてね、転移もひどくて……もはや打つ手も尽き、薬で痛みを和らげるしかない」

そう語る雅英の面持ちからはしかし、やはり顕著な感情は窺えなかった。返す言葉が見つからず、僕はまた座卓に視線を落とす。

「あの人ももう満で八十だから、充分に長生きのうちでしょう。本人も覚悟はできているようで、特に最近は、嘆いたり我が儘を云ったりするようなこともなくなりました」

「じゃあ」

軽い胸苦しさを覚えつつ、僕は訊いた。

「英勝さんは今、病院に？」

やった。

「いや」と緩くかぶりを振ると、雅英はわずかにまた眉根を寄せ、縁側の向こうの庭を見
「あそこに——あの離れにいるのですよ。本人の希望でね、病院で最期を迎えるのは嫌だという」

「ああ……」

「必要な機材一式が搬入されて、ほとんど病院の集中治療室同然のありさまなのです、あの中は。身体(からだ)には点滴やら何やらのチューブ類が山ほどつながれていて、一人ではもはや何も用が足せないような……」

「…………」

「今日は、先ほど痛みがひどい様子だったので、強い薬を。だから、しばらくは眠っているか完全に朦朧(もうろう)としているかで、とても人と会って喋(しゃべ)れるような状態ではないのです」

「…………」

「ただ——」

雅英は僕の方に向き直って、

「その前にね、波多野さん、あなたが来ることを伝えてみたのですよ。すると父は、話はちゃんと呑(の)み込めたらしくて、ずいぶんと驚いた様子だった」

「——そうですか」

どうにも重苦しい気分で、僕はそっと溜息をついた。

「お会いすることは、じゃあ」

「今日はもう無理でしょう。どうしてもと云うのならば、まあそう、明日の午前中にでもまた出直してもらうことです」

にべもない調子で云って、雅英は軽く咳払いをする。

「父の方は、ああいう状態であっても、いや、ああいう状態だからなのかもしれないが、あなたの来訪を相当に気にしているふうだったのでね」

そうじゃなければさっさと帰れと云いたいところなのだが——というようにも、その言葉は受け取れた。

僕は無言で頷きながら、庭に建つ離れの影にいま一度、視線を投げる。

あの中で今、咲谷英勝——僕の実の祖父が死にかけているわけか。チューブだらけの痩せ衰えたその身体の様子が、間近に迫った死に怯える老いたその顔の表情が、何故か異様な生々しさで脳裏に浮かんだ。庭から吹き込んでくる緩やかな風に、床の間のユリの花の甘ったるい香りが揺れ……ふとそれが、あの離れから流れ出してくる病人の腐臭であるかのように感じられてしまって、僕は慌てて目を瞑る。小さく頭を振り動かす。

暗く不吉な気配を孕んだ静けさの中、どこかからかすかに響いてくる和太鼓の音を、そのとき僕は聞いた。

5

雅英に弟や妹はいるのかどうか。妻はいるのかどうか。子供はいるのかどうか。——気に懸かることはいろいろとあったけれど、何一つ僕の口からは訊けなかった。訊いてもきっと答えてくれないだろう、という思いが半分。たとえ訊き出せたとしてもそれで何がどうなるわけでもない、という思いが半分。

しばらく沈黙が続くうち、薄暗い座敷に漂うユリの香りがどんどんと強くなってくるような錯覚に囚(とら)われる。そう云えば、ああそうだ、先月の最後の日曜日、久しぶりに母の見舞いに行ったあの時にも、病室には白いユリの花が飾られていたような記憶が……。

「あの、それじゃあ」

と云って、僕は座卓に両手を突いた。これ以上ここで雅英と向き合っていても、胸の重苦しさが増すだけだから。

「それじゃあ僕たち……」

するとその時、座敷の入口の襖(ふすま)が音もなく開かれた。そうして姿を現わしたのは、濃鼠(こいねず)の地味な和服を着た小柄な老女だった。

丁寧に一礼して座敷に入ってくると、老女は盆に載せて持ってきた人数分のお茶を、

「どうぞ」と言葉を添えて僕たちの前に置いていった。てっきり僕は、この家の使用人の一人なのかと思ったのだけれど、すぐにそれは間違いだと知らされることになる。

「波多野森吾さんと、そのお友だちの藍川さん」

と、雅英が老女に僕たちを紹介した。

「今朝、柳さんというご老人から電話があったことは話したでしょう。お父さんに会いたいとかでね、遠くから訪ねてこられたのですよ」

主人の使用人に対する言葉遣いでは、少なくともなかった。ということは……。

「波多野、森吾さん」

老女は噛(か)みしめるように僕の名を呟き、それからこちらに向き直って、幾度も目をしばたたきながら僕の顔を見据えた。

「あなたが、そう、あの子の……」

「ご紹介しましょう。父の現在の妻の、珠代(たまよ)です」

と、雅英が云った。

「十四年前、になりますか。前の妻であったみつ子が亡くなって、そのあと父はこの人と再婚を」

「――はじめまして」

僕は老女――咲谷珠代の方に身を向け、先ほど庭で雅英に対してしたのと同じように、おずおずと頭を下げた。

「波多野と申します。このたびは、ええとその」

「分かってますよ。あなたは、あの子の息子さん、なんですってねえ。そう云えばどことなし、面立ちに似たところがあるような」

まるで不思議なものでも見るように、珠代はじっと僕の顔に視線を注いでそらそうとしない。

「ひょっとしたら事情をお聞き及びかもしれないが」

探りを入れるように雅英が云うのに、僕はゆっくりと頷いて、

「おおよそのところは、柳の祖父から昨夜」

雅英は「ふん」と低く鼻を鳴らして応(こた)えた後、淡々と続けた。

「彼女は父の現在の妻で、なおかつ私の産みの母でもあるということです。つまり、あなたのお母さんと私とは、母親が違う姉弟だったわけでね」

「はい。そのように聞いてきました」

そう答えつつも僕は、雅英の方を振り向くことはせず、こちらを見つめたままでいる彼の母、珠代の、何故かしら何とも云えず物憂げな、あるいは物哀しげな面差しに気を奪われていた。

「あのう、珠代さん」

僕はそして、云った。

「あなたは昔、母と——咲谷由伊とお会いになったことがあったんですね」

「由伊？」

と一瞬、珠代は首を傾げたが、すぐに「ああ、あの子のことね」と呟(つぶや)いて頷いてみせ、

「ありましたとも。ここで……このお屋敷でも、何度か」

「母は、その、どんな子供だったんでしょうか」

「とってもおとなしい子だったわねえ」

答えて、珠代は幾多の皺(しわ)に囲まれた糸のように細い目を、さらに細めた。

「おとなしくって無口で……いつも悲しそうで、どこか怯えたような顔をして。あたしのことも、もしかしたら怖がっていたのかもしれないわねえ」

「怖がっていた？」

僕は思わず訊(き)き直した。

「珠代さんのことも？　どういうことなんでしょうか、それって。母は他にも誰かを怖がっていたという意味ですか」

「——そうねえ」

痩せた頬に片手を当てながら、珠代はいっそう目を細くする。ほとんど瞑目(めいもく)してしまっているように、僕には見えた。

「あの子のお母さん、みつ子さんは、ずいぶんとあの子に辛く当たっていたみたいだから、それできっと……」

「どうしてですか。何故そんな、自分の娘に辛く当たるようなまねを」

「さあねえ。それは……」

云いかけて、珠代はもごもごと口を噤んでしまった。僕は重ねて訊いた。

「母が、期待を裏切って生まれてきた女の子だったからですか。家の跡取りとなるべき男の子じゃなかったから、だから？」

「さあねえ」

と、珠代はまた頬に手を当て、

「まあ、そういう理由もあったんでしょうねえ。それであんな、変わった育て方をすることにもなったんでしょうし」

「変わった？」

同じようなことを、そう云えば柳の祖父も語ってはいなかったか。

――咲谷の家では六年間、何やら少々変わった育てられ方をしたようでもあり……。

「いったい……」

「波多野さん」

と、そこへ雅英の冷ややかな声が飛んできた。

「年寄りを相手に、あまりそう、むきになってあれこれ問いただすのはご遠慮願えますか」

「ああ……はい」

「気持ちは分からないでもないが、その辺にしておいていただきましょう」

「――はい。すみません」

横で唯が何か云いたげにしているのが分かったが、僕は「もういい」という意を込めてゆるりと首を振り、少なからず卑屈な気分で「すみませんでした」と謝罪の言葉を繰り返した。

6

「いきなりお邪魔しまして……どうも、ありがとうございました」

玄関に戻り、靴を履いてデイパックを背負ったところで僕は、見送りに出てきた雅英とその実母に向かって、ことさらにかしこまった調子で礼を述べた。

「明日の午前中にまた、来させていただきます。ご迷惑かもしれませんが」

「ここまではバイクで来られたのですね」

「はい、そうです」

「だいぶ天気が怪しくなってきているようだが。――今夜はどちらに」

「いったん柳の家に戻るか、こちらでどこか宿を探すか、ですが」

「〈レインボーランド〉、かな」

と、横で唯が提案した。彼女は雅英の方に目を向けて、

「来る途中で看板を見かけたんですけど」

「あそこは去年できたばかりの、町営の健康レジャーランドでしてね」

相変わらずの、その感情のありようが窺い知れない面持ちで、雅英は云った。

「あれで採算が取れるのかどうかは疑問だが、まあ、なかなか立派で近代的な施設ではあります」

「週末で混んでるでしょうか」

「いや。少なくとも満員で泊まれないなどということはないでしょう。ここに泊まっていきなさいと云ってあげたいところだが、何ぶん病人を抱えてもいるので」

「いえ、お気遣いなく」

と、これは僕が応じた。病人云々というのはまず間違いなく、単なる云い訳にすぎないのだろうけれど――と、そんな穿った考えを抱きつつ。

「それじゃあ」と僕が踵を返しかけた時、

「あの、咲谷さん」

唯が、腕組みをして立つ雅英の前へ一歩、足を進めた。

「もしも明日の朝、わたしたちが来るまでに何か、お父様のご容態に大きな変化があったとか、早い時間に人と話せるような状態になったとか……そういうことがあれば、ご連絡いただけますか」

云って唯は、ジャケットのポケットから名刺を取り出して雅英に差し出す。

「わたしの携帯電話の番号、ここにありますので、できれば……」

受け取った名刺に目を落とすと、雅英は「ほう」と声を洩らして、

「出版社にお勤めですか」

「ああ、はい。まだまだ編集者としては新米ですけど」

「私もね、恥ずかしながら幾冊か、自分の本を出しているのですよ」

「そうなんですか。どんなご著作を」

「石の本を。他愛もない、趣味に毛が生えたようなレベルの内容だが」

「石、ですか」

「ええ。大学時代の専攻が地学で、中でも岩石学とか鉱物学に興味をそそられて……まあその延長で、あれやこれやと〝石〟というものについて考えるようになったのです」

「――はあ」

「石はいい。人間はもちろん、動物も植物も……生きとし生けるもの全般について、どう

やら私は、基本的には強い嫌悪感を持っているようなのでね。だから、無生物的な存在の代表格とも云える岩石や鉱物に、こんなにも惹かれてしまうのでしょう」

唐突にそんな話を聞かされて、唯はいささか面喰らった様子だ。その反応を承知しているものかどうか、雅英は唯の名刺に目を落としたまま、「分かりました」と頷いた。

「急な連絡の必要ができた時には、お電話しましょう」

7

いま一度礼を述べてから、僕は玄関の戸を開けた。雅英は家の中に残ったままだったけれど、珠代の方は履物をつっかけて外まで一緒に出てきてくれた。

午後四時半。立ち込める靄は、来た時よりもいくぶん濃い。空模様も確かにいよいよ怪しげで、いつ雨が降りだしても不思議ではないような暗さだった。そんな中——。

先ほど座敷で聞いたのと同じ和太鼓の音が、どこかから響いてくる。耳を澄ますと、かすかに何やら笛の音らしきものも。

「お祭り、なんですか」

僕は足を止め、珠代の方を振り向いて尋ねた。

「ああはい、そうなんですよ」

　老いた顔に淡い笑みを浮かべながら、彼女は答えた。

「ちょうど明日までだったかしらねえ、糸追神社の秋祭りが」

「秋祭り……」

「こんな小さな町でも、お祭りはたいそう賑やかでねえ。お社の近所にはけっこうな数の露店が並んで、それはもう……」

　過ぎた遠い日々の情景を懐かしむかのように、珠代は風に蠢く白い靄の彼方へと目を馳せる。僕は思わず云った。

「四十五年か六年前の、秋祭りの日の夕暮れ時に——」

「はい？　何か」

　こちらを振り返る珠代の口許を見つめ、僕は訊いた。

「母が、この家の娘であった由伊が、何者かに襲われて腕にひどい怪我をしたんです。その際、一緒に遊んでいた子供たちも同じ犯人に襲われて、大勢が死んでしまった……そういう事件があったことを、珠代さんはご存じですか」

「さあ……」

　珠代は当惑顔で頬に片手を当て、

「そんな恐ろしい事件、あったかしらねえ」

「あったはずなんですが」

「あたしは知らないわねえ。そんな、何人も子供が殺されただなんて」

「でも」

「あの子が腕に怪我をして、っていう話は、そう云えば聞いたように思うけれど」

「母が……それは確かなんですね」

「ええ、ええ」

「秋祭りの日の夕暮れに？」

「そうねえ。そんなふうに聞いた気もするけれど」

珠代は僕の視線からそっと顔をそむけ、再び蠢く靄の彼方へと目を馳せる。そうしてやがて、こう語った。

「ちょっと目を離した隙にね、一人でふらりとどこかへ行ってしまって……そのうち帰ってきた時には、腕から血を流して泣きじゃくっていた、とか。何があったのか尋ねてみても、ただ泣きじゃくるばっかりで……それでまた、ずいぶんとみつ子さんに叱られたんじゃないかしらねえ」

開いた玄関の戸の方を、僕はそろりと窺う。あの奥にはまだ、雅英が立っているのだろうか。こうしてまた、彼の実母にあれこれと質問を重ねていることに対して、先ほどのようなお咎めの声が飛んできはしないかと身構えながらも、

「もう一つだけ、教えていただけますか」

と、僕は云った。

明日またこの家を訪れるのならば、その時に訊けば良いかとも思っていたのだが、そう思うこと自体が、あるいは僕の〝逃げ〟だったのかもしれない。ここへやって来たそもそもの目的は何なのかを考えた場合、それはやはり、真っ先に尋ねるべき問題であったはずなのに……。

「十四年前に亡くなった咲谷みつ子さん——僕の祖母に当たる人になるわけですが、彼女のことについて」

急速に膨らんでくる不安と恐れをどうにか抑え込んで、僕は質問を繰り出した。

「どんな亡くなり方をしたんでしょうか、彼女は。年を取って急に惚けてしまって、というふうに聞いているんですが」

「みつ子さんねえ」

かすかな溜息とともに、珠代は云った。その声音にも、その面差しにも、それまでより心持ち厳しい色が滲み出したように、僕には感じられた。

「あの人は確か、六十過ぎで亡くなったのかしらねえ。あなたの云うとおり、その一、二年前から急に惚けはじめて……家族の手に負えなくなって病院に入れたと思ったら、もうすぐに」

「その時の——惚けはじめてからの、彼女の髪の毛は？」

勢い込んで訊くと、珠代は訝しげに目を見張り、「はあ？」と首を傾げた。

「髪の毛です」

僕はさらに勢い込んで訊いた。息を詰めてこちらを見守っている唯の顔が、ちらりと視界の隅に映っていた。

「髪の毛の色……彼女は、みつ子さんの髪はその時、どんな色だったんでしょうか」

「はあ」と狼狽気味に頷くと、珠代は訝しげに目を見張ったまま答えた。

「真っ白でしたよ、あの人の髪は、全部」

第12章

1

山際の森を切り拓いて造成された、たいそう大がかりな敷地。赤茶色に塗られた剝き出しの鉄骨とコンクリートの打ち放しを基調として、思いのほか巨大な建造物が、そこにはあった。

姫沼レインボーランド

立派と云えば立派、近代的と云えば確かに近代的な趣がないこともないし、造り手の意気込みが分からないこともないのだが、いかにも周囲や町全体の雰囲気にそぐわない。忍び寄る夕闇と立ち込めた靄の中に滲む、妙にカラフルな電飾が、良く云えばけっこうシュールに、悪く云えばどうにもインチキ臭く感じられる。

週末であるにもかかわらず、広い駐車場は半分くらいしか埋まっていなかった。咲谷雅英が云っていたとおり、この様子だと付属の宿泊所が満室ということもあるまい。

建物に入ると僕たちは、まっすぐ宿泊所のフロントに向かった。案の定、空室はたくさん残っているようだった。シングルルームは用意されていなかったので、隣り合わせのツインを二部屋取ることにした。チェックアウトは翌朝十時。キーを受け取り、館内施設の説明をひととおり聞かされ……そうしてそれぞれの部屋に落ち着いたのが、午後五時十分頃だったか。

もっとも、咲谷家を辞した後、てきぱきと役場の前の案内図でこの〈レインボーランド〉の場所を確認したのも唯なら、そこからバイクの進むべき道順を指示したのも唯だったし、チェックインの手続きをしたのも唯、番号の合う部屋を見つけてドアにキーを差し込んだのも唯だった。僕はただただ黙って彼女の動きに従うだけで、その間ほとんど一言も口を利かなかったように思う。

――真っ白でしたよ、あの人の髪は、全部。

帰り際に咲谷珠代から訊き出した最後のその言葉が、頭の中で何百回、何千回と繰り返し響きつづけていた。

――真っ白でしたよ、あの人の髪は。

――真っ白でしたよ。

――真っ白。

その言葉が何を意味するのか。

わざわざ検討し直してみるまでもないことだった。今日まで何ヵ月もの間さんざん考えつづけ、考え尽くしてきた問題に対する、これが一つの単純明快な答えなのだ。何とも残酷な、主体の見えない悪意に満ち満ちた、これが。

咲谷みつ子は十四年前、六十過ぎで惚けて死んだ。その時、彼女の髪は真っ白だった。彼女の娘である由伊＝千鶴の、現在の姿と同じように。

〈簑浦＝レマート症候群〉、通称〈白髪痴呆〉。

みつ子もやはり、それだったのだ。

母が患っている白髪痴呆はだから、恐れていたとおりやはり〈家族性〉〈遺伝性〉のものだったわけだ。そう。そういうことなのだ。

母の白髪痴呆は遺伝する。彼女の息子である僕の中には二分の一の確率で、その原因遺伝子が受け継がれている。

二分の一……投げたコインが表か裏か、振ったサイコロの目が奇数か偶数か。その確率で将来、僕は母のようになってしまう運命にある。早ければ数年後、二十代の終わりにも、病は顕在化する。頭髪の急激な白毛化とともにさまざまな記憶を失い、さまざまな知識を失い、思考力を失い、感情を失い……ついには自分自身が何者かすらも分からなくなってしまうのだ。止めるすべのない痴呆化の果てに、身も心もぼろぼろになって死んでしまうのだ。僕は……ああ、僕は、僕が、僕も……。

「まだ確定した話じゃないんだし。ね、波多野君」

部屋にやって来、そんなふうに云って励まそうとする唯の顔を、僕はまっすぐに見返すことができなかった。

「珠代さんもお年だし、記憶違いっていう可能性もあるでしょ。明日行った時、雅英さんにも訊いてみて、英勝さんと話せたらそこでも確かめてみて、ね？　それにさ、六十歳を過ぎて髪が白くなるのって、考えてみたらごく普通のことじゃない。別に特殊な病気じゃなくったって……」

それらの言葉が僕にはどうしたって慰めにしか聞こえないのを、彼女自身もよく承知しているだろうに。

「今日はとにかくあまり考え込まずに、気持ちを落ち着かせて。明日また行って英勝さんに会って、雅英さんに何て云われても、ゆっくり納得のいくまで話を聞き出してみる。例の事件のこともあるでしょ。珠代さんは、子供が大勢殺されるような事件なんてなかったって云ってたけれど、お母さんが腕を切られたのは事実なんだし……そうよ、そんな大事件のことも憶えていないんだから、やっぱりあの人の記憶、当てにならないんじゃないかなぁ」

「——ああ」

昏く狭い僕の心は、ここに至ってなおいっそう昏さと狭さを増し、その底には萎縮した自我が無力に倒れ伏して震えていた。唯には申し訳ないと思いつつ、どうにもしようがなかった。彼女が努めて明るくふるまおうとすればするほど、ますます昏く狭いところへと自分が追い込まれていく心地がした。

「じゃ、わたしはとりあえず『七色の秘湯』っていうのを覗いてこようかな。波多野君は、ちょっと横にでもなってたら？　身体もくたびれてるでしょ。適当に頃合を見計らって夕食に誘いにくるね。あ、それと、柳のおうちにはわたしが連絡しておくから」

僕は煙草に火を点けた。「うん」とも「いや」とも応えず、頷いたりかぶりを振ったりもせず、窓際に置かれた椅子の上で膝を抱えながら、立ち昇る煙の動きを暗然と見つめていた。唯の顔に目を向けることは、やはりできなかった。

「あんまり考えすぎちゃ駄目だよ」

唯はそれでも愛想を尽かさず、立ち去り際にはそう云って、僕の肩にそっと手を載せた。

「大丈夫だよ、波多野君」

何秒か遅れて僕はやっと目を上げ、のろのろとした動きで唯の方を見やる。ドアを開け、部屋を出ていく前に、「大丈夫だよ」ともう一度、彼女の唇が動いた。そうして、病人の耳許に囁きかけるような声で、

「何がどうなっても、わたし……」

聞き取れたのは、そこまでだった。

どんな言葉がそのあとに続けられたのか、僕には分からない。それを推測したり想像したりする気にも、その時はなれなかった。

ドアが閉められ、唯の姿が完全に見えなくなったあと、僕は二本目の煙草に火を点けながら、

「ねえ君」

かさかさに掠れた声で呟いてみた。

「生きているのは楽しい？」

2

それから二十分ほどの間に、残っていた十本足らずの煙草を全部灰にしてしまった。こんなに立て続けに吸うことは普段ないので、いいかげん胸が悪くなってきていたのだけれど、空になった箱を捻り潰すと僕は、新しい煙草を買うために部屋を出た。その際の僕の動きを誰かが目にしていたなら、きっとB級ホラー映画のスクリーンを徘徊する生ける屍さながらに見えたことだろう。

部屋は四階だった。煙草を買うには一階のロビーまで降りなければならなかった。

エレベーターから出てすぐのところに売店があったのだが、店員の姿が見当たらない。ロビーの隅に自動販売機を見つけ、僕はそちらに向かった。コインを投入し、商品のボタンを押し、上体を折って取り出し口に手を伸ばし……と、そこで。

視界が突然、白く瞬いた。

——光が。

取り出した煙草の箱を握りしめたまま、ほとんど条件反射のように全身をこわばらせる。顔からさっと血の気が引くのが、自分でも分かった。

——真っ白な閃光が。

恐る恐る周囲を見まわすと、ロビーの入口付近に家族連れと思しき一団がいた。壁面にモザイクで描かれた大きな虹を背景に並んで立ち、揃いの服を着た二人の子供とその母親らしき女性が微笑んでいる。手前に父親らしき男性がいて、身を低くしてカメラを構えている。

「もう一枚撮るぞぉ。はい、チーズ」

カメラのフラッシュが光り、視界が再び白く瞬く。僕は思わず片手を顔の前にかざし、よろめくようにあとずさりした。

「どうかされましたか」

と、そんな声が背後から聞こえた。

「気分でもお悪い？」

振り返ると、目と鼻の先に見知らぬ男が立っていた。

ひどく背の低い中年男だった。黒いソフト帽を目深に被っている。加えて、黒いジャケットに黒いズボン、シャツも靴も黒い。

「あ……いえ」

僕はのけぞり、おろおろとかぶりを振る。「はい、チーズ」とまた父親らしき男性の声がして、フラッシュが光った。

「おや、そうですか」

と云って、黒ずくめの男は帽子の鍔を指で押し上げる。陸に揚げられた深海魚を思わせるようなどろんとした目が、鍔の陰から覗いた。

「顔色が良くないようですが」

「い、いえ」

「おや、そうですか」

鍔の陰で、今度はべらりと上唇が捲れ上がり、黄色く汚れた前歯が覗く。

「しかしねえ、あなた……」

なおも云って、男は右手をジャケットの内ポケットに潜り込ませる。——ああ、何だ。

何をしようとしているのだ、この男は。

「いえ、本当に何でもないんです」

今にも男がポケットから血まみれの刃物を抜き出し、奇声を発して襲いかかってきそうな恐怖に囚われてしまい、僕は両手を前に突き出しながらあとずさる。そして、相手がさらに何か云おうとこちらに足を踏み出すや否や、身を翻してその場から逃げ出した。

「あっ、ちょっと待ちなさい」

びっくりしたように呼び止める男を振り向きもせず、エレベーターをめざして走った。

途中、またしても「はい、チーズ」と声がして、フラッシュの光が瞬いた。何がそんなにおかしいのか、子供たちがいっせいにげたげたと笑いだすのが聞こえた。

さっきは無人だった売店の中に、店員が戻っていた。若い女性の売り子だったが、どういうわけか彼女も、上から下まで黒ずくめの恰好をしている。もつれる足で走ってきた僕と目が合うと、店員は満面に愛想笑いを浮かべながら、

「ようこそ〈レインボーランド〉へ」

微調整に失敗した合成音のような声を投げかけてきた。

「どうぞごゆっくりお寛ぎください」

エレベーターの扉が開いて中に飛び込んだ時、追い討ちをかけるようにまた、フラッシュが焚かれた。とともに、

キチキチキチ……

あの禍々(まがまが)しい音が間近で鳴り響いたような気がしたのは、これだけは少なくとも、その時の僕の幻聴だったのだろうと思う。

3

逃げ込むようにして部屋に戻ると、僕は着ていた革ジャンを脱ぎ捨て、ベッドの端に腰を落として立て続けに煙草を吸った。

ひどく頭が混乱していた。

いま階下のロビーで遭遇したものは……あれは、そう、何でもないただの家族連れが、たまたまあそこで記念写真を撮っていただけの話じゃないか。あの黒ずくめの中年男はただの客で、フラッシュの光におののいた僕に声をかけてきただけで。売店にいたのはただの売り子で、たまたまああいう黒い服を着ていただけで……そう、もちろんそれだけのことなのだ。たったそれだけのことでこんなにも動転し、怯(おび)えてしまっている僕自身の方が、だからやはりどうかしているのだろう。——けれど。

首筋や背中に滲(にじ)んだ汗が、シャツをひんやりと濡(ぬ)らしていた。そっと胸に手を当ててみると、まだ鼓動が速い。このちっぽけな心臓から送り出される僕の血液は今、どんなスピ

ードで血管の中を流れているのだろうか。ふとそんなことを思うにつけ、

——あれはヒトの血の色。

幼い日に聞いた母の声が、おもむろにまた蘇る。あの時の巨大な夕陽の色が、鮮やかにまた蘇る。

——ヒトの身体の中を流れている血の、あの真っ赤な色と同じ。

声に重なって、若くて美しかった彼女の顔が脳裏で揺れる。一瞬の後にはしかし、それは現在の彼女の、すっかり知性の輝きを失った虚ろな顔に入れ替わってしまい……。

「……ああ」

弱々しい溜息を落としながら、僕はゆるゆると頭を振る。

吸いかけの煙草を揉み消し、すぐに新しい一本をくわえて火を点ける。吸い殻が一つ増えるごとに胸の悪さはますます強くなり、その次の一本を一口吸ったところで、とうとうひどい吐き気が込み上げてきた。

トイレに駆け込み、便器の前に跪いた。そうしてひとしきり嘔吐の苦しみに喘いだが、喉を逆流してくるのは嫌らしい色をした自分の体液ばかりだった。

——ねえ君。

くぐもった例の囁きが、耳許でまた。

——生きているのは楽しいかい。

振り向けばきっと、そこにはあのキツネの面が立っているのだ。男か女か、大人か子供かもよく分からない、あの……。

僕はきつく瞼（まぶた）を閉じ、身を起こす。汚れた口許を拭（ぬぐ）いながら洗面台の前に立ち、水道の栓を全開にして冷水に頭を突っ込む。そのまま何度も顔を洗い、口をゆすぎ……もう大丈夫だろうと思って、ゆっくりと瞼を開ける。眼前の鏡の中には、すると――。

一気に何十歳も年老いてしまったような、皺（しわ）だらけで真っ白な髪の顔があった。落ち窪（くぼ）んだ目が、怯えきった色でこちらを見ていた。

まともな声にならない悲鳴を上げ、僕はトイレから飛び出した。倒れ込むようにしてベッドに転がると、両手で頭を抱え込んで小さく身を丸める。全身が細かく震えて止まらなかった。首筋や背中にまた汗が滲んでいた。

「……嫌だ」

震えながら呟（つぶや）いた。

「もう嫌だよ、こんなの」

嫌だ、嫌だ……と、心の中で繰り返しながら、僕はさらに小さく身を丸める。

もうこんな、出口のない不安と逃げ場のない恐怖に苛（さいな）まれつづけるのは嫌だ。病室でみずからの〝最後の記憶〟に恐怖しつづける母さんのことを考えるのは、もう嫌だ。あんな母さんの姿を目の当たりにするのも、もう嫌だ。近い将来、母さんが死んでしまったあとの諸々(もろもろ)について思いを巡らすのも嫌だ。結局は我が身可愛く……己の現在と未来の問題にばかり心が囚(とら)われてしまう、そんな自分の程度の低さに嫌悪感を抱きつづけるのも嫌だ。「答え」を探して積極的に「動く」ことなど、どだい僕には不向きな話だったのだ。そもそも唯に相談なんかしたりせず、独り部屋に閉じこもって思考停止していれば……その方がまだしも苦しみは小さくて済んだのだ。きっとそうだ。きっと……ああ、だから……。

　今からでも遅くはない、と思った。

逃げ出してしまえばいい、ここから。

明日の午前中にまたあの咲谷の屋敷を訪れるのは、嫌だ。もう行きたくない、彼らとは会いたくない――というのが恐らく、今現時点での僕の本音なのだろうと思う。

　――まだ確定した話じゃないんだし。

そう。さっき唯はそう云っていたけれど、確かにそのとおりではないか。

まだ確定した話じゃない。咲谷みつ子がどのような死に方をしたか、その問題に対する確答はまだ、出ていないのだ。髪が真っ白だったという珠代の言葉は、唯の云ったように彼女の記憶違いかもしれない。単に年を取ったせいで、普通に白髪が増えていただけなのかもしれない。そういった可能性は、いまだ完全には否定されていないのだから。

　明日また咲谷家に行って、雅英や英勝に訊(き)いてみたなら、この件に対するより確かな「答え」が得られるだろう。珠代の記憶違いがそこで立証されるかもしれないし、その他のところで、みつ子が白髪痴呆ではなかった可能性が明るみに出るかもしれない。けれど一方で、逆の場合も充分にありうるのだ。珠代の記憶の正しさが裏付けられ、みつ子の白髪痴呆が疑う余地のない事実だったと判明してしまう、という。

ここで逃げ出してしまえば、少なくとも僕は確かな「答え」を知らずに済む。それを知りさえしなければ、僕自身が白髪痴呆の原因遺伝子を保持している確率は四分の一のまま、これまでと変わらないわけだから……。

その方がいい、と思う。

——どうしてここにいるの。

その方が、まだしもいい。

ようやく少し震えの治まってきた身体を、僕はベッドから引き剝がした。革ジャンを拾い上げて羽織り、

——いなくてもいいんだよ。

床に放り出してあったデイパックとヘルメットに手を伸ばす。

……唯には申し訳ないけれど。

隣室に接した壁に視線を投げ、僕は低く小さく息をつく。

唯は——彼女は〝大人〟だ。

小学生の時分から彼女は、まわりのいろいろな人々や物ごとと——つまりは自分が生き

ている〝世界〟と――どうやってうまく折り合いをつけていけば良いのかを、とてもよく心得ていた。彼女自身は何と云うか知らないけれども、僕の目にはいつもそう映っていた。今ももちろん、そのことに変わりはない。彼女は〝大人〟だ。皮肉なんかでは決してなく。それに引き替え、僕は……。

――ほんとは分かってるんだよね。

みずからを取り巻く〝世界〟という巨大な装置の、どこをどう押せば何がどう動いてみずからに跳ね返ってくるのか、その仕組みを学習していくのが「大人になる」ことだとしたら、幼い頃からいつも、僕は押し方を間違えてばかりいた。ある時期まではそして、自分が間違った押し方をしているという、そのこと自体にも気づかずにいたのではないかと思う。

――そうだよね。

それでも――そんな僕でもやがて、徐々にそれなりの学習を進めていって、徐々に自分なりの折り合いのつけ方を習得していったわけだけれど……ああいや、そう思うのはしかし、浅はかな僕の幻想にすぎないのかもしれない。もとより僕には、そういう能力が備わっていなかったのかもしれない。皆無とは云わないが、どこかで決定的にそれが不足していたのかもしれない。だから今になって、こんな……。

――いなくてもいいんだよ、無理に。

この春に別れた彼女、中杉亜夕美にしても……そう、彼女は彼女でとても〝大人〟だったのだと思う。〝世界〟の仕組みのある側面をきちんと学習し尽くし、そこで得た揺るぎのない価値観に従って行為や現象に一貫した意味を与えていく——そんな彼女の、云ってしまえば潔いほど功利的な思考のあり方にこそ、いま思えば僕は魅力を感じていたわけなのだろう。

駿一兄さんにしても文子義姉（ねえ）さんにしても、彼らは本当に立派な〝大人〟だと思う。水那子にしてもそうだ。少なくとも僕なんかに比べたら、ずっと……。

——いなくなっちゃえばいいんだよ。

僕は——僕はやっぱり、駄目だ。何とか自分も〝大人〟になろうと足搔（あが）いてきたけれども、いまだにやはり、満足に〝世界〟と折り合いをつけることができない。僕は……。

——いなくなっちゃえばいいんだよ。

……ああ、いつかのあの夜の公園で、ベンチに坐（すわ）っていたあの子供の。

——ほんとは分かってるんだよね。

惨（むご）たらしく顔面を切り裂かれ、赤黒い血にまみれたあの子供の、これはあの時の問いかけ。

——そうだよね、おにいさん。

「分かってるよ」

どこにも存在するはずのない相手にそう答えて、僕は独り部屋を脱(ぬ)け出した。

4

相変わらずの薄靄(うすもや)を従えたまま、時刻(とき)は今しも、昼夜の境界線を踏み越えようとしていた。

バイクに跨(また)がってエンジンをかけると、僕は出てきた建物をちらと一度振り返ってから、思いきり良くクラッチをつないだ。雨はまさにその時、降りだした。ヘルメットにぷつぷつと当たりはじめた細かな雨滴の音で、僕はそのことに気がついた。

これからどこへ向かうのか、当てなど何もなかった。

とにかくどこかへ。どこか遠いところへ――。

〈姫沼レインボーランド〉の敷地から外の道路に飛び出すと、ひたすらそう念じながらアクセルを開いた。――ところが。

降りだした雨が、刻一刻と激しくなってくるのだった。まるでこの僕を、決してこの町の外へ逃すまいとするかのように。

ヘルメットの中に吹き込んでくる雨滴が痛くて、シールドを下ろす。ただでさえこういった黒いスモークシールドは夜間の走行には適していないのに、間断なく吹きかかってくる大粒の雨がそれに拍車をかける。僕は前屈みになり、ヘッドライトの光線で切り開かれた狭い視野に神経を集中する。

その間にも雨は激しさを増しつづけ、ものの十分もしないうちに全身がびしょ濡れになってきた。革ジャンの襟許や袖口は云うまでもなく、手袋や靴の中にも水が染み込んでくる。バイクに乗っていて雨に降られることには、これまでの経験である程度慣れていたが、短時間のうちにここまでひどい状態になってしまった記憶はあまりない。

このまま雨に耐えて走りつづけるべきか、それともいくらか小降りになるまで休むべきなのか。判断に迷いつつ、夜の道を突き進んだ。そうしてやがて、現在位置はおろか、向かっている方角すらよく分からないままに、出合ったいくつ目かの曲がり角を左折したところで——。

いきなりヘッドライトの光の中を、何ものかの真っ黒な影が横切った。激しい雨音の狭間にその瞬間、キチキチ……というあの音が響き渡ったような気もした。

慌ててかけたブレーキで、タイヤがロックした。濡れた路面でいとも呆気なくタイヤは横滑りし、「しまった」と後悔する間もなく僕は、転倒したバイクから路上に放り出されていた。

バイクは横倒しになったまま何メートルも先まで滑っていき、電柱にぶつかって止まった。そんなにスピードが出ていなかったのが幸いだった。放り出された際に左の肩をしたたかに打ったものの、大きな怪我は免れたようだった。それでも何秒間かは身動きが取れず、路面に転がり伏したまま雨に打たれていた。

最低の気分だった。

肩の痛みをこらえ、何とか気力を振り絞って立ち上がると、倒れたバイクのそばに駆け寄った。左側のウィンカーが前後ともに割れ、ハンドルは無惨に捩れ曲がってしまっていた。バックミラーも、片方には大きなひびが入っている。

どうにかこうにか車体を起こし、サイドスタンドを下ろす。クラッチを握ってセルスターターを押してみたが、エンジンはうまくかからない。途方に暮れて暗い天を仰いだ僕の背後で、その時。

びしっ、と誰かの足音が鳴った。

とっさに僕はバイクから手を離し、身を硬直させた。

びしっ、とまた足音が。

今さっき目の前を横切った真っ黒な影のことを、すぐに思い出していた。あれが、あの黒い影の主が、この足音の……。

……あいつが？

そう考えるや否や、背筋に寒気が走った。

やっぱり追いかけてきていたのか。僕を追って、ここまで来ていたのか。あるいはもしかしたら、あいつは最初からずっとこの町に潜んでいて、こうして僕がやって来るのを待ち構えていたのかもしれない。いや、それともあるいは……。

びしっ、とまた足音が鳴る。ゆっくりとこちらに近づいてくる。

振り返ってみる勇気はとてもなかった。汚れたヘルメットを被(かぶ)ったまま僕は、破損したバイクをその場に残して、降りしきる雨の中を駆けだした。

5

どこをどう走ってきたのか、まるで分からない。もともと土地勘がないのだから仕方ないが、仮にそれがあったとしても、あの場から逃げ出したシチュエーションを考えれば、とうてい冷静に自分の位置を把握していられたはずもない。

街灯もまばらな夜道をしゃにむに駆けつづけた。その間ずっと、すれ違う人も車もまったくなかった。背後に迫る足音がいつしか消え、動転しきっていた気持ちがようやく鎮まってきた頃には、あれほど激しかった雨脚が嘘のように弱まっていた。

後ろを振り向く余裕がやっとでき、追いかけてくるものの影がどこにも見当たらないことを確かめると、僕は安堵(あんど)の吐息とともにヘルメットを脱いだ。濡れた手袋もついでに外し、メットの中に突っ込んだ。

……ここはどこだろう。

改めて周囲の様子を見まわし、僕は自問する。

どこだろう。姫沼の町の、いったいどのあたりになるのだろうか。

デイパックを背負い直し、ヘルメットを左の腕に引っかけて持ち、乱れに乱れた呼吸を整えながらそろそろと歩みを続けるうち——。

どこか——意外にこの近くのどこかから、昼間に聞いたのと同じ和太鼓の音が響いてきた。さらには、ああ、かすかな笛の音もそこに重なって……。

……糸追神社の秋祭り。

結局あのあたりに戻ってきてしまったのか。

太鼓と笛の音を頼りに、それらが鳴り響いてくる方向をめざして、僕はいくぶん歩調を速める。そうしていくつかの曲がり角を折れ、それまでよりも広い街路に出たところで、前方にぼんやりと露店の明りが見えてきた。

先ほどの猛雨の影響が当然あったわけだろう、さまざまな露店が軒を連ねたその界隈まで辿り着いても、道行く人の姿は数少なだった。店もかなりの割合で営業を中止してしまっている。

開いている店はそれでも多少はあって、昔懐かしい的屋の口上もちらほらと聞こえてきていた。金魚掬いの水槽のまわりに屈み込んだ幾人かの子供たち。リンゴ飴を舐めながら、当て物の紐を引っ張る若いカップル。母親に手を引かれて歩く男の子の指先から延びた細い糸、その先端で宙を泳ぐ銀色の風船……。

アセチレン灯の眩しい光に人々の影が揺らめくその一帯は、何やらそこだけに、浮世から隔てられた淡い空気が漂っているように感じられた。閉塞したこの夜の片隅で期せずして出遇った、ささやかなオアシスのようにも思えた。

ただ——。

しばらく行くうちに気づいてしまった、妙な事実がある。的屋も客も通行人も、大人も子供も男も女も……彼らのすべてが、まるで示し合わせたように黒いレインコートを着ているのだ。

どうしてこんな？　と一瞬、疑問と不安を覚えはしたものの、別に彼らが不穏な動きを始める気配もない。努めて気にしないようにして、もうすっかり雨が上がってしまった夜空の下を、僕は歩きつづけた。

進むにつれて、和太鼓と笛の音がだんだん近づいてくる。それらの実物を見てみたいと思ったわけでもないのだが、こういった状況であるにもかかわらず何故だかちょっと浮かれたような、見方によってはずいぶんと妖しい気分で、僕は歩きつづけた。

6

気がつくと、太鼓と笛の音は後方に去っていた。いつのまにかそれらが鳴っている場所——恐らくは糸追神社の境内なのだろうが——を通り過ぎてしまっていたのだった。見ると、もう少し行ったところで露店の連なりが途切れ、その先には恐ろしげな暗がりが待ち受けている。引き返そうか、それともまっすぐ進んで、いったんこの祭りの外に出ようか。

立ち止まって考えあぐねる僕の足許でその時、何かが動いた。

気に懸かって身を屈めてみると、それは路上を這う一匹のカメだった。こんな祭りの露店でよく売られているミドリガメ。ただし、売り物のそれほど小さくはない。幼児の掌くらいは大きさがあるから、これはある程度成長した段階のミドリガメだろう。誰かに飼われていたのが逃げ出してきたのか、あるいは捨てられてすでに野生化しているのか。いずれにせよ、こんな道の真ん中でのろのろしていたら、今にも誰かに踏み潰されかねない。

僕は空いた右の手でそっとカメを摑み上げた。途端、頭に尻尾に両手両脚、すべてが甲羅の中に引っ込んでしまう。

道沿いにちょうど、空き地の叢（くさむら）らしきものがあった。カメはその中に放してやることにしたのだけれども、近くに田圃（たんぼ）か用水路でもあれば、どうにか自力でそこまで移動していって生き延びられるだろう。

引き返そうか、それともまっすぐ進んで、いったんこの祭りの外に出ようか。

再び立ち止まって考えあぐねる僕の視界の端にふと、これまで意識していなかったものが引っかかった。

さっきカメを放した空き地の手前に、何軒かの古い民家が建ち並んでいる。そのうちの隣合った二軒の間にある、狭い路地の入口。

とりたててそれが特別なたたずまいに見えたわけではない。ただ何となく気を引かれて——いや、その時点ですでに何かしら予感めいたものが蠢（うごめ）きはじめていたようにも思う——、僕はその路地の方へと足を向けた。

そろりと覗（のぞ）き込んだ路地の奥には、濃厚な闇が澱（よど）んでいた。そしてその闇の狭間（はざま）で、おもむろに何かが身動きした。

……ああ、これは。

僕はせいいっぱい目を凝らし、そこに潜むものの姿を見極めようとした。

「やあ君、やっと来たね」

これは……まさか。

「一人だよね、君」

幼い日の秋の黄昏時、同じようにこうして路地の入口から奥を覗き込んだ、あの時の記憶をそのまま再現したかのように——。

「ねえ君、一人だよね」

薄茶色のキツネの面を付けた何者かがそこにいて、僕に問いかけてくるのだった。男なのか女なのか、大人なのか子供なのかもそれだけでは判別できない、ひどくくぐもったあの声で。

「ねえ君、お祭りは楽しいかい」

キツネは続けて問いかける。何とも答えられずに僕は、闇に浮かんだ薄茶色の面を呆然と見つめるばかりだった。

「ねえ君、生きているのは楽しいかい」

くつくつと忍び笑う声が、暗い路地の奥から幾重にもなって聞こえてくる。そうしてまもなく、キツネの後ろから新たに二つの人影が滲み出る。ああ、これも幼い日のあの時と同じ……。

どちらもやはり面を付けている。片方は何だか名前の分からない、テレビアニメに出てくるような女の子の面。もう片方は、やはりそう、あれは仮面ライダーだ。

「ねえ君、いいことを教えてあげようか」

と、キツネが云った。

「教えられなくても分かってるよね」

と、女の子が云った。

「ほんとは分かってるんだよね。そうだよね」

と、仮面ライダーが云った。

「さあ」と云って、キツネが片手を挙げた。身体を斜め横に向け、しなやかな腕の動きで僕を招く。ねっとりと闇が絡み合った路地の、彼らが立っている場所よりさらに奥の、闇の深みへと。

「さあ、おいでよ」

その招きに抗うすべは、僕にはもはやなかった。昔のように腕を摑んで引き留める白い手も、今ここにはなかった。

それでも一度だけ後ろを振り返ってみた。ちょうどその時、黒いレインコートを着た背の高い中年女性が道を歩いてきて、静かな一瞥をこちらにくれた。僕は彼女に声をかけようとした。「こんばんは」でも「さようなら」でも、言葉は何でも良かったのだけれど、すると彼女は、汚らしいものでも見る目つきで僕を睨みつけ、ぷいっと顔をそむけてしまった。

路地の方に向き直ると、キツネたちの姿はもうそこにはなかった。ただ、僕を呼ぶくぐもった声だけが、

「さあ、おいでよ」

と、繰り返し響きつづけていた。

ためらうことなく僕は、路地の奥へと足を踏み出す。

澱んだ濃厚な闇は先へ行くほどにいよいよ濃厚さを増し、それは視覚だけではなく、僕の聴覚や嗅覚、味覚や触覚までをも覆い尽くしていった。歩を進めるごとに僕は、かつて一度も経験したことのないような深い闇を見、深い闇を聴き、深い闇を嗅いだ。深い闇を舐め、深い闇を触った。不安や恐怖は、不思議とまったく感じなかった。深く深くどこまでも続く闇の道はむしろ、ふわりと甘い綿飴にも似て、愛おしい人の優しい腕にも似て、安らかな眠りをくれる暖かな毛布にも似て、極上の心地好さで僕を包み込み、呑み込んでいくのだった。

III

第13章

1

肉体が、感覚が、意識が、思考が……僕のすべてが、深い闇に覆い尽くされてしまった――それはわずか数秒の時間だったのかもしれないし、もっともっと長い、ありえないほどに長い時間だったのかもしれない。その間に歩いたのはわずか数歩の距離だったのかもしれないし、もっともっと長い、ありえないほどに長い距離だったのかもしれない。実際のところどうだったのか、思い返してみても僕にはよく分からない。

ただ確かだと感じるのは、どこかの時点あるいは地点で、基本的な何かが変わったということだ。いや、もしかしたら「変わった」のはその一点においてではなく、そこはゴールのようなものにすぎなかったのかもしれない。始まりは、そう、たとえば八月最後の日曜日に訪れたあの母の病室にあったのかもしれないし、今日の午後、ショウリョウバッタが飛ぶのを目の当たりにしたあの咲谷家の庭にあったのかもしれない。実力テストの最中に殺人者の幻影を見たあの学習塾の教室にあったのかもしれないし、いるはずのない子供と言葉を交わしたあの夜の公園にあったのかもしれない。

そんなふうにも思える。

その時点あるいは地点を越えて、最初に僕の視覚が捉(とら)えたのは夜空の月だった。暗い中天で、冴(さ)え冴(ざ)えと蒼白(あおじろ)い光を放っている。左上の半分が欠けた半円形の、あれは……。

――あれは上弦の月。

ああ、そうだ。あれは上弦の月。

――これからだんだん円くなっていって、満月になるの。

「……あれは上弦の月」

呟(つぶや)きながら、僕は目をこする。軽い違和感を覚えつつ、ゆうべ柳家の前の路上で見上げた月の形を思い出す。

あの時の月は、違った。あんな半月じゃない。あと何日かで満月、という頃合の、もっと円形に近い……。

……どうしてだろう。

今日は九月二十五日。もうすぐ十五夜、中秋の名月が見られるはずの時季ではないか。そこから考えても、今夜の月があんな形をしているなんてありえないはずなのに。

雲が月の片側を隠していて、半月に見えるのだろうか。――いや、そうじゃない。空には雲など見当たらない。少なくとも月の光が届いている範囲内には、ひとかけらも。

わけが分からず、僕はまた目をこする。

どうしてなのだろうか。いったい何故、こんなことが。

当惑するうち、夜空ではさらに僕を当惑させる事態が展開する。月が、浮かんでいる位置は少しも動かないまま、やおらその形を変えはじめたのだ。半円形がだんだんと痩せ細っていって、やがて糸のような三日月に。そこから今度はだんだんと太りはじめ、最初の半円形を通り越してついには満月に……。

そんな、とうてい現実のものとしては受け入れられないような光景を呆然と見上げながら。

月の変形に合わせてぐにゃぐにゃとみずからの体の形を変えてしまう、気味の悪いウサギの姿を、僕はリアルに想像してしまっていた。物心がついたばかりの、幼いあの頃のように。

いつしか月は空から掻き消えていて、にもかかわらず僕を包み込んだ闇は徐々に薄らぎつつあった。それでもまだ、周囲の状況は暗くてほとんど見て取れなかったのだけれど、そんなところへ突然に現われた人影があった。

その者は僕のすぐ右横に並んで立っていた。何かが——恐らくはその者の肩が——腕に触れたことで、僕はそれに気がついた。

僕よりもずっと低い、子供のような背丈の人影だった。初めは輪郭も定かでなかったその顔が、闇の薄らぎとともにぼんやりと見えてきて、

「……ああ」

思わず僕は喉を震わせた。

「ああ、君は」

つるんとした丸顔に貼り付いた、あっけらかんとした笑い。唇の端から悪戯っぽく覗かせた舌。昔テレビのアニメか何かで見たことがあるような女の子の、あの面だ。

戸惑う僕を見て、女の子は面の下から「うふふ」とくぐもった声を洩らす。

「……ねえ、君」

ふと頭に浮かんだ疑問を、僕はそろりと投げかけてみた。

「ここはどこ？」

「ここは——」

男なのか女なのか、大人なのか子供なのか、やはりそれだけでは判別がつかないような

声で、女の子は答えた。

「ここは、どこでもないところ」

「どこでもない？」

「ここは、どこでもあるところ」

「どこでもある？」

「ここは、どこにでもあるところ」

「どこにでも、ある……」

ヘルメットをぶら下げた僕の左の腕にその時、何かが触れた。振り返ると、今度はそこに仮面ライダーがいた。背丈はやはり子供のように低い。

「ねえ、君」

僕は訊いてみた。

「今はいつ？」

「いまは――」

仮面ライダーは答えた。

「いまは、いつでもないとき」

「いつでもない？」

「いまは、いつでもあるとき」

「いつでもある？」

「いまは、げんざい、かこ、みらい……そのすべて」

「現在、過去、未来……」

相手の言葉をぼそぼそと反復しながら、僕は前方に向き直る。――すると。

ほんの二、三歩先に、薄茶色のキツネの面がいた。たったいま闇の中から滲み出してきたかのように、こちらを向いてぬっと立っていた。女の子と仮面ライダーが、足音もなく両側から進み出る。同じほどの背丈の三人が、横一列になって僕と向き合う恰好になる。

「……ねえ、君」

僕は訊いた。

「君は、君たちは誰？」

「わたしは――」

キツネが云うと、続けて女の子と仮面ライダーが、

「ぼくは――」

同時にそう云った。

「わたしは、わたし」

と、キツネが答えた。

「ぼくは、ぼく」

と、女の子と仮面ライダーが答えた。

「わたしは、ぼく」

「ぼくは、わたし……」

それから三人はぴったりと声を重ねて、

「さあ、いっしょにあそぼうよ」

何やら秘密の呪文（じゅもん）でも唱えるような調子で云うと、足並みを合わせて幾歩か退いた。くつくつとくぐもった忍び笑いが、三つの面の下から洩れ出す。

「君は、君たちは……」

僕は両手を前に突き出し、彼らに追いすがるように足を踏み出す。

「ここは……今は……」

三人はくつくつと笑いつづける。広いホールや洞窟（どうくつ）の中にいるわけでもないのに、声は幾重にも尾を引いて反響し、僕のまわりでかすかに渦を巻く。――と。

三つの面がいきなり、闇に溶け散るようにして消え失（う）せてしまったのだ。そうしてそれらの下から現われたのは――。

年端も行かぬ子供の顔。

キツネと仮面ライダーは女の子で、女の子は男の子だった。どれも見たことのない顔だった。どこにでもいるような、ありふれたこの国の子供の顔。

面がなくなっても、彼らはくつくつと笑いつづけている。面がなくなったというのに、それまでと変わらないくぐもった声で。

「ねえ、君たちは」

云いかけたところで、僕ははたと気づく。笑いつづける彼らの、目の色の異様さに。まるで白内障の老人のように、黒眼の色が薄い。薄いだけではなくて、何だかバニラアイスにオレンジのシロップをまぶしたみたいな、ありうべくもない色彩が、そこには滲んでいるのだ。三人が三人とも、そんなふうなのだ。

何なのだろう、この子供たちは。

何なのだろう、この目の色は。

「ねえ」と云って僕がさらに一歩足を踏み出すと、途端に彼らは揃って身を翻し、呼び止める暇もなく駆け去っていった。やがて三つの影が闇に紛れて見えなくなってしまったあとも、佇む僕のまわりではしばらくの間、笑い声の残響がかすかに渦を巻きつづけた。

2

……僕は独りそこに坐り込んでいた。

いつしかあたりはすっかり明るくなっている。闇は、その魔術めいた気配だけをわずかに残して霧散していた。

もう夜が明けたのか。ここに坐り込んで、僕はそんなに長く眠るか気を失うかしていたわけなのだろうか。

左腕にはヘルメットを掛けたままだった。それを外して傍らに置き、腕時計を覗き込んでみる。

アナログ表示の安物のクォーツ。二本の針は九時五分前を指している。すると今は、朝の八時五十五分？——ああ、いや。よく見ると、針はその時刻で停止している。秒針がまったく動いていないのだ。

バイクで転倒したあの時、路面にぶつかって壊れてしまったのか。それとも電池が切れたのだろうか。

……風が、緩やかに吹いている。とても九月の下旬とは思えないような、暖かく柔らかな風だ。雨を吸った革ジャンが重い、暑い。背中のデイパックも重い、そして暑い。

とりあえずデイパックをその場に下ろし、僕はのろりと立ち上がる。眩しさに目を細めながら、周囲を見まわす。

ピントの合っていないカメラのファインダーを覗いているように、景色のすべてがひどくぼやけて見えた。いきなりどうしてこんなにも視力が落ちてしまったのか、と僕は少々焦ったのだけれど、幾度か瞬きを繰り返すうち、それは徐々に解消されていった。

晴れ渡った高い空が見えた。木深い雑木林が見えた。小さな池の、涼やかな翠緑(すいりょく)の水面(みなも)が見えた。風になびくススキの群れが見えた。

背後には石段が延びていた。その長い上りの石段の、一番下の段をベンチ代わりにして、僕は坐り込んでいたのだった。

あたりは奇妙なほどの静けさだった。風音が遠慮がちに耳を撫(な)でるだけ。車や人通りの音はもちろん、鳥や虫の鳴き声すら聞こえてこない。こんな、心の芯(しん)まで染み入ってくるような静寂に包まれるのは、いったいいつ以来のことだろう。

——ここはどこ？

池のほとりにささやかな建物があった。古びた丸太造りの掘っ建て小屋だった。ボート小屋か何かだろうか。それにしては、ボートの姿は付近のどこにも見当たらないが。

——ここは、どこでもないところ。

デイパックとヘルメットを拾い上げて持ち直すと、

——ここは、どこでもあるところ。

僕はその小屋に向かった。

入口の扉を開け、中を覗(のぞ)き込んでみてちょっと驚いた。外観の雰囲気から何となく、長らく人の出入りが絶えて荒れ果てたさまを想像していたから。ところが、

——ここは、どこにでもあるところ。

建物の内部はたいそう小ぎれいに片づいていて、ついさっき誰かが念入りな掃除を済ませたあとのように、床には塵の一つも落ちていない。壁や窓に汚れもない。

そんな様子をかえって奇異に感じながら、僕は小屋の中に入った。人のいる気配はまったくなかった。中央に四人掛けのテーブルと椅子があったので、デイパックとヘルメットをそのテーブルの上に置き、湿った革ジャンを脱いで椅子の背凭れに掛けた。

別の椅子を一脚引き出し、腰を下ろした。靴と靴下を脱ぎ、デイパックから新しい靴下を探り出して穿き替える。ジーンズと下着はすでに乾きつつあった。

やっとそれまでの緊張が解けてきたからだろうか、左の肩の痛みが、今頃になって気になりはじめた。バイクで転倒した時に負った打撲傷、か。

シャツの前をはだけて調べてみると、それと分かる打ち身以外にもいくつかの傷があった。傷そのものはどれも浅い擦り傷で、大した出血もなかったのだが、痛みはさほど小さくない。打ち身の方もずきずきと疼く。

要一郎叔父が持たせてくれた「お守り袋」のことを思い出し、僕はデイパックの中を探った。この袋に確か、救急用品の類が入っていたはずだけれど。

包帯と傷テープがあった。だが、その前にまず傷口を洗っておく必要があるだろう。

デイパックからタオルを取り出す。そこでふと、サイドポケットに入れておいた携帯電話の存在を思い出した。

液晶の待ち受け画面に、カレンダーと時計の表示があったはずだ。それで現在の時刻を確かめることができる。

——今はいつ？

急いでサイドポケットを開け、携帯電話を引っ張り出した。——が。

——いまは、いつでもないとき。

九月二十五日。午後八時五十五分。

——いまは、いつでもあるとき。

何故か、どうしたわけか、そこに示されているのは腕時計と同じ時刻で、

——いまは、げんざい、かこ、みらい……そのすべて。

なおかつ時計自体も腕時計と同様、動きを止めてしまっているようなのだった。

どういうことなのだろうか、これは。どうしてまったく同じ時刻で、二つの時計が止まってしまっているのだろう。

気持ちの混乱を抑えつつ、僕は携帯の着信履歴を調べた。

二十五日、午前十時二十七分に一件。バルケッタの故障を唯が知らせてきた、今朝のあの電話だ。発信元である彼女の携帯の番号が表示されているのを確認し、通話ボタンを押してみた。いくら普段ほとんど使うことがないと云っても、このくらいの操作は分かる。

聞こえてきたのはしかし、虚しく単調な発信音ばかりだった。見ると、液晶には「圏

外」の表示が出ている。この場所では電波の状態が良くないということか。

タオルと携帯を持って、僕は小屋の外に出た。

池の岸に立ち、もう一度液晶の表示を確かめる。が、やはり「圏外」に変わりはない。時計も八時五十五分から動いていない。

――ここはどこ？

何をどう考えればいいのか分からぬまま、僕は岸辺にしゃがみ込んだ。役立たずの銀色の機械は傍らの地面に放り出してしまって、タオルを池の水に浸ける。

――今はいつ？

微小な波紋の一つもなく静まり返った、文字どおり翡翠のような緑の水面。規模や雰囲気からは、むしろ沼と呼んだ方がふさわしそうな池だったのだが、その水は驚くほどに澄んでいた。その清冽さはまるで渓流さながらだった。これは――。

地図に載っていたあの池、なのだろうか。あんな町の外れまで、いつのまにか僕は来てしまったのか。あるいは……。

濡らしたタオルを肩の打ち身と擦り傷に押し当てると、それだけでずいぶんと痛みが和らいだ。まるで魔法の水のようだ――と、決して誇張ではなく、そのとき僕はそう感じた。

3

……僕は静寂に酔っていた。よけいな物音が何一つ聞こえてこない、それがこんなにも心地好いものなのかという感慨に独り浸っていた。ジャンパーを脱いでしまうと、吹く風の暖かさもまた、眠気が誘われるほどに心地好かった。見上げる空も目の前の水面も、池を取り巻く雑木林の深閑としたたたずまいも、ただそれをぼんやりと眺めているだけで心地好かった。尻を下ろした地面の、少し湿り気を帯びた土の感触も心地好かった。

ここはどこなのか。今はいつなのか。宿に残してきた唯はどうしているのか。咲谷家を再訪する約束はどうするのか。破損したバイクはどうなっているのか。僕を追いかけてくるあの黒い殺人者の影は。あの禍々しいバッタの羽音は。病室のベッドで独り〝最後の記憶〟に怯えつづける母は。死んだ祖母みつ子の髪の色は。白髪痴呆の遺伝可能性は。……考えればもちろん、こんなところでぼんやりとしている場合ではない。ないはずなのに何故か、もはやそういった問題はすべてどうでもいいもののように思えてきて、かと云って別に自暴自棄になっているわけでもなくて、とりたてて大きな不安を感じることもなくて……何と云うのだろうか、我れながら不可思議に思えるくらい心が穏やかなのだった。

静寂に、僕は酔いつづけた。どれほどの時間をそこでそうして過ごしたのか、自分でも把握できない。そんな記憶の曖昧さに焦りや恐れを覚えることもなく……。

半ば夢見心地の、「甘美な」とすら云えるような状態が途切れたのは、池の水面に映ったその人影に気がついたからだった。

一見して子供と分かる影だった。岸辺に坐った僕の背後に立ち、僕の肩越しに、僕の視線を追うようにして同じ水面を見つめている。

僕はそっと後ろを振り向いた。

キツネや何かの面を被ってはいない。異様な目の色をしてもいない。サスペンダー付きの茶色い半ズボンを穿き、青い半袖シャツを着た……ごく普通の男の子だった。

足には白い運動靴。髪はいまどき珍しく五分刈りにしている。色白でおとなしそうな、そしてどことなく寂しげな面立ち、面差し。僕の鳩尾あたりまでしか身長がなさそうだから、年の頃は五歳か六歳か、そのくらいだろうか。

僕の動きに、男の子はびくっと一歩あとずさった。ちょっと怯えているふうだった。僕の眼差しをまっすぐに受け止めることができず、ちらりちらりと上目遣いでこちらを窺っている。「怖がらなくてもいいよ」と伝えるつもりで、僕はできるだけ優しく微笑んでみせた。男の子のふっくらとした頬に、少しほっとしたような笑みが広がった。

「ねえ、君」

僕は穏やかな声音で訊いた。

「ここはどこ？」

男の子は戸惑い顔で小首を傾げ、何とも答えない。

「姫沼の町のどこか？」

やはり男の子は小首を傾げる。訊いていることの意味が分からないのだろうか。

「今はいつ？」

反応は同じだった。上体を低くして相手と目線の高さを合わせながら、

「君は誰？」

さらにそう訊くと、そこでようやく男の子の唇が動いた。

「ぼく——」

緩やかな風の音にすら掻き消されてしまいそうな、かぼそい声で。

「ぼく、かつや」

「かつや？ カツヤ君っていうんだ」

「——うん」

克也、勝也、嘉津也、勝哉、克哉、嘉津哉、克弥、勝弥……何とおりもの漢字の組み合わせが、頭の中を流れた。僕は訊いた。

「いくつなのかな、カツヤ君は」

男の子――カツヤは右手を顔の前に挙げ、指を五本とも開いて示した。

「五つか。――どこから来たのかな。おうちはどこなの」

カツヤはまた戸惑い顔で、今度は首を小さく横に振り動かす。「分からない」なのか。あるいは「答えたくない」のだろうか。

「じゃあね、カツヤ君」

僕は上体を伸ばし、ゆっくりとあたりを見まわしながら、

「ここで何をしてるんだい」

「あそんでるの」

と、カツヤは答えた。

「一人で遊んでるの？」

カツヤは「ううん」とかぶりを振って、

「みんなと」

「みんな？　お友だちがいるんだ」

「うん、そう」

「どこにいるの、みんなは今」

するとカツヤはくるんと後ろを向き、無言で右手を突き出した。指さされた先には、例の長い石段があった。

「あれを登っていったところ?」

「うん」

「そっか」

見にいってみようか。それとももうしばらく、この岸辺でぼんやりしていようか。考えるともなしに考えながら、僕は池の水面に目を戻す。

さくっ、と土を踏む音がして、

「おにいさんは?」

そんな質問が、カツヤの方から投げかけられた。

「なにしてるの」

「僕? 僕は……ううん、何なんだろうね。どうしてこんなところにいるのか、僕にもよく分からないんだけど」

「おともだちは?」

「さあ」

今度は僕の方が戸惑い顔で、小さく首を振り動かさねばならなかった。

さくっ、と足音がして、カツヤがさらに歩み寄ってくる。僕は何となくまた水面に視線を投じながら、頭の後ろで両手を組んで背筋を伸ばし、そのまま少し身を反り返らせて空を見上げた。傍らまでやって来たカツヤも僕に倣って、両手を組んで背筋を伸ばす。そうして小さな身体を反り返らせたのは良いが、勢い余って重心を崩し、その場にぺたんと尻餅をついてしまった。

どちらからともなく笑い声が洩れた。

「大丈夫？」

「うん、へいき」

照れ臭そうに答えて立ち上がる際、カツヤは地面に放り出してあった僕の携帯電話に目を留め、そろりと拾い上げた。左右の手で包み込むようにしてそれを持ち、興味深げに顔を寄せる。

「そいつの電波も届かないんだよな、ここ」

云うと、カツヤは何やら不思議そうに僕を見上げて、

「でんぱ……」

たたたた……とその時、背後に軽やかな足音が迫ってきた。一人じゃない。二人か、それ以上の。

「カツヤくん」

と、男の子の声がした。

「どうしたの、カツヤちゃん」

と、これは女の子の声。

振り返ってみると、二人の子供が石段の方から駆けてくるところだった。カツヤと同じくらいかちょっと年上の、男の子と女の子だった。カツヤを探しに降りてきた「おともだち」なのか。

「……おとなのひと」

僕たちの前まで来て立ち止まると、女の子が首を傾げて云った。

「なんで？」

と、女の子は男の子の方を見やって、

「なんでおとなのひと、いるの」

「なんでだろうね」

と、男の子が答えた。

「そういうこともあるんだね」

「君たちは？」

僕は二人に訊いてみた。

「お名前は？」

「――みか」

「――さぶろう」

「みか」は美香、あるいは実加とでも書くのか。「さぶろう」は三郎か三朗か、それとも佐武郎か。ミカとサブロウ。どちらも別に何と云うこともない名前だが、その二人の様子には少なからず不審を覚えた。

ミカの方はおかっぱ髪の、カツヤと同様、色白でおとなしそうな面立ちの女の子。さっきのカツヤと同じように、上目遣いでちらちらとこちらを窺っているが、引っかかったのはその服装だった。

顎紐の付いた黄色い帽子を被っている。うっすらと青味がかった長袖のスモックを着ている。ピンク色のスカートと運動靴。靴下は膝下までの厚手のソックス。――どうやら幼稚園の園児服のようだけれど、九月下旬という今の季節の、これは装いだろうか。もっと秋が深まってからの、あるいは冬になってからの服なのではないか。

サブロウの方は、カツヤやミカよりもひとまわり背が高い。年も上だろう。髪はいわゆるスポーツ刈りだが、顔色はいやに蒼白い。着ている服は白いTシャツにオーバーオールのブルージーン。最近ではあまり見かけない恰好のようにも思えるけれど、それよりも何よりも――。

目の色が、異様なのだ。

黒眼の色が薄い。キツネと女の子と仮面ライダー、あの三人の、面の下から現われた顔がそうだったように。そしてそこには、やはりあの三人と同じような、ありうべくもない色彩が滲んでいるのだった。バニラアイスにオレンジのシロップをまぶしたみたいな、あの……。

「カツヤちゃん、いこ」

と、ミカが云った。

「みんなであそぼうよ、カツヤくん」

と、サブロウが云った。

カツヤは「うん」と頷(うなず)くと、手に持っていた携帯電話を僕の方に差し出した。

「またね」

そう云って、口許(くちもと)に淡く寂しげな笑みを浮かべる。こちらに顔を向けたまま、一歩二歩とあとずさっていく。——そこでふと、僕の目に映ったものが。

「えっ」

驚きの声を抑えられなかった。慌てて見直そうとした時にはしかし、カツヤはもう背を向けてしまっていた。

何だろう。何だったのだろう。いま見たもの、見えたもの、あれは……。

意味があるのかないのか、すぐには判断がつかなかった。つきようがなかった。仮に意味があったとして、ではそれをどのように解釈したら良いのかも、やはりすぐには判断がつかなかった。

三人の子供たちが石段に向かって駆け去っていくのを、僕は池の岸辺に立ち尽くしたまま見送る。三つの影法師が、横一列に並んでこちらに伸びている。

僕はそして、気がついた。

影法師のうちの一つが、何やら妙な色と動きをしていることに。あれは——。

あれは、サブロウの影だ。

色が妙だというのは、他の二人に比べてそれが、明らかに薄いのだ。ちょうどさっき見た彼の目の色がそうだったように。

動きが妙だというのは、他の二人に比べてそれが、遅いように見えるのだ。本来、実体の動きと同時に動くはずの影が、サブロウのだけは何故か、いくらかタイミング遅れで動いているような。

気のせい、だろうか。あらぬものを見てしまっているのだろうか、僕は。単に光の加減で、そんなふうに見えるだけのことなのだろうか。

楽しげな声を飛び交わせながら、三人は長い石段を駆け登っていく。やがて彼らの姿がすっかり見えなくなり、あたりが再び静寂に包まれたあとも、僕はしばし岸辺の同じ場所に立ち尽くしたままでいた。

4

……石段の上には小さな鳥居があった。

二本の柱と笠木(かさぎ)、貫(ぬき)——計四本の丸太で造られた素朴な鳥居。鮮やかすぎるほど鮮やかな深紅に塗られている。高さはせいぜい二メートル余り、幅は大人が二人、肩を並べてくぐれる程度しかない。

それが、長い石段を登りきってすぐのところに、心なしかやや左側に傾ぐようにして立っているのだった。

神社の境内なのか。そう思ったのは、それが見えてきた一瞬だけのことで、次の一瞬にはもう、僕はすっかり鳥居の向こうの風景に目を奪われてしまっていた。

花が——。

可憐(かれん)な赤紫色の花が数限りなく集まって、あたり一面を覆い尽くしている。……ああ、あれは。

——あれはレンゲ草。

幼い日の春の昼下がり、そう云いながらどこか遠くへと目を馳(は)せていた母。そのそばにはまだ赤ん坊だった水那子のベビーカーがあって……。

――あれはレンゲ草。

――田圃の肥料にするために種を蒔くんですって。あんなにいっぱい……きれいねえ。

記憶に残るあの時の風景そのままに、レンゲの花が一面に咲き盛る野原が今、僕の前には広がっているのだった。

呆然と目を見張りながら、僕は鳥居をくぐり抜ける。

折りしもそこで、風がふいに強さを増して吹き渡った。九月下旬とは思えないような、暖かく柔らかな風。花々がいっせいに揺れ、仄かに甘い香りを振りまいてさざめいた。花弁の赤紫と葉の緑とが妙に規則正しい配分で交ざり合いながら動き、全体がまるで波立つ海原に……。

……ほとんど見渡す限りの、広大なレンゲの海原だった。遠くには黄色い花々が群れ咲く一画もある。あれは菜の花、か。

九月下旬とは思えない、いや、この季節には決してありえないような風景。春にしか見られるはずもないこんな風景が、どうして今、ここに存在しているのだろう。

僕は強く目をこすり、幾度も頭を振り動かした。気の迷いが見せる虚像なのであれば、そんなものは早く消え去ってほしかった。――が。

いくら目をこすってみても、頭を振り動かしてみても、見えるものに何ら変化は生じなかった。気の迷いでも、夢でも幻でもなく、ありうるはずのないその風景は依然、そこにあった。

大勢の子供たちが遊んでいる。

三十人、四十人……いや、もっともっとたくさんいるだろうか。

男の子もいれば女の子もいる。まだ本当に幼い子もいれば、小学校低学年くらいの子もいる。みんなそれぞれにいろいろな服装をしている。半袖に半ズボンの子もいれば長袖に長ズボンの子もいる。ミニスカートの子もいればセーターやジャンパーを着た子もいる。着物姿の子も少なからずいる。

あちらではボール遊びを、こちらでは縄跳びを。鬼ごっこか何かで駆けまわっている一団もあれば、円座になって何ごとかに打ち興じている一団もある。——あのどこかに、さっきの三人もいるのか。

カツヤ。ミカ。サブロウ。

あの子たちは、どこからここにやって来たのだろうか。どうしてここに集まってきたのだろうか。どうして……ああいや、それよりもまず、やはり——。

ここはどこなのだろう。

今はいつなのだろう。

何がどうなっているのか、因果関係はよく分からないけれど、少なくともここが、これまで僕がいた世界とは基本的な何かが異なる〝場〟であることは確かなように思う。でなければ説明できない事象が、あまりにも多すぎはしないか。

無邪気に戯れつづける子供たちの姿から目を離し、僕は頭上を振り仰ぐ。

晴れ渡った高い空。

流れる雲の一つも、飛ぶ鳥の影一つも見当たらない。翳りなく澄みきった水色の空。太陽は今、正面やや右手上方にある。こんな晴天であるにもかかわらず、何故かその輝きは木洩れ陽のように優しい。何故かさほども眩しさは感じられない。――と。

にわかには信じられないような光景をその時、僕は見た。

レンゲの海原の果てから果てへ、澄み渡った天空になだらかなアーチを描いて、巨大な虹が架かりはじめたのだ。そんな虹の出現の瞬間をリアルタイムで目撃するのは、むろん初めての経験だった。それどころか、二十六年間の記憶のどこを探ってみても、これほどに見事な虹の架け橋と出遇ったことは一度もない。

……ああ、何て。

暖かく柔らかな風に吹かれながら、咲き盛る花々の甘やかな香りに包まれながら、僕は陶然と天を見上げつづけた。

何て美しい光景だろう。何て心地好い風だろう。何て……。

ついさっきまで気に懸かっていた疑問の数々が、水に溶けるように形を失っていく。半透明の薄い皮膜に心が包み込まれ、緩やかに穏やかに、果てしもない静寂の彼方へと引き込まれていきそうになる。

ここは。今は。僕は……。

そんなことはもう、どうでもいい。——そう。ここがどこであろうと、今がいつであろうと、僕がこれからどうなろうと……そんなことを別に、むきになって考える必要なんてないのではないか。仮にここが、本来の世界とは異なるどこかであったとしても、そんなことはもう……。

……子供たちの声が近づいてくる。

見ると、五、六人の一団がほんの数メートル先のところまで来ていた。賑(にぎ)やかな声を撒(ま)き散らしながら追いかけっこをしている。

どうでもいい。——そうだ。そうだとも。きっとこの子供たちにしたって……と、そこまで考えたところで。

はっと思い出して、僕は彼らの影法師に注目した。

足許(あしもと)から伸びた人数分の影。その中のいくつかの色と動きが普通ではないことを、僕は確認する。

他よりも薄い影が。他よりも遅い影が。……ああ、やっぱり。

駆けまわる子供たちのうちの何人か——見たところ半数以上——の影の様子が、明らかに妙なのだった。色が薄く、動きが遅い。そしてきっと、そのような影を持つあの子たちは全員、さっき池のほとりで会ったサブロウと同じ、あの異様な目の色をしていて……。

「何も考えなくていいんだよ」

声が突然、背後で響いた。

「何も思い悩まなくていいんだよ」

……これは。この声は。

「ここはそういうところなんだよ。ねえ君、だから君はここにいるんだろう？」

半ば恐る恐る、僕は振り返った。

声の主は、鮮やかな深紅に塗られた小さな鳥居の真下に立っていた。薄茶色のキツネの面を被ったその者は、けれども闇の中で出会ったあの三人のような子供の体型ではなく、死装束のような白い和服を着流した、僕と同じほどの上背がある何者かだった。

5

「珍しいお客様だねえ」

キツネの面が云った。男か女か、大人か子供かも定かでない、例のくぐもった声で。

「本当に珍しい……まあ、ごくたまにこういうこともあるみたいだけれど」

「——誰？」

いくぶん語気を強くして、僕は訊いた。

「君は——お前は、誰なんだ。どうしてそんなものを被っているんだ。どうしてそんな……」

表情のない面の下から、くつくつと忍び笑いが洩れ出す。

「どうして、どうして、どうして、どうして」

キツネはひょこと肩を竦めた。

「そんなに知りたいのかい。知ることがそんなに大事かい」

そうしてまた、くつくつと笑い声が。

「わたしは、わたし」

云った途端、新たな何者かがキツネの右横——鳥居の柱の外側——に現われた。やはり薄茶色のキツネの面を被っている。白い和服を着流している。僕の目には、一瞬にして一人のキツネが二人に分裂したように見えた。

「ぼくは、ぼく」

と二人目のキツネが云い、次の瞬間には、一人目の左横に三人目が現われる。

「わたしは、ぼく」

と、三人目のキツネが云った。

「ぼくは、わたし……ねえ君、これで充分だろう」

「どうしてそんな、キツネのお面を」

僕が訊くと、三人はこちらに向かってさくりと一歩、足を踏み出す。寸分の乱れもない、完全に一致した動きで。そして答えた。

「それはね」

「君がそのように見ているからさ」

「君がそのように思うから、そのように見えるのさ」

「どうして急に、三人に」

僕は続けて訊いた。

「どうして……」

「それもね」

「君がそのように見ているから」

「君がそのように思うから、そのように見えるのさ」

「ねえ君、ここはそういうところなんだよ」

「お前は、お前たちはいったい誰……何なんだ」

「さあ、何だろうねえ」

「何なんだろうねえ」

君に見えるとおりのもの」

「それだけのものさ」

「そうだよ。別に何でもない、君がそのように見ているからここにいるだけの、君がそのように望むから答えているだけの」

「それだけのものさ」

「それだけのものだよ」

三人のキツネが並んで立つ、その背後に見えていた景色がいつしか消え、代わりに闇が、まるで霧が湧き出すようにして漂いはじめていた。近くから聞こえてきていた子供たちのはしゃぎ声が、そのあやかしじみた変化に合わせて徐々に遠ざかっていく。

「ここはどこ？」

改めて僕は、キツネたちに向かって質問した。

「どうして僕は、こんなところに」

「ここはね」

一人目のキツネが答えた。

「ここは、どこでもないところ」

「ここは、どこでもあるところさ」

と、二人目のキツネが答えた。

「ここは、どこにでもあるところだよ」

と、三人目のキツネが答えた。

「君がここに来たのは、そのように君が望んだから」

「いなくなっちゃいたかったんだろう？」

「消えてしまいたかったんだろう？」

「いなくなる……って、それはつまり、僕が元いたところから？」

「そう」

「そうさ」

「そうだよ」

「じゃあ、やっぱりここは――」

僕はおろおろと手持ちの語彙を探った。

「違う〝世界〟、だと？　もともと僕がいた世界とは違う……異空間、みたいな」

だからこんなに、季節がめちゃくちゃなわけか？　だから時計が止まっているのか、携帯の電波が届かないのか？　だからこんな、わけの分からない連中が……。

「どんなふうに呼ぶかは、君の勝手」

「君の勝手さ」

「勝手だよ」

「ここは、どこでもないところだから」

「ここは、どこでもあるところだから」

「君がいたのとは違う世界……だから、どこでもないところ」

「君が見ているように見える世界……だから、どこでもあるところ」

「君がいた世界とぴったり重なって広がっている……だから、どこにでもあるところ」

「入口は無限にあるのさ」

「無限に、どこにでもあるんだよ。だから……ねえ君」

口々に云って、キツネたちは忍び笑う。僕は「そんな」と声を詰まらせたが、どうにかこうにか気を取り直して、

「何でこんなところが」

と、質問を重ねた。

「どうして……何のために、いつから」

「さあ、何でだろうねえ」

「いつからだろうねえ」

「みんなの望みのために、かな」

「君も望んで来たんだろう？」

「逃げ出したくて、ここに来たんだろう？」

「いなくなっちゃいたかったんだろう？　元いたところから」

三人の背後に漂う闇は加速度的に濃く、深くなっていく。レンゲの野原で遊ぶ子供たちの声は、もはや僕の耳にはまったく聞こえなくなっていた。

「今は、いつ？」

僕は質問した。

「一九九九年の九月……僕がそのつもりでいる日時とは、まるで違う時間なのか」

「今はね」

一人目が答えた。

「今は、いつでもない時間（とき）」

「今は、いつでもある時間さ」

と、二人目が答えた。

「今は、現在、過去、未来……そのすべてだよ」

と、三人目が答えた。

「ここではね、時間は繰り返すだけ」

「繰り返すだけだよ」

「そうさ。昨日（きのう）は今日、今日は今日、明日も明後日（あさって）も今日」

「毎日が『今日』なんだよ。そうやっていつまでも、一つの環の上を回っているだけ。いつまでも、永遠にね」

　……ということは。

　混乱する頭で僕は、何とかして理屈をつなげてみようとする。

「ここ」は——この〝場〟は、僕が所属していた現実世界にぴったりと重なり、寄り添うようにして広がっている。これは云ってみれば、地理的な遍在とでもいう意味だろうか。具体的には、たとえば姫沼には姫沼の、東京には東京の「ここ」があって、それらはすべてひとつながりになっている。「入口」はその至るところに、無限に存在しうる。

　一方で、この〝場〟における時間は「今日」の繰り返しなのだという。だから「今」は「いつでもない時間」であり、「いつでもある時間」でもある。「過去、現在、未来……そのすべて」とはつまり、「ここ」における「今日」が、現実世界におけるあらゆる「今日」とつながっている、ということか。そんなふうに理解してみても良いのだろうか。それとも……いや、もしもそれが正しいとしたら……。

「あの子たちは？」

　と、僕は訊いた。

「ここで遊んでいる子供たち……あの子たちも、じゃあみんな、元の世界から逃げ出してきて？」

「そう」

「そうさ」

「そうだよ」

「子供はね、みんな思うんだよ」

「大人になると忘れちゃうけどね」

「いなくなっちゃいたいって……ねえ君」

「分かってるだろう？　そんなこと」

「分かってるよね。だから君は……」

くつくつとまた、くぐもった笑い声が闇を震わせる。僕はさらに訊いた。

「あの子たちは、ずっとここに？」

「そう」

「そうさ」

「そうだよ」

「あの子たちが望む限りね」

「ここは楽しい『今日』の繰り返しだからね」

「嫌なことは何もないからね」

「何も考えなくていいんだよ」

「何も思い悩まなくていいんだよ」

「ここはそういうところだから」

「そういうところだからね」

「飢えることはないし」

「病気もないし」

「年も取らないし」

「怖い大人もいないし」

「叱られることもないし」

「殺される心配もないしね……」

「……そうしていずれ、溶け込んでいくのさ」

「溶け込んでいくんだよ」

「溶け込んで……」

……溶け込む？

その言葉にふいと、何だかたまらない違和感を覚えてしまった。きつく眉根（まゆね）を寄せて僕は、闇に浮かぶ三つのキツネ面を見据えた。

「溶け込んでいく」とは？　いったいそれはどういう意味なのか。何が何に「溶け込む」というのだろうか。——疑問を口に出すまでもなく、

「それはね、君」

僕の心中を見通したかのように、一人目のキツネが云った。

「ここがここでありつづけるために、ね」

と、二人目のキツネが云った。

「必要なのさ、溶け込むことが」

と、三人目のキツネが云った。

「必要なんだよ、溶け込んでいくことが」

云われても、僕にはまだよく理解できなかった。「ここがここでありつづけるために」――そのために「必要」とされることとは、いったいどんな……。

……違和感が、疑問が、ここにやって来てから恐らく初めて感じる不吉な胸騒ぎで黒く覆われはじめた時。

「ほら、そろそろ始まるよ」

と、くぐもった声が聞こえた。一瞬のうちにキツネ面は初めと同じ一人に戻っていて、その背後を埋め尽くしていた闇も完全に消えてしまっていた。

「ほら、あそこに」

云ってキツネは、ふわりと片腕を差し上げる。そうして指を一本ぴんと伸ばし、僕の後ろに広がるレンゲの野原をまっすぐに指し示すのだった。

「君にはあれが何に見える」

第14章

1

いつのまにかあたりには夕映えが広がっていて、そのことに気づいた僕を大いに戸惑わせた。

美しい、けれどもどこかうら寂しい茜色に染まった空。さっき出現の瞬間を目撃したあの虹は、もはや跡形もなくなっている。高度を下げた太陽は、熟れきったオレンジとリンゴをどろどろに溶かし合わせたような……幼い夏の日の夕暮れに見たあの色。あの日、あの時の何倍もの巨大感をもって、今にもみずからの重みに耐えきれず落下してきそうな風情だった。

そんな中、僕にはそれが初め、その夕陽が落とした大粒の涙に見えた。

夕陽と同じ色をした、まるで涙の雫のような形をした……あれは、ああ、気球ではないか。赤い大きな気球が、茜色の空からレンゲの咲き盛る地上へと、ゆっくり降下してくるのだ。

気球には、これも全体が赤く塗られた四角いゴンドラが吊り下がっている。目を凝らしてみるとその中には、誰だろうか、乗っている者の影が。

野原のあちこちでは相変わらず、たくさんの子供たちが戯れつづけていたのだけれども、気球が降りてくるのを認めるや、各々の動きを止めて口々に歓声を上げ、ひとところに向かって集まりはじめる。しばらくして気球が、吊り下がった赤いゴンドラが、静かに着地を果たした。集まった子供たちは何メートルかの距離をおいてそれを取り囲み、固唾を呑んでいた。

まもなくゴンドラの側面が、ぱたんと倒れるようにして開いた。そうして中から地上に降りてきたのは――。

子供たちのさらにずっと後方からその様子を窺っていた僕の目にも、はっきりとその者の風体が見て取れた。

……道化師？

僕にはそう見えた。

白いだぶだぶの衣装を長身にまとい、黒い鍔広の帽子を被っている。真っ白なドーランとどぎつい紅や緑で施されたコミカルなメイクが、遠目にもそれと分かる。

気球に乗って、ピエロが降りてきた。

これは——これも、さっきキツネ面が云ったように、この僕が「そのように思うから、そのように見えている」わけなのか。

集まった子供たちに向かって愛嬌(あいきょう)たっぷりに一礼すると、ピエロはゴンドラから、何だろうか、車輪の付いた白塗りの屋台のようなものを引き出してきた。その動きとともに、恐らくあのゴンドラの中から流れ出てくるのだろう、何やらこの国の童歌(わらべうた)とサーカスのジンタを混ぜこぜにしたようなメロディが鳴りはじめる。聴いたことのない、けれど妙に懐かしさを掻(か)き立てる旋律。アコーディオンの音を少々くぐもらせ、なおかつ特殊なエフェクターでも噛(か)ませてひずませたような、正体の知れない楽器の音色。——ああ、これもまた、僕が「そのように思うから、そのように聞こえる」だけのものなのだろうか。

「さあさあ、みんなおいで。こっちへおいで」

屋台をゴンドラの外に引き出しおえると、ピエロが子供たちを見まわして甲高い声を発した。

「みんなが大好きなお菓子だよ。みんなにあげるよ。甘いあまーい、ふわふわのコットンキャンディだよ」

子供たちの歓声が、また。気球を取り囲んだ輪が崩れ、一気に狭まっていく。

「はいはい、並んで並んで」

　ぱんぱんと手を打ち鳴らして、ピエロは押し寄せてくる子供たちの動きを制した。

「一列に並んで、順番にね。慌てなくても大丈夫だよ。みんなの分、ちゃんとあるからね。

――さあさあ、どうぞ。はい、おまけの風船もあげるよ」

　そうやってピエロは、次々と屋台の中から取り出した大きな綿飴を、色とりどりの「おまけの風船」を添えて、子供たちの一人一人に手渡していくのだった。風船と同じく、綿飴の方も赤や青、緑、黄……と、とりどりに鮮やかな色が付いていた。

「一人一本だよ。ずるしちゃ駄目だよ」

　綿飴と風船を手にすると、子供たちは大喜びでレンゲの野原に散っていく。やがてすべての子供に菓子を配りおえると、ピエロは大袈裟な身振りで周囲を眺め渡し、

「いいかい、みんな」

　と、甲高い声を振りまいた。

「大当たりが一本、あるからね。棒の先に金色の印が付いてるよ。当たった子は元気に手を挙げるんだよ」

　そんな一部始終を遠巻きに見守っていた僕の姿を、そこでピエロの目が捉えた――ような気がした。ピエロはひょこりと首を傾げた。「おやおや」という声がかすかに聞こえたような気もしたのだけれど、その時――。

「あたしっ！」

と、声を上げた一人の子供がいた。綿飴の棒を握った手を高々と挙げ、ピエロの方へ駆け寄っていく。糸でつながれた青い風船が、風に揺れながらふらふらとそのあとを追いかける。

「おおあたり！　ほらっ」

水色の服に黄色い帽子の女の子だった。それ以上は遠くてよく分からなかったのだが、ひょっとしてあれは、池のほとりで会ったミカというあの子じゃないか。僕はそう直感した。

「おお、本当だね」

女の子が差し出した棒の先に顔を寄せると、ピエロは万歳をするように両手を挙げて、

「大当たりぃ！」

高らかに宣言した。

「おめでとう、おめでとう」

ゴンドラから流れ出していた音楽のテンポが、心なしか速くなった。ピエロは女の子の身体（からだ）を軽々と抱き上げて「おめでとう」と、もう一声。

「さあさあ、君にはご褒美をあげようね」

そう云うと、ピエロは女の子を屋台の端に降ろして腰掛けさせた。それから子供たちの方を振り向き、深々と芝居がかったお辞儀をしてみせると、屋台をゴンドラの中へ押し戻

しはじめる。

子供たちが再び、気球のまわりに集まってきて輪を作る。女の子はみんなに向かって嬉しそうに手を振っている。彼女を乗せた屋台がすっかりゴンドラに収まると、ピエロも一緒に乗り込み、開いていた側面の扉が素速く閉められた。同時に音楽もぴたり、と鳴りやんだ。

「それじゃあみんな、またね」

ピエロの甲高い声が響き、ゴンドラがゆっくりと地面を離れはじめる。女の子は相変わらずみんなに手を振っている。その横でピエロも手を振る。地上の子供たちも、それに応えて大きく手を振りつづける。

赤い気球はそして、徐々にスピードを上げながら上昇を続け、しばらく後には見えなくなってしまった。風景を染め上げた巨大な夕陽の、その「ヒトの血の色」に溶け込むようにして。

2

……鳥居の下に、白装束をまとったキツネ面の姿はもうなかった。

何だったんだろう、今のは。

僕は、それこそキツネにつままれたような気分で立ち尽くした。

今の気球は何だったのか。あのピエロは何者だったのか。「大当たり」とはどういうことなのか。ゴンドラに乗ったあの女の子はどこへ連れていかれてしまったのか。

疑問をぶつける相手がいなくなってうろたえる僕の背中に、

「おにいさん」

と、聞き憶えのある声が飛んできた。振り返ると、こちらに向かって駆けてくる子供の姿が。青い半袖シャツにサスペンダー付きの茶色いズボン……あの男の子だ。カツヤだ。右手にはあらかた食べてしまった綿飴の棒を、左手には黄色い風船が付いた糸を握っている。「やあ」と僕が手を挙げると、カツヤは駆け足のまま左手を振って応える。頭上に浮かんだ風船が、手の動きを追ってふわふわと踊る。

何がそんなに楽しいのか、嬉しいのか、カツヤは満面に笑みを浮かべているように見える。僕は胡乱な心地で、そろりと足を前に踏み出す。そうしてあと三、四メートルというところまで二人の距離が縮まった時、

「わっ」

短い悲鳴とともに、カツヤが前のめりに転倒した。何かに爪先を引っかけて転んでしまったのだ。綿飴の棒が放り出され、地面を覆ったレンゲ草の、赤紫と緑の狭間に消えた。

「大丈夫かい」

僕はびっくりして駆け寄った。左手の糸はしっかりと握り込まれたままで、ちょうど僕の目の高さで黄色い風船が揺れていた。

「大丈夫かい、カツヤ君」

「――うん」

両手を地に突きながらカツヤは答えたが、泣きだしたいのを懸命にこらえているような声だった。

「大丈夫？」

「――へいき」

僕は身を屈め、起き上がろうと腕を立てたカツヤの、わずかに震えている小さな肩に手を添えた。

「へいき、ぼく」

そう繰り返して、カツヤは僕の顔を見上げる。僕はカツヤの顔を見下ろす。――と、そこで。

僕の目に映ったものがあった。これは、そうだ、池のほとりで会ったあの時にも目に留まった、これは……。

額の上端と頭頂部との中間あたり。五分刈りの髪の毛を透かして見える生白い頭皮に、星のような形をした淡い色のほくろが。

……ああ。

僕は思わず天を仰ぎ、深く呼吸をした。

ああ、まさか……いや、やはりそういうことなのか。

夕陽はいつしか、その巨体を風景の彼方に沈めようとしていた。間近に迫る夜。赤黒く翳(かげ)った空の中央に、ぼんやりと白く半円形の月が見えはじめている。

「足、怪我はない？」

立ち上がったカツヤの顔にこわごわ視線を下ろし、僕は問いかけた。

「——ちょっと」

「痛い？」

「ううん、へいき」

「そっか。強い子だな、カツヤ君」

その場に屈み込み、僕は汚れたカツヤの足を覗(のぞ)き込む。右膝(ひざ)の頭を少し擦りむいているが、出血はほとんどない。

「ねえカツヤ君、空を見てごらん」

僕は云った。心が痙攣(けいれん)を起こしたような、ほとんど制御不能な衝動にかられて。

「ほら、あそこにお月さまが見えるだろ」

「——うん」

「半分欠けたお月さま。ヒトの身体の中にはね、あのお月さまと同じ名前の骨があるんだよ」

ああ……何を、僕は。

「膝の関節のところにね、半月板っていう軟骨があって……」

「おにいさん、おかしは？」

訊かれて、はっと我れに返った。カツヤは不思議そうな目で僕を見ている。

「お菓子……さっきの綿飴？」

「もらわなかったの？」

「ああうん……僕は大人だから、駄目なんじゃないかな」

思い浮かんだままにそう答えると、僕は気球のゴンドラが着地していたあたりを見やって、

「毎日ああやって来るのかい」

と訊いた。

「まいにち？」

と、カツヤは小首を傾げる。まるで「毎日」というその言葉の意味自体が呑み込めない、そんな反応に見えた。

「ええとね、夕方になるといつも、あんなふうにしてお菓子を配りにくるのかな」

するとカツヤはこくんと頷(うなず)いて、

「そう。——いつも」

「『大当たり』がどうのこうのって云ってたけれど、あれは？」

「おおあたり、ミカちゃん」

やっぱりさっきの子供は、ミカというあの女の子だったのか。

「大当たりだと、どうなるの」

続けて訊くと、カツヤは無邪気に微笑みながら「ごほうび」と答えた。

「さっきみたいに、お菓子を配ってたあの人に連れられて、どこかへ行っちゃうわけ？　そこでご褒美を貰(もら)うのかな」

「——うん」

「どんなご褒美」

「あのね、すごくいいもの」

「ふうん。それで、ミカちゃんは？　ご褒美のあと、ここに帰ってくるのかい」

「うん、そう」

「それは、明日になったら？」

「あした？」

とまた、カツヤは小首を傾げる。まるでやはり、「明日」というその言葉の意味自体が呑み込めないかのように。

「まあ、とにかく帰ってくるわけだね」

「——うん」

「サブロウ君は？　あの子は大当たりになったこと、あるの」

そう質問を重ねた時、僕の頭の中ではすでに、漠然とではあるが、いくつかの気になる事柄を巡ってある因果関係が想定されていたように思う。

「どうなのかな、サブロウ君は」

「ある、みたい」

心許なげな返答だった。この子自身は、直接その場に立ち会ったわけではないのかもしれない。

「じゃあね、カツヤ君は？」

僕はさらに訊いた。

「大当たりになったことは」

「——ない」

ちょっと寂しげにそう答えて、カツヤは目を伏せる。「そっか」と僕は呟き、カツヤの肩に両手を置いた。短く刈られた頭髪を透かしてまた、例の星形のほくろがはっきりと見て取れた。

「ねえ、カツヤ君」

僕はそのほくろを見つめたまま、

「君はいつからここにいるんだい」

「いつから？」

と、カツヤはまたしても小首を傾げる。続いてその唇から洩(も)れたのは、「さあ……」という困り果てたような声だった。

そうしている間にも夕陽は沈みつづけ、あたりには黄昏(たそがれ)の薄闇が漂いはじめていた。見渡すと、子供たちが三々五々、一つの方向をめざして動きだしている。手をつないで歩いていく子たちもいれば、声を合わせて何か歌を歌いながら行く子たちもいる。草笛を吹き鳴らしている子も何人かいる。そんな様子にカツヤも気がついて、

「かえらなきゃ」

と、急に云いだした。

「かえるね、ぼく」

「帰るって、おうちに？」

訊くと、カツヤは「とんでもない」とでも云うようにぶるんと首を振って、

「おうちはいや」

「じゃ、どこに帰るの」

「みんなといっしょ」

「みんなと一緒に、どこへ」

「あっち」

と云ってカツヤは、子供たちが歩いていく方向を指さす。ほとんどもう夕陽が姿を消しつつある、その彼方の手前に——。

ぼんやりと、しかし黒々と、大きな建物の影が見えた。それは確かにそこに存在していた。何故かしら今まで、僕の視覚にはまったく捉(とら)えられないでいたのだけれど。

「……あれは」

その建物の、特徴的な輪郭をそれとして認めた途端、僕は激しい眩暈(めまい)にも似た感覚に襲われた。

「あの建物は」

「おしろ、だよ」

カツヤが云った。

……お城、だって？

「みんなのおしろ」

僕は強く目をしばたたいた。

「みんなのお城」だというのか。あれが——僕の目には、生まれ育ったあの町の川辺にあったあの「香水工場」にしか見えない、あの建物が？

「いかなくちゃ」

云って、カツヤは踵(きびす)を返す。黄色い風船を風になびかせ、建物の方へ向かう子供たちのあとを追って小走りに駆けだす。

「ねえ、ちょっと待って」

慌てて僕は呼び止めた。立ち止まってこちらを振り返るカツヤを見据え、

「君、お母さんは何ていう名前なの」

投げかけた質問に、カツヤの表情が目に見えて曇り、こわばった。答えはすぐには返ってこなかった。――嫌がっているのか。怯(おび)えているのか。そう思えた。

「お母さんのこと、嫌いなのかい」

表情をこわばらせたまま、カツヤは僕の視線から顔をそむける。

「じゃあ、お父さんは？」

僕は訊いた。

「お父さんの名前は？」

カツヤの反応は同じようなものだった。だが、何が何でも答えたくない、といった頑強な拒絶の意志までは感じられない。

「教えてよ。ね、いいだろう？」

ゆっくりと歩み出て僕は、できる限りの優しい笑顔で、柔らかな声音で問いかけた。

「お母さんとお父さんのお名前は？　何ていうのかなあ」

　そして——。

　いくらかのためらいの後、カツヤは消え入るような声で答えたのだった。「みつこ」「ひでかつ」という、その二つの決定的な名を。

3

　カツヤを含めた子供たちが全員、黄昏の中を泳ぐようにして彼らの「お城」に帰っていった、そのあと——。

　僕は独り石段を降り、池のほとりに建つ例の小屋に戻った。小屋のテーブルの真ん中には古風な石油ランプが一つ置かれており、僕はジーンズの前ポケットからライターを探り出してそのランプを灯すと、同じライターで煙草に火を点けた。

　椅子の背凭れに掛けておいた革ジャンは、もうすっかり乾いていた。陽が落ちて、気温が急に低くなってきているように感じられた。僕はジャンパーを肩に引っかけると、椅子に腰を下ろしてランプの炎を見つめた。

　……あのほくろ。

瞼を閉じても、炎の残像に重なってそれが見える。目の奥にしっかりと焼き付いて消えない、あの星のような形をしたほくろ。

どうしてあんなほくろが、あの子の——カツヤの頭の、よりによってあの位置に付いているのか。

入院中の母さんの頭の、あれとまったく同じ位置に、同じような形の生まれつきのほくろがあることを、つい一ヵ月ほど前に僕は、改めてこの目で確認したばかりだったから。八月最後の日曜日の夕刻、久しぶりに彼女の病室を訪れた、そう、あの時に。

だから最初、あの子の頭にあれを見つけた時には、これは単なる偶然の一致なのだろうと考えた。いや、そう考えようとした、と云うべきか。それ以上の意味があるのかないのか、すぐには判断がつかなかった。つきようがなかった。仮に意味があったとして、ではそれをどのように解釈したら良いのかも、やはりすぐには判断がつかなかったのだ。——けれど。

キツネの面を被ったあの者たちとの、先ほどの奇妙なやり取りを思い出すにつけ、僕の中には今、「偶然の一致」という考えとは別のある解釈が生まれ、一つの確信へと成長しつつあるのだった。およそ突拍子もない、非現実的で妄想じみた……。

——今は、いつでもない時間。

——今は、いつでもある時間さ。

——今は、現在、過去、未来……そのすべてだよ。

キツネたちのくぐもった声が、心の深奥で執拗に囁きつづける。

——ここではね、時間は繰り返すだけ。

——繰り返すだけだよ。

——そうさ。昨日は今日、今日は今日、明日も明後日も今日。

…………

…………

……「ここ」が、僕の知る現実世界とは違う法則で成り立ったある種の〝異界〟だという、そのことを事実として受け入れるとするならば。

えんえんと「今日」を繰り返しつづける「ここ」での時間。それは「現在、過去、未来……そのすべて」の「今日」とつながっていることになり、そうするとつまり、それは今から四十五年前の「今日」ともつながっていて然るべきなわけで……。

……とすれば。

偶然の一致、などではない。

あ、あ、あ、あの子の頭にあんなほくろがあるのは、す、な、わ、ち、あ、あの子が五歳の時の母さん自身だから、なのではないか。

四十五年前の、日付は定かではないけれど、とにかく母さんがすでに五歳になっていたある日——もしかするとそれは秋祭りの日のある黄昏時だったのかもしれない——、彼女は「ここ」に迷い込んできてしまったのだ。現実世界の時間の流れとはまるで関係なく、独立した「今日」を繰り返しつづけるこの〝異界〟に。僕があの路地の深い闇を抜けて「ここ」にやって来てしまったのと、恐らく同じようにして。「いなくなっちゃいたかった」のだ、彼女も。自分が今いるところから逃げ出して、「どこか」へ行ってしまいたかったのだ、きっと。それで……。

……池の岸辺で出会った時、あの子は僕の携帯電話を拾い上げ、興味深げに顔を寄せていた。何だかまるで、これまで一度も目にしたことのない不思議なものでも見つけたかのように。

当然だろう。四十五年前のこの国には、あんな機械などどこにも存在しなかったのだから。「そいつの電波も届かないんだよな」と僕に聞かされても、どういう意味なのかと疑問に思うばかりだったに違いないのだ。

母親の名前は「みつこ」、父親の名前は「ひでかつ」だと、さっきの別れ際にあの子は答えた。「みつこ」は「みつ子」、「ひでかつ」は「英勝」なのだ、と僕は確信する。咲谷みつ子、そして咲谷英勝。まさにこの二人こそが、あの子の両親なのだ。

しかし、では——。

仮にこの考えどおり、あの子が幼い時分の母さん＝咲谷由伊なのだとしよう。

なのに何故、あの子は「カツヤ」という名を名乗るわけか。五分刈りの頭髪にあの服装……どう見ても男の子のような、あんな恰好をしているのだろう。自分のことを「ぼく」と呼び、男の子であるかのようにふるまうのだろうか。

そんな当然の疑問に直面したところで思い当たった、いくつかの言葉がある。

――由伊という元の名前については、いろいろとその、嫌な思い出があったみたいでなあ。その名に愛着があるふうでもまるでなかったから……。

これは、そうだ、柳家の和室で柳の祖父の口から出た台詞。彼はそして、こんなふうにも語っていたと記憶している。

――咲谷の家では六年間、何やら少々変わった育てられ方をしたようでもあり……。

それからもう一つ、これは咲谷家の座敷における珠代との会話で。

どうして咲谷みつ子は、娘の由伊に辛く当たるようなまねをしたのか。そういった質問を僕がした時だったと思う。

――母が、期待を裏切って生まれてきた女の子だったからですか。家の跡取りとなるべき男の子じゃなかったから、だから？

それに答えて、珠代はこんなふうに云ってはいなかったか。

――まあ、そういう理由もあったんでしょうねえ。それであんな、変わった育て方をすることにもなったんでしょうし。

二人の台詞に共通する言葉が、ある。「変わった育てられ方」「変わった育て方」――何がどう変わっていたというのだろう。どのように変わった育て方を、幼い時分の母はされたわけなのだろう。

この先はいささか強引な想像になってしまうけれども、たとえばそこには、こういった事情があったのではないか。

柳の祖父の話によれば、咲谷の本家はかねてより男の子供が生まれにくい家系だった。咲谷英勝にしても、上に何人もの姉がいて、その後ようやく生まれた男子の跡取りだったという。そんな咲谷本家に、代々伝わってきたある風変わりなしきたりの存在を、僕は想像するのだ。それはつまり――。

跡取りの男児を授かる前に女児が生まれてしまった場合、この女児に対して、本名とは別に男名前を与える――というしきたり。少なくとも義務教育が始まるまでの間は、その男名前をその子の通称として使い、なおかつ髪型や服装も男の子のようにして、男の子として育てる――というしきたり。そのような「変わった育て方」を実行することで、次に授かる子供が男児となる確率が高くなる――と、何とも迷信じみた話ではあるけれど、咲谷のあの家では昔からそう信じられてきたのではないか。だから――。

母さんも――由伊もまた、このしきたりに従って、柳の家に貰われていくまでの六年間を育てられたのだ。髪は五分刈りにされ、男の子の服を着させられ、「ぼく」という一人称を使うよう命じられ……そうして本名の「由伊」とは別に与えられた男名前の通称、それが「カツヤ」だった。おおかた「カツヤ」は「勝也」とでも綴るのだろう。父親の英勝から「勝」の一文字を取って作られた、それは名前なのではないか。そんな推察が容易に成り立つ。

そう云えば——と、僕は思い出す。

咲谷の家で珠代と話したあの時、彼女は終始、母のことを「あの子」と呼んでいた。

——あなたは昔、母と——咲谷由伊とお会いになったことがあったんですね。

僕の方からそう問いかけた時には、彼女は「由伊？」と一瞬首を傾げたあと、「ああ、あの子のことね」と頷いていた。

あの反応はつまり、珠代が母を「由伊」という本名の方ではあまり認識していなかった事実の表われではないかと思うのだ。彼女にとって咲谷家の「あの子」の名前は、「由伊」ではなくてまず「勝也」だったわけだから、それで……。

……母さん。

声には出さず、僕は呟き落とす。根元近くまで燃えてしまった煙草の灰が、その呟きと同時にぽろりと折れてテーブルに落ちた。

あれが——あの子が、母さんの……。

咲谷由伊、五歳。通称勝也。

あの子は——母さんは、どうして「ここ」に迷い込んできてしまったのだろう。そんなにも、元いたところが嫌だったのか。自分の「おうち」が、あの咲谷の屋敷が、そこでの生活が嫌だったのか。自分を取り巻く〝世界〟自体から逃げ出してしまいたかったのか。「いなくなっちゃいたい」と思ったのか。「消えてしまいたい」と願ったのか。それは、母親のみつ子が彼女に辛く当たったから？　そんなにも——逃げ出してしまいたくなるほどにも？　あるいは……。

テーブルを汚した灰を払い、火種の残る短い煙草を床に捨てて踏み消す。そうしてそこで、ようやく僕は思い至るのだった。

母さんが昔、恐ろしい何者かに襲われたという例の事件。一緒に遊んでいた「みんな」が、同じ何者かによって惨殺されてしまったという例の事件。それは他でもない、まさに「ここ」において発生した出来事だったのではないか、と。

4

心の乱れを映したかのように、左肩の傷がじくじくと痛みだしていた。池の水で拭き清めたあと、擦り傷の方には傷テープを貼ってあったのだけれども、シャツをはだけて見てみると、テープの一枚が剝がれかけている。それが変な具合にこすれて、いったん塞がった傷口がまた開きかけているのだった。

デイパックから出してあった叔父の「お守り袋」に、僕は手を伸ばす。中から新しい傷テープを取り出し、剝がれかけのテープを完全に剝がしてしまう。倍加する数瞬の痛みとともに、傷口から血が滲み出す。弱々しいランプの明りに照らされたその色は、夕陽の赤ではなく、どろりと暗い葡萄茶色に見える。

夜を包み込んだ静寂。

今はそれを、とうてい昼間のように「心地好い」とは思えない。逆にどこかしら居心地が悪く、何かしらとても妖しい、不穏な気配に満ち満ちて感じられてしまう。文字どおり「怖いほどの」静寂。その狭間で、ふいに——。

あの音が鳴り響いた気がした。

あの音——ショウリョウバッタが飛ぶ時のあの禍々しい羽音が、かすかに。

心臓を鷲掴みにされた気分で、僕は周囲を見まわす。が、小屋の中にはどこにも、何ものの姿もない。ほっと胸を撫で下ろしつつも、不穏な気配から解放されることはない。ひととおり視線を巡らせた後、もう一度ゆっくりと各所の様子に目を配っていく。

小屋には池に面して、窓が一つある。ガラス戸の嵌まっていない、木製の格子が並んでいるだけのささやかな窓。

そこから蒼(あお)い月光が、思いのほか鋭利な光線となって射し込んできている。じっと見つめていると今にもそれが、ぎらぎらと輝く刃物に変貌(へんぼう)して飛びかかってきそうに思えて、さらには、その刃物の持ち主であるあいつが、ランプの炎が作り出す陰影のどこかからぬらりと姿を現わしそうに思えてきてしまって、僕は慌てて目をそらす。

……あいつが。

あいつのあの、黒い影が。

真っ白な閃光(せんこう)とバッタの羽音と、血に飢えた刃物を携えて、もしもあいつが「ここ」に出現したとしたら……。

果てしなく「今日」を繰り返しつづける、この不思議な〝場〟。四十五年前——一九五四年の「入口」から「ここ」に迷い込んできてしまった母さん＝カツヤの、右手の二の腕にはまだ、そう、僕が知っているあの傷痕(きずあと)はなかった。ということはつまり、今現在の「今日」よりもあとにやって来る「今日」のどこかで、彼女はあいつに襲われる運命にあるわけなのか。一緒に遊んでいたあの子供たちもみんな、同じようにしてあいつに襲われ、そして……。

……あいつは何者なのか。

今さらのように僕は思案する。

あいつは……元々この〝異界〟のどこかに潜んでいる何らかの存在なのだろうか。それとも、もしかして……。

学習塾の教室で目撃したあいつの幻影を思い出す。悪夢の中で何度も見たあいつの、恐ろしくも邪悪な影を思い出す。バイクで転倒する直前に眼前を横切ったあの真っ黒な影を、そしてその直後、僕を追ってきたあの足音を思い出す。

……まさか。

暗澹たる心地で、僕は独り首を振る。

まさか僕を追いかけて、あいつは「ここ」まで来てしまったのではないか。僕があいつを「ここ」に呼び寄せてしまった、連れてきてしまった……まさか、そういうことなのだろうか。

考えだすと、頭がこんがらがってどうにも収拾がつかなくなってくる。何がどうなっているのか、どうなっていくのか、想像すればするほどに混乱は増すばかりで……。

メビウスの帯で編まれた鳥籠に閉じ込められているような、そんな気分にもなった。表が裏に、裏が表に。外側が内側に、内側が外側に。——何かが決定的に歪んでいる、ねじれている。ひずんでいる、軋んでいる、狂っている……そんな、当たり前の理屈ではとうてい説明不能な〝世界〟の中心に——あるいは辺境に——たぶん今、僕はいるのだ。

5

……入口の方にふと、何者かの気配を感じた。振り返るとそこにまた、例のキツネ面がいた。

「やあ君、少しはここのことが分かってきたかい」

相変わらずのくぐもった声で、キツネは云う。先ほどの白装束に夜闇を吸い込ませて染め変えたような、真っ黒な和服を着ている。

「分かったかい、溶け込んでいくことの意味が」

のろりと腰を椅子から上げ、僕は無表情な薄茶色の面と対峙した。

「気球とピエロに見えたよ」

と、僕は云った。

「赤い気球が夕焼け空から降りてきて、白いピエロが子供たちにお菓子を配って……で、『大当たり』の出た子を一人連れていってしまった」

「そのように見えたんだね、君には」

キツネはくいっと頷いて、

「もちろんそれでいいんだよ。君が見たものは真実さ。君にとっての、唯一のね」

「『溶け込んでいく』というのは？」

僕はいくらか語勢を強めて、

「ピエロに連れていかれたあの子が、もしかしてその、『溶け込んでいく』ために選ばれた……」

「そうそう。そのとおり」

云って、キツネはくつくつと笑う。

「さすがに大人は察しがいいねえ」

「どういうことなんだ。あの子が選ばれて連れていかれて、それでいったい」

「溶け込むのさ」

キツネは平然と答えた。

「溶け込んでいくんだよ、ここに。この〝世界〟そのものに」

そこまで云われてもまだ、僕には充分に理解できなかった。この〝世界〟そのものに溶け込む？　それは何を意味するのか。それによって何が起こるというのか。

「知りたいかい」

キツネはゆっくりと首を斜めに折りながら、

「知ることが、そんなに大事かい」

「…………」

「珍しいお客様だからねえ、教えてあげようか」

「そうそう」

と相槌を打つ声が、いきなり背後から聞こえてきた。見ると、小屋の奥に同じ黒装束の、二人目のキツネが立っている。

「子供たちは、いくら話して聞かせても分からないからねえ」

「教えてあげようか」

と、一人目のキツネが繰り返す。

「ここがここでありつづけるために、何が必要なのか」

と、二人目のキツネが続ける。

「大当たりを引いて連れていかれた子供が果たす、大切な役割を」

「君が知っている言葉を使って表わすのは、ちょっと難しいけどね」

「難しいんだけどね」

僕はそろそろとテーブルから離れる。そして小屋の入口と奥、両方が視界に収まる壁際まで身を退けた。

「溶け込むのは、あの子たちの存在が」

一人目のキツネがそう云った。

「溶け込むのは、この〝世界〟そのものに」

二人目のキツネがそう云った。

「あの子たちの存在が、この〝世界〟そのものに溶け込む、溶け込んでいくのさ」

「あんなふうにして一人ずつ選ばれて、少しずつね」

「そうすることで、ここはいつまでもここでありつづけられるのさ」

「そうすることで、この〝世界〟が存続するための力が供給されているのさ」

「ねえ君、分かるかい」

「分かるよね」

僕は何とも答えあぐねた。

子供たちの「存在」が「〝世界〟そのものに溶け込む」こと、それによってこの〝世界〟の存続が支えられている。——云わんとしているところは何となく分からないでもない。だが、具体的なイメージを掴もうとすると、そこで出てくるのはどうしても、決して手放しで歓迎したくはないような、忌まわしいニュアンスを含み持った言葉や概念ばかりなのだった。

「要するに、それは」

胸の底に澱みはじめている冷え冷えとした感情を自覚しながら、僕はキツネたちに問いかけた。

「子供たちが、一種の生け贄になっているということ？　ここがここでありつづける、そのために、彼らが彼らでなくなっていく……みたいな？」

「溶け込んでいくんだよ」

「〝世界〟の一部になっていくんだよ」

「わたしは、ぼく」

「ぼくは、わたし……」

「ね、分かるだろう？」

「分かるよね」

「そうしたら——そうなってしまったら、もう元には戻れないわけ？」

レンゲの野原で遊んでいた子供たち。あの中に混じっていた、あの薄い影、遅い影。彼らは皆、きっとサブロウと同じようなあの異様な目の色をしていて、それは恐らく、彼らがあの「大当たり」を引いてピエロに連れていかれたせいで生じた変化なのであって……。

あんなふうになってしまうのが、「溶け込む」ことの結果なのか。少しずつ溶け込んでいって、その存在がこの〝世界〟の一部になっていって……そうして最終的には、いったい彼らはどうなってしまうのだろう。

「いったん溶け込みはじめたら、元には戻れないんだよ」

と、一人目が僕の質問に答えた。二人目があとを受けて、

「そうそう。もう絶対に、元には戻れないんだよ。それがここでの決まりなのさ」

「…………」

「いつか君にも、大当たりが回ってくるかもしれないね」

「次の『今日』からは、ちゃんとお菓子を貰うようにね」

僕は絶句し、知らず両手の拳を握りしめていた。拳の中には、じとりと不快な汗が滲んでいる。首筋や腋の下にも、同様の汗が。キツネたちはそれぞれの立つ場所で微動だにせず、そんな僕の様子を見つめていた。

「もう一つ教えてほしいんだけれど」

内心の動揺をどうにか抑え込みつつ、僕は訊いた。

「ここからは、どうやったら出られるんだろう。どうすればここを出て、元の居場所に」

「帰りたいのかい」

一人目のキツネが、咎めるような調子でそう云った。

「せっかくここへ逃げ出してきたのに、帰ってしまいたいのかい」

二人目のキツネも、咎めるような調子でそう云った。

「あ、いや」

警戒、の二文字がとっさに頭を掠めた。僕は曖昧に首を動かしながら、

「別にそういうわけじゃあ……」

「帰るのはね、簡単なことさ」

「そうだよ。簡単なことだよ」

「——と云うと」

「心の底からここを出ていってしまいたいって、そう思えばいいのさ」

「ここから出ていきたい、元の世界に帰りたい、ってね。心のすべてがそう思いさえすれば……」

「それで……それだけで？」

「ただしね、少しでも溶け込んじゃってる子は駄目だよ」

「そうそう。もう〝世界〟の一部になっちゃってるんだからね」

「たとえ帰れたとしても、きっと溶けちゃってるよ」

「溶けちゃうよ、どろどろに」

「どろどろにね」

「そんな……」

「君はまだ大丈夫だけどね」

「大丈夫だよ、君は」

「でも、ねえ君」

と云って一人目のキツネが、壁際に佇む僕の前へ音もなく足を進める。上体を屈め、斜め下から僕の顔を視線で舐め上げながら、る。

と、続いて二人目のキツネが同じように足を進め、同じように僕の顔を視線で舐め上げ

「ねえ君」

「本当に君、帰りたいの？」

「それは……」

「帰りたいのかい、あんなところに」

「ここでは誰もそんなこと、思わないよ」

「思うはずがないんだよ」

「ここはこんなに楽しいところだから」

「ずっとここにいて、永遠の『今日』で遊びつづけるのさ」

「何も考えなくていいんだよ」

「何も思い悩むことはないんだよ」

「……ああ」

「そのどこが嫌なの」

「どこがいけないの」

どうしても反論の文句を返せないまま、僕は幾度もかぶりを振る。催眠術めいたキツネたちの囁き（ささや）きを払いのけようとするように、強く。

「ねえ君」

次にその声が聞こえた時、二人のキツネは一瞬にしてまた一人に戻っていた。

「生きているのは楽しいかい」

「……………」

「生きているのは楽しい？」

「……やめろ」

「生きているのは……」

「ああ……やめろ。やめてくれ」

力なく声を絞り出して、僕は両手で耳を塞ぐ。同時に両目を固く閉じ、壁に背を付けてそのままずるずると腰を落とした。

第15章

1

……目を開くと、それまでとは世界が変わって見えた。

小ぎれいに片づいた小屋の中。その造りや広さに変化はないが、建物を構成する壁や床や天井、置かれたテーブルや椅子、それらのすべてが、何だかさっきまでとは色合や質感の異なるものに見えるのだ。故障中のカラーモニターに映し出された、色調バランスの狂った画像のように。

黒装束のキツネ面は姿を消していた。

僕はのろのろと立ち上がり、背を預けていた壁に目を近づけてみる。そして思わず、「ぐっ」と声を洩らした。

さっきまではごく普通の木材でできていたはずの壁が、何やら異様な、木材とは呼べないような素材に変わってしまっていた。重病人の皮膚を思わせるような、薄汚れた土気色の表面。鈍い光沢を含んだ、蠟のような質感。木目に代わって、赤黒い色をした細い管のようなものが、ぐねぐねと波打ちながら随所に走っている。触ってみると、触感も明らかに違っている。木の硬さではなく、ぶよっとした妙な弾力があるのだ。

……何だ、これは。

足許に目を落とすと、床板も同じようなありさまだった。さっきまでとは違う異様な色合、そして質感。踏みつけるとこれも、ぶよぶよと妙な弾力が感じられる。

何だ、これは何だこれは。

恐る恐る足を踏み出し、中央のテーブルに向かう。そのテーブルも、まわりに置かれた椅子も、顔を寄せて確かめてみるまでもなく、壁や床と同様の変化を来たしていることが分かった。

テーブルの天板には小さな瘤のような隆起がいくつも生まれていて、触ってみるとやはり弾力がある。薄汚れた土気色の素材は半透明で、よくよく見てみるとその奥では、無数の赤黒い管が複雑に絡み合っている。管の隙間のところどころに、何かしら動物の臓器めいた気味の悪い影が見え隠れしているのも、分かる。

椅子の様子も、それと似たり寄ったりのものだった。テーブル上のランプはと云うと、これはひどく変形してしまっていて、全体がまるで蠟細工の髑髏のように見える。煤けた黄土色の〝殻〟に穿たれた、楕円形の二つの穴。その向こうで、紫色の炎がちろちろと揺れている。

総じてそれらは、生理的な不快感・嫌悪感を強く催させるものばかりだった。ここに来てから周囲のたいがいのものたちに対して抱いてきた印象とは、まるで正反対の。

天井を見上げても、格子の嵌まった窓を見やっても……どこを見ても同じだった。どれもが気持ちの悪い、醜悪なものに見えた。そういった変化がまったく生じていないのは、デイパックに例の「お守り袋」にヘルメット……僕がここに持ち込んだいくつかの品々だけか。

テーブルのそばに佇んだまま、しばらく慄然と周囲を見まわしているうち、今度はどこかから、異様な物音が聞こえてくるような気がしはじめた。

異様な物音……いや、何者かの〝声〟だろうか、これは。

かすかに。途切れ途切れに。哀しげに。苦しげに。……ああ、これは。

魂を抜かれた亡者の呻きのような。生きたまま徐々に生命を奪われていく者たちの喘ぎや啜り泣きのような。そんなふうに、僕には感じられた。

全身に鳥肌が立ちはじめていた。

これはきっと、この建物自体から発せられる〝声〟なのだ。壁から、床から、天井から、テーブルや椅子から……。

そう直感するや、いきなり猛烈な吐き気が込み上げてきた。我慢できず、その場で吐いた。苦く酸っぱい液体が、口許に押し当てた右手の、こわばった指の隙間からぼたぼたと滴り落ちた。

もつれる足で、僕は窓に駆け寄った。格子の間から外を見ると、暗い空に浮かんだ半円形の月が、その光が、血にまみれたように赤く染まっていた。まるで月自体が流血しているようにも見えた。

そんな尋常ならぬ事態に直面して、僕の心は混乱の極みにあった。何とか冷静に状況を分析しようともしたのだけれど、驚きと焦りと、そして激しい恐怖の方が先に立ってしまって、とてもそれどころではなかった。

ひょっとしてこれが、「溶け込んでいく」ということの実態なのか。

混乱の中で、僕は解釈のすべを探した。

「〝世界〟そのものの一部になる」ということの、これが意味なのか。

生け贄（いけにえ）、という忌まわしい言葉が、おもむろにまた脳裏をよぎる。生け贄。この特殊な〝場〟を存続させるために供される、子供たちの生け贄。この〝声〟は、彼らの呻きなのか。彼らの喘ぎ、彼らの啜り泣きなのだろうか。

……いや、しかし。

これは――これらはあくまでも、僕が「そのように思うから、そのように見えている」

だけの像であり、「そのように聞こえている」だけの音なのだろう。キツネはそう云うに違いないし、それはきっと、確かにそのとおりなのだろうと思う。

実際には、いま僕の目に映っているような形でこの〝世界〟が在るわけではない。建物の壁や床やテーブルが、あたかも人間の肉体を取り込んだ素材でできているかのように見えるのは、「〝世界〟に溶け込んでいく」とか「〝世界〟そのものの一部になる」とか、そんなキツネたちの言葉によって引き起こされた、僕自身の主観的イメージがそのようなものだったからという、それだけの話にすぎないのだろう。――と、何とかそこまでは自分に云い聞かせることもできるのだけれど。

現に今、この目に見えるのはこのおぞましい〝物〟たちであり、この耳に聞こえてくるのはこの悲痛な〝声〟たちなのだ。いくら理屈で否定しようとしてみても、それらはいっこうに元に戻ってはくれない。消え去ってはくれない。

僕は窓辺を離れ、再びテーブルのそばに立つ。いつまた嘔吐の発作に襲われるか知れないような、最低最悪の気分だった。徐々に大きくなってくる〝声〟は耳の奥から脳の中心にまできりきりと響き込み、この〝世界〟そのものに対する嫌悪と恐れをいっそう煽り立てた。

「どうしたんだい、そんなに怖い顔をして」

突然また、背後から聞こえてきた声。

「ねえ君」

下唇を強く噛みながら、僕は振り返る。黒装束のキツネが一人、さっきと同じ小屋の入口付近に立っていた。

「生きているのは楽しいかい」

相も変わらずの、無表情な薄茶色の面。相も変わらずのくぐもった声。——そのとき初めて、僕はそこに純粋な恐怖を覚えた。目の前にいるそれが、得体の知れない化物に見えた。この〝世界〟に潜在する悪意の、邪悪の根源に思えた。

激しい衝動が、心と身体を貫いた。

僕はテーブルの端に置いてあった「お守り袋」に飛びつくと、その中に腕を突っ込み、手に触れたプライヤーを引っ張り出した。重さと云い硬さと云い、充分に武器として用をなす代物だ。

「おやおや、どうしたんだい」

キツネが僕の背中に問いかける。

「何か勘違いをしているのかな」

僕は一言も返さぬまま、取り出したプライヤーを右手に握りしめると、振り向きざまにそれを、こちらを向いて立っているキツネめがけて投げつけた。銀色の凶器はいびつな回転を見せながら宙を飛び、狙いどおり相手の顔面を直撃した。鈍い音が弾けて面が割れ、呆気(あっけ)ないほど見事に後方へ吹っ飛んだ。そして——。

そして、吹っ飛んだ面の下から現われたものを見た途端、

「うわっ」

僕は引きつった声を上げた。

「何だ、お前……」

面の下には闇があった。果てしもなく深い、果てしもなく真っ暗な、まさに闇そのものが、本来その者の顔や頭があるべき位置に、まるで小さな暗黒星雲さながらに浮かんでいるのだ。

ああ、こいつが？

僕は全身を震わせた。

これは、こいつは……顔がない。そして、そうだ、この真っ黒な衣装も。

こいつが、母さんたちを襲ったあいつの正体だったのか。「ここ」でいずれ母さんを襲い、あの子供たちを惨殺することになるあいつの……。

「何をそんなに驚いているんだい」

その闇の中から平然と響き出す、くぐもった例の声。

「こんなまねをしても、何にも意味がないのにね」

気を奮い立てて闇を睨(にら)み据え、僕は「いや」と呟(つぶや)いて唇を引きしめる。

——分からないのかい。

「そんなことは……」

「ねえ君、まだ分からないのかい」

——君はこんな……。

「ねえ君、まだ君はこんな……」

「もういい」

吐きつけるようにそう云うと、僕は再びテーブルの「お守り袋」の中を手探った。そうして目当ての物を右手に握り取ると、ほとんど我れを忘れて相手に飛びかかっていった。

「困ったものだねえ」

顔のないそいつは、なおも平然と云う。

「帰りたいんだったら、別に止めはしないんだよ。本当に帰りたいんだったらね。君が心からそう望むのなら」

「黙れ」

短く叫んで、僕は右手を振りかざす。相手に切りかかるため、親指に力を込める。——と、まさにその時だ。

キチ、キチキチ……

あの音が、間近で響いた。

「えっ？」

瞬間、僕はわけが分からず、その場に凍りついた。

今の音、この音……これは？

ショウリョウバッタが飛ぶ時の、あの羽音？――いや。

そうじゃない。そんなバッタなどどこにもいない。どこにも存在しないのだ。

キチキチ……

これは、この音は、バッタの羽音ではない。これは今、他ならぬ僕自身の右手から響き出してきた音であって……。

その正体を確かめ、そうして視線を元に戻した時、キツネの面を被（かぶ）っていた何者かの姿はもはや、その場から跡形もなく消え失（う）せていた。

振りかざした右手を下ろし、僕は呆然（ぼうぜん）とテーブルの方を振り返る。そこに置かれた自分の持ち物に目をやる。

背負ってきたデイパック。叔父（おじ）が持たせてくれた「お守り袋」。銀色のヘルメット――黒いスモークシールドが付いたフルフェイスの。その中に収められた黒い革手袋。

ああ……そんな。

肩に引っかけていたジャンパーが、いつのまにか振り飛ばされて床に落ちている。雄喜が貸してくれた黒い厚手の革ジャン。土や埃（ほこり）でずいぶんと汚れている。

みずからの下半身に視線を下ろすと、穿いているのは汚れた黒いジーンズ。履いているのは汚れた黒いウォーキングシューズ。

「そんな……まさかそんな」

声に出してそう呟いてはみたけれど、その時にはもう、僕には分かってしまっていた。

理屈ではなく直観として。推測ではなく確信として——。

ようやく僕には、すべてが分かってしまったのだった。

2

赤く濡れた月光の下、僕は再び長い石段を登り、鳥居をくぐり抜ける。

レンゲの花があんなに咲き盛っていた野原は今、僕の目にはそうは映らない。レンゲや菜の花はおろか、雑草や灌木の一本も生えていない、広大な荒れ地のようにしか。そんな中を独り歩き、めざす先は、子供たちが「お城」と呼ぶ一方で、僕にはどうしても例の「香水工場」にしか見えない、あの大きな建物だった。

革ジャンを着、デイパックを背負い、左手には手袋の入ったヘルメットをぶら下げている。「お守り袋」に入っていた懐中電灯を取り出してはあったが、月明りのおかげで視界は思いのほか明るくて、単に外を歩きまわる分にはそれを使う必要もなかった。

建物までは結構な距離があったように思うけれども、実際のところそこに辿り着くまでにどのくらいの時間がかかったのか、よく分からない。時計が使いものにならないせいもあるし、僕自身が持つ時間感覚が果たして信用に足るのかどうかといった問題もある。ともあれ、この「結構な距離」を歩くのに要した相応の時間の後、僕はその建物の入口と思しき、頑丈そうな灰色の二枚扉の前に立つこととなった。

幸い扉は夜間も開放されていて、侵入者を阻もうとはしなかった。見た感じスチール製の扉のようだったが、通常よりもだいぶ低い位置に突き出した半円形の把手を握ってみて僕が感じたのは、とても鉄とは思えない異様なものの感触だった。小屋の木材がそうだったように、この建物を構成する物質もまた、僕の主観においてはやはり、「生け贄」となった子供たちの生命力や魂を取り込むことによって生成された、忌まわしくもおぞましい何らかの素材であるように感じられてしまうのだ。

建物の中には湿っぽい闇が澱んでいた。

懐中電灯を点け、ささやかなその光を頼りに廊下を進む。

内部の構造はもちろん分からないし、子供たちがこの「お城」のどこでどのようにして夜を過ごしているのかも知らない。だが、躊躇している場合ではなかった。とにかくまず、直感に従って動くしかない。それで駄目な時には、すべての部屋をシラミ潰しに調べる必要もあるだろう。

天井の高い、幅広の廊下。足許のところどころに油の浮いた水溜りができていたり、汚れた壁面を何本ものダクトやチューブがうねうねと這っていたりするさまは、僕が漠然と抱いていた「廃工場」のイメージとほとんどたがわぬものだった。

歩を進めるたび、靴音が硬く反響する。誰かにあとをつけられているように思えて振り向くことが二度三度とあったけれど、すべて気のせいだと分かった。

途中で分岐があっても、とりあえず無視して行くことにした。メインの廊下を――何となくそれはわずかに上りの傾斜を含んでいるような気がしたのだが――まっすぐに、奥へ奥へと進む。途中、幾度か立ち止まって耳をそばだててもみた。この建物から、いや、この〝世界〟全体から継続的に聞こえてくる例の呻きや喘ぎの〝声〟には、もう心が慣れてきていた。それらとは別に、今ここにいるはずの子供たちの生の声を、気配を、僕は躍起になって探った。

目的の場所は結局、長い廊下を突き当たりまで行ったところで見つかった。入口と同じ灰色の二枚扉とそこで出遇い、思わせぶりに突き出した半円形の把手に手を伸ばそうとしたその時、扉の向こうからそれが聞こえてきたのだ。

何人もの子供たちの、いくつにも重なり合った話し声、はしゃぎ声。それから、はっきり声としては聞き取れないような、微妙なざわめきも。懐中電灯を消して見てみると、扉の隙間から淡い光が洩れ出してきてもいる。

……ここか。

僕は深呼吸をし、扉を開けた。

六角形か八角形か、恐らくそういう形をしただだっ広い部屋が、そこにはあった。学校の講堂とか体育館とか、そのくらいの面積は悠々あるだろう。三階分ほどが吹き抜けになったその大ホールの、二階部分の内壁に巡らされた回廊に出る、それは扉だったのだ。

忍び足で中に踏み込み、ぐるりと視線を巡らせてみる。入ってきたのと同じような灰色の扉が、回廊の壁面には等間隔で何枚か並んでいた。一階部分にも、同様の間隔で並んだ灰色の扉が見える。正多角形のこの大ホールはこの建物の中心にあって、ここから何本もの廊下が放射状に外側へ延びていて……と、そんな構造がおのずと頭に浮かんだ。

回廊の手すりに胸を寄せ、僕は下を覗き込む。広々とした、しかしひどく殺風景な――と僕の目には映る――フロアに、大勢の子供たちの姿があった。

あちこちに散らばり、少なくて二人、多くて七、八人のグループになって話をしたり遊んだりしている者たちもいれば、独りきりで何かをしている者も、何もせずにぼんやりと坐っている者もいる。横になって眠ってしまっている者も、幾人もいる。

……あの子は？　カツヤは？

手すりから半ば身を乗り出しながら僕は、その居場所を探し、やがて見つけた。

この位置から見て正面やや右手奥の、あの壁際に集まった一団。あそこにいる、あの子

がカツヤではないか。青い半袖シャツを着ている、肩に掛かったサスペンダーも見える
……そう、間違いない。あれが——。

カツヤ。四十五年前の母、由伊。

「……母さん」

僕は低く呟いた。

「母さん、僕は……」

僕は、僕がこれから何をなすべきかを知っている。僕にはもう、すべてが分かってしまっている。——が。

本当にそれでいいのか。それで僕は後悔しないか。

最後にいま一度、詮ない自問をしてみる。

もしも僕が何もしなければ——そういうことが許されるならば——、果てしなく繰り返される「今日」のどこかでカツヤは、母さんは、例の「大当たり」を引くことになるだろう。これはあくまでも確率の問題だ。ここにいる子供たちがたとえば七十人なら、毎回七十分の一の。子供の数が増えればそれは低くなるし、減れば高くなる。「大当たり」を引いて連れていかれた子供も、ほどなく戻ってきてまた母数に加わることになっているようだし、新たにここへ迷い込んでくる者が絶えることもないのだろうし……そう考えると、非常に高い確率でというわけでもない。しかし、それでもいつかは必ず、彼女が金色の印

を引き当てる「今日」は来るだろう。

そうして彼女が、この〝世界〟に溶け込みはじめたら——。

その瞬間に起こるであろう事態を、予測するのは簡単だ。

キツネ面の話を信じるとすれば、いったんそれが始まるともう絶対に元には戻れないのだ。彼女は永久に「ここ」に引き留められ、繰り返される「今日」を生きつづけなければならないわけで……するとその瞬間に、この僕、波多野森吾という人間の存在自体が、根本から消滅してしまうことになりはしないか。僕だけじゃない。水那子も水那子の赤ん坊も、そしてもちろん当の彼女、母さん自身の一九五四年以降の未来も、一九九九年時点の現在も。

その方が良いのだろうか、とも思うのだ。

その方が良いのではないか。元の世界で今、母さんはあの病室に独りいて、あの忌まわしい病によってすっかり本来の自分自身を失い、失いつづけ、失い尽くし、ぼろぼろに朽ち果てて死んでいく定めにある。その苦しみ自体が、そもそも完全に存在しなくなってしまうのだから。

僕にしたって同じだ。

元の世界でさんざん思い悩み、恐れつづけてきた問題の一切から、きれいさっぱり解放されるのだ。言葉の真の意味で「消えてしまう」ことができるのだ。そうなるまでの間はただここで、ここを究極の〝楽園〟だと感じられるように心を持ち直して、よけいなことは何も考えずに「今日」を過ごしつづければいい。子供たちと一緒になって戯れていればいい。そこには何の苦しみも煩わしさもない。悲しみもない、不安もない。何の痛みも、何の恐怖もなく……。

……と、今さらこんなふうに思案してみたところで、実際にはそのような選択肢は決してありえないのだということを、僕はとうに理解している。どちらを望むか、などという問題ではない。そういったレベルの選択が許される問題では、これはない。決してないのだから。

どんな未来も、ここではまだ始まっていない。けれどもその形はすでに決定されてしまっている。変えてはいけない。たとえ変えようとしても、変えられない、変えられるはずがない。改変不能の、それは冷ややかな運命なのだ——と、僕には分かる。分かってしまっているのだから……。

だから、そう、今から僕が取るべき行動はただ一つしかない。もはやどこにも逃れることはできないのだ。

3

もう一度フロアの様子を眺め渡し、カツヤのいる場所を確認したあと、僕はそのための準備に取りかかった。

背負っていたデイパックを足許に下ろし、サイドポケットに入れてあった使い切りカメラを引っ張り出す。それを革ジャンの左のポケットに収める。「お守り袋」に入っていた例の物は、先ほどキツネ面に飛びかかった際に取り出したまま元の袋には戻さず、右のポケットに忍ばせてあった。懐中電灯は念のため、ジーンズの尻(しり)ポケットに差し込んでおくことにする。

デイパックはその場に残していこうと決めて、左腕に掛けていたヘルメットをいったん置き、ジャンパーの前合わせのファスナーをいっぱいまで引き上げる。それからヘルメットを被(かぶ)り、しっかりと顎紐(あごひも)を留めた。シールドはまだ上げたままにしておいて、両手に革手袋を嵌(は)める。——よし。これでいい。

薄暗い回廊を忍び足で歩きだした。カツヤたちがいる、正面やや右手奥のその場所に向かって、時計とは逆回りで。

回廊とフロアとを結ぶ階段は、数えてみると全部で六本ある。僕が目星を付けたのは、目的の場所の十メートルほど手前に下りる一本だった。

その階段の上まで行き着いたところで、僕はヘルメットのシールドを下ろした。薄暗い視界がさらに暗くなったが、行動に支障を来たすほどのものではなかった。

慎重に階段を降りる。いくら足音に気をつけても、完全には消えてくれない。カッ、カッ……という硬質な音が、速鳴る心臓の鼓動に覆い被さるようにして響く。滲み出してくる若干の焦りを抑え込みながら、やがて僕は、子供たちが集まる一階のフロアに降り立った。

すでに僕の姿に気づいている子供も、中にはいるに違いない。だが、彼らは別に騒ぎ立てる様子もない。自分たちに危害を加えるかもしれない〝怪しい者〟への警戒心を、彼らはたぶん持ち合わせていないのだろう。元々は持っていたとしても、とうに失ってしまっているわけなのだろう。彼らにとって「ここ」は、何も心配したり恐れたりする必要のない〝楽園〟なのだから。

カツヤのいる場所に向かう途中、幾人かの子供たちのそばを通り過ぎた。僕の方に顔を上げても、表情には何ら変化がない。まるで気にも留めていないふうなのだが、そんな彼らの目はことごとく、バニラアイスにオレンジのシロップをまぶしたような例の色をしている。シールドを透して見ても、はっきりとその異様さが分かった。

その中には、見憶えのあるサブロウの顔もあった。ピエロに連れ去られていったミカも、ひょっとしたらもう戻ってきてこのホールのどこかにいるのかもしれない。

そうして僕は、目的とする場所に辿り着いた。ほんの何メートルか前方に、土気色の壁に背をもたせかけて床に坐り込んでいるカツヤの姿があった。

革ジャンの左ポケットからカメラを取り出す。チャージスイッチをオンにしてパイロットランプの点灯を確かめると、僕はそれをカツヤの方に向け、シャッターボタンを押した。

かすかなシャッター音と同時に、内蔵のフラッシュが白く瞬く。

——光が。

びっくりして瞼を閉じたり、手で顔を覆ったりする子供たち。

——真っ白な閃光が。

手早くフィルムを巻き上げ、続けて二度目のシャッターを切る。目も眩む閃光が、そしてまた、あたりを真っ白に瞬かせる。

いったい何ごとが起こったのかと、付近にいた子供たちはみんなきょとんとしている。カツヤの反応も、もちろん同様だった。

突然に降りかかる真っ白な閃光。——そう。これが、それだ。

唯が咲谷家の屋敷の前で思いついたあの考えは、正しかったのだ。

——そっくりだと思わない？　カメラのフラッシュって、大きな音は伴わずに、いきなりピカッて光るでしょ。突然に降りかかる真っ白な閃光……違うかな。

あのとき彼女が指摘したとおり、母が恐れる「白い閃光」とはカメラのフラッシュのことだった。しかも、他のどれでもない、まさにあのとき彼女がその手に持っていたこの使い切りカメラの。

　カメラを元のポケットに戻すと、僕は急いで次なる行動に移った。右のポケットに手を突っ込んで、そこに忍ばせてあった物を引っ張り出す。叔父の「お守り袋」に入っていた、あれだ。あの大型のカッターナイフだ。

　カツヤは同じ場所に同じ姿勢で坐り込んだまま、まん丸く見開いた目をこちらに向けている。今はまだ、ただただ呆然としている段階だろうか。それとも、見慣れぬ闖入者のおかしなふるまいに、多少の怯えを感じはじめてはいるのか。

　いきなりの閃光とともに出現したこの僕の姿が今、あの子のあの二つの目にはいったいどのように映っているのか。僕にはありありと想像できる。

　汚れた黒い革ジャンを着、汚れた黒いジーンズを穿き、汚れた黒い靴を履き、汚れた黒い手袋を嵌めた……正体不明の何者か。池のほとりで出会った「おにいさん」と同一人物だとは、よもや気づくはずもない。あのとき僕はこの革ジャンを着ていなかったし、手袋を嵌めてもいなかった。それに、そうだ、こんなヘルメットで顔を隠してもいなかったから。

　汚れた黒い服を着た何者か。

そして、そいつには顔がない。

フルフェイスのヘルメットを被り、黒いスモークシールドを下ろした僕のこの姿は、幼いあの子の目にはきっとそのように映り、心に焼き付こうとしているに違いない。

こういった仕様のヘルメットが一般のバイク乗りに広く使われるようになったのは、思うにせいぜいこの二、三十年のことだろう。少なくとも四十五年前の、母さんの子供時代には、こんな奇妙なものを頭に被った人間が姫沼の町をうろうろしていたわけがない。一度として見たことなどなかったはずだ。だから……。

大きな銀色の仮面をすっぽりと被り、しかも顔の部分は黒いシールドで覆われてしまっている。そんな異様な風貌を生まれて初めて間近に見て、母さんは——今そこにいる五歳のカツヤは、「そいつには顔がない」というふうに思った、思ってしまった。——要はそういうことだったのだ。

カッターナイフを握った右手の親指に、僕はじわりと力を込める。心臓の鼓動は激しい興奮を伝えているが、それとは裏腹に、僕の心の芯は氷よりも冷たく冷えきっていた。

一番手近にいた三、四歳の男の子が、最初の犠牲者となった。僕は左手でその子の腕を摑むと、有無を云わさずこちらに引き寄せる。驚いて身をよじらせる男の子の顔が一瞬見えたが、そこには例の異様な色をした目があった。すでに溶け込みはじめている子供なのだ。

僕はカッターの刃を押し出した。

キチ、キチ、キチキチ……

その音を、薄暗くだだっ広いこの空間の、極限的に張りつめた空気が、僕自身もたじろぐほどの大きさに増幅して轟(とどろ)かせた。

キチキチキチキチキチ……

めいっぱいまで押し出したナイフの刃を、男の子の喉(のど)に押し当て、ぐいと力を入れて引いた。柔らかな白い皮膚が長く深く切り裂かれ、びゅうと鮮血が噴き出した。「ひぃぃ」と、おもちゃの笛の音のようなかぼそい声を洩(も)らし、男の子は呆気(あっけ)なくその場にくずおれた。

これが僕の殺戮(さつりく)の、実質的な幕開けとなった。

びくびくと弱々しい痙攣(けいれん)を続ける男の子の腕から手を離すと、僕は血に濡(ぬ)れた刃をいったん柄の中に引っ込める。キチキチ……と、そこでまた例の音が響く。

愕然(がくぜん)と立ち尽くす子供たちの一人を、すかさず捕まえた。今度は四歳くらいの女の子。やはり異様な目の色をしている。

再びナイフの刃を押し出すと、右の首筋の、頸動脈(けいどうみゃく)のあたりに狙いを定めて切りつけた。一人目の男の子よりも勢い良く鮮血が噴き上がり、同時に鋭い叫び声も迸(ほとばし)った。暴れられないように抱え込んでいた身体(からだ)を突き放すと、女の子は泣き声混じりの悲鳴を長々と発しつづけながら、断末魔のでたらめなステップを踏みはじめる。

さすがに事態の異常性・危険性を思い知ったのだろう、あたふたと逃げ惑いはじめる子供たちの間に飛び込んでいくと、僕はあらん限りの気力を絞り集めてナイフを振りまわした。血みどろの刃は凶暴に冷酷に宙を舞い、顔や首や肩や腕や手や胸や腹や背や足や……子供たちの小さな肉体の、ありとあらゆる部分を傷つけていった。

ひとしきり肉を切り裂いては刃を引き戻し、すぐにまた押し出す。凄惨な殺戮劇の舞台と化した薄暗い空間をそのたびに震わせる、独特の硬質な音響……。

……独特の、硬質な、この音響。この音。この……ああ、そうなのだ。この音だったのだ。母さんがあれほど恐れつづけている「バッタの音」の正体は。

——バッタが。

——バッタの飛ぶ音が。

いつか何かで、読むか見るかした憶えがある。そもそもカッターナイフというこの道具は日本において発明されたもので、それは確か一九六〇年前後のことで……と。

つまり四十五年前、母さんが五歳の頃にはまだ、世の中のどこを探しても、刃を出し入れする際にこんな音を立てるナイフなど存在しなかったのだ。だから、だからこそ——。

この独特の硬質な音を初めて聞いた時——まさに今がそうなのだが——、母さんはとっさに、自分が知っているそれとよく似た音をそこに結びつけてしまった。それがすなわち、ショウリョウバッタが飛ぶ時に鳴るあの羽音だったのだ。

4

幾人もの子供たちの身体を黙々と切り裂きながら僕は歩を進め、やがてついに、壁際に坐り込んだカツヤの前に立った。

小刻みにその肩が震えているさまが、黒いシールド越しに見て取れる。ショックのあまり立ち上がることさえできないでいる、というふうに見えた。

キチ、キチ……

ナイフを構えながら、僕はゆっくりと足を踏み出す。あたりには傷ついた子供たちの泣き声や呻き声が渦巻いている、噎せ返るような血の臭いが立ち込めている。カツヤは眦が裂けそうなほどに大きく目を開き、迫ってくる「顔のない殺人者」を見つめている。そこには当然ながら、激しい怯えの色がある。激しい恐れの色がある。

……もっと。

もっとだ、母さん。

僕は心の中で命ずる。

あなたはもっと怯えなければいけない。あなたはもっと怖がらなければいけない、恐れなければいけない。

この僕に、この残忍な殺人鬼の姿とふるまいに、もっともっと激しい恐怖を感じ、この禍々しい殺戮の場から逃げ出さなければいけない。いや、この場所からだけではない。こんなにも恐ろしい殺人鬼が徘徊するこの〝世界〟そのものから、あなたは一刻も早く逃げ出さなければいけないのだ。

もっとこの僕を怖がって、もっともっとこの僕のこの姿に激烈な恐怖を感じて……そうしてこんなところにいるのはもう嫌だと、絶対に嫌だと、心の底からそう思わなければいけない。二度ともうこんなところには来たくない、こんな恐ろしい目には遭いたくない、と思わなければならない。さもないと……。

僕の祈りに応えるかのように、ようやくカツヤが立ち上がった。おぼつかぬ足取りでそして、背後の壁伝いに移動しはじめる。

その先には例の、灰色の二枚扉があった。その扉の向こうには、長く延びる暗い廊下があるに違いなかった。

キチキチキチキチ……

ナイフの刃をいっぱいまで押し出し、僕は右手を振りかざす。扉に辿り着いてそれを開けようとしているカツヤに向かって、一気に躍りかかっていく。

甲高い悲鳴を上げながら、カツヤが扉を押し開く。僕はその右手の二の腕めがけて、汚れた刃の切っ先を振り下ろす。

逃げろ、母さん。

心の中では懸命に叫んでいた。

逃げてくれ、早く。

僕のナイフが切り裂いたカツヤの腕から、どろりと血が流れ出した。カツヤはさらに甲高い悲鳴を上げた。恐怖と苦痛に歪んだ顔で一瞬、僕の方を振り向いたが、すぐにぶるぶると首を振り、傷ついた右腕を左手で押さえて扉の外へ飛び出した。

逃げるんだ、母さん。

逃げ出すんだ、ここから。そして……。

独り廊下を駆けだすカツヤのあとを追いかけながら、僕はひたすらに祈りつづけ、心の中で叫びつづけた。そうしながら一度だけ、吠えかかるような大声で彼女の本名を呼んだ。

「由伊ぃ！」

喚き声とも泣き声ともつかぬ声をわんわんと響かせながら、カツヤは必死で廊下を駆けていく。逃げろ、逃げろ……と血を吐く思いで念じつつ、僕もまた必死でそれを追いかけつづけた。カツヤの、母さんの小さな後ろ姿が、やがて暗く長い廊下の彼方の闇に溶けて影となり、ふいと掻き消えてしまう、その瞬間まで。

5

……気がつくと僕は、狭い路地の入口に独りきりで佇んでいた。

周囲に人の気配はなかった。路地の奥にはねっとりと闇が澱んでいたけれど、よくよく目を凝らすとそこは数メートル先で行き止まりになっており、煙草の吸い殻だの菓子の包み紙だのが、黒い土が剝き出しになった地面にぽつぽつと散らばっていた。行き止まりの薄汚れた塀の手前には倒れたゴミ箱があり、そしてその横に、見憶えのあるデイパックが転がっている。

……ああ、あんなところに。

拾いにいこうとして一歩、路地に足を踏み込んだ時、どこかで単調な電子音が鳴りはじめた。携帯電話の着信音、か。

右手に握りしめていたカッターナイフを革ジャンのポケットに突っ込むと、僕は被っていたヘルメットを脱ぎ、嵌めていた手袋を外した。音は、ゴミ箱の横に転がったデイパックの中から洩れ出しているようだった。

のろのろと路地の奥まで足を進め、デイパックを拾い上げた。サイドポケットから銀色の携帯電話を取り出し、通話ボタンを押す前に液晶画面の時刻表示を確かめた。

午後九時二分。

「――はい」

応答に出ると、

「あ、波多野君？」

聞こえてきたのは唯の声だった。

「もう……どこに行っちゃったのかと思って心配したよ」

「――ああ」

「『七色の秘湯』巡りをして戻ってきてみたら、部屋はもぬけの殻だし、荷物もバイクもなくなってるし」

「ああ……ごめん」

「大丈夫？　まさか、何かヤバいこと考えたりしてないよね」

「ああ、うん。大丈夫だから。ちょっとその……」

答えながら、僕はデイパックを肩に掛けて路地の奥から引き返す。通りに出てみると、道行く人影は一つも見当たらず、営業を続けていたはずの露店もすべて閉まっていた。

「お祭りを見にいこうと思って、バイクで出かけたもののひどい雨に降られて、滑って転倒してしまって」

「転倒？」

息を呑む唯の顔が見えるようだった。

「怪我は……」

「大したことはないよ、僕は」

左肩の打ち身と擦り傷が、そこで鈍く疼いた。

「バイクはずいぶん傷んじゃったけどね。叔父さんに謝らなきゃ」

「ほんとに大丈夫なのかなぁ。——で、今どこなの。迎えにいこっか」

「何とか自力で戻るよ」

「うーん」

唯は心許なげに唸ったが、すぐに「分かった」と応え、「それから」と言葉を接いだ。

「それからね、ついさっきわたしのケータイに連絡があったの。咲谷雅英さんから」

「あの人から……何て」

「それが——」

少々口ごもったあと、唯はその事実を告げた。

「英勝さんが今夜、息を引き取られたんですって。わたしたちが帰ったあと、急に容態が悪化して」

「——そう」

「明日がお通夜らしいけど、どうする」

「…………」

答えあぐねた末、僕は何も云わずに電話を切った。そうして、今宵の祭りの賑わいなどそもそも初めからなかったかのような、閑散とした夜の街路をゆっくりと歩きだした時——。

雨がまた、降りはじめた。

唯が待つあの宿泊所に辿り着くまでには、きっとこの雨は土砂降りになって、僕の身体を汚した子供たちの血を洗い流してくれるだろう。最後の一滴まで、余すことなく。

終章

1

咲谷英勝、享年八十。

血のつながった、僕の実の祖父に当たる人物の死だったけれど、その通夜にも告別式にも足は運ばなかった。破損したＶｉｒａｇｏの件を要一郎叔父に伝えて車体の回収に来てもらい、会社勤めの唯は週明けの月曜日には東京へ帰らせたのだが――バルケッタの修理がそれまでに完了していたのは幸いだった――、僕はそのままもうしばらく柳の家に厄介になることにして、初七日が明けた翌週の日曜日、幾本かの列車を乗り継いで再び姫沼の咲谷家へと赴いた。

初めて見る実の祖父の顔は、厳めしい口髭をたくわえ、薄っぺらな唇を頑固そうな一文字に結んでいた。そんな遺影の飾られた仏間で焼香を済ませ、雅英を相手に先日の非礼を

詫び、ぎこちない悔やみの文句を述べたのだったが、

「そう云えば、波多野さん」

と、そこで雅英の方が、おもむろに話を切り出してきた。

「一昨日でしたか、この前あなたと一緒に来られたあの、出版社の娘さんから電話がありましてね」

「藍川から、ですか」

「そうです。で、いろいろと彼女から事情を聞かされたのですよ」

「――はい？」

「あなたが何故、先日あんなふうにしてこの家を訪ねてきたのか、その本当のところの理由などを」

「――はあ」

「あなたのお母さん、波多野千鶴が患っている病気に関する特殊な事情は、それで了解しました。たぶん私にも、正しく把握できていると思う」

「――はあ」

「そこで、ですね」

と雅英は、正座した自分の膝頭に視線を落としたままでいる僕の顔を見据え、ちょっと改まった調子で云った。

「母が、あなただけにはぜひともお話ししておきたいことがある、と」

「珠代さんが？」

僕はわけが呑み込めず、かと云って無下にそれを拒否することもできず、曖昧な頷きを返すしかなかったのだが。

やがて現われた英勝の後妻、咲谷珠代がそして、僕に対してとつとつと語ったこと。それは僕の母＝千鶴＝由伊の出生を巡る、意外な事実だったのだ。

「死んだこの家のみつ子さん、あの人は実は、うまずめだったのよねえ」

そんなにべもない言葉で、珠代はそれを話しはじめた。

「知っている人間はあんまりいなかったけれど、あの人はね、そもそも子供を産むことができない身体だったらしくって。もちろんそのことが分かったのは、英勝さんと一緒になったあとの話だったんでしょうけどねえ。だから、結婚して何年も子宝に恵まれなかったのはそのせいで……で、そのうち英勝さんは、以前このお屋敷に勤めていた遠縁の娘に手をお出しになってね、自分の子を孕ませておしまいになってねえ」

「それは……」

いきなりそんな大それた秘密を聞かされて、僕は呆気に取られるばかりだった。

「それが、母だったと？」

「ええ。それがあの子――勝也ちゃん、じゃない、由伊ちゃんだったの」

「勝也……」

「生まれたその赤ん坊は女の子だったけれど、英勝さんはそれを引き取って、みつ子さんが産んだ子として育てることに。勝也というのはね、幼い時分にそう呼ばれていたあの子の別名で」

「男名前で、男の子のように育てられたんですね」

「そのようにすれば次は男の子を授かるっていう、昔からの迷信があってねえ」

そう。やはりそういう事情が存在したわけか。

「だからねえ、あの子がいつもみつ子さんに辛い仕打ちを受けていたのは、そのせいでもあったんですよ。継子いじめ、なんて云ってしまうとそれだけの話になるけれど。でもあの子自身は、自分がそんな事情で引き取られた子供だなんてこと、全然知らされていなくって……」

あの池のほとりで出会った時の、カツヤのあの寂しげな面差しを、僕は思い出さずにはいられなかった。そしてまた、あれは昨年のゴールデンウィークだったか、自分は柳家の養女だという事実を母が僕に打ち明けた、あの時の会話も。

養女に出されたのはやっぱり悲しかったか、と僕が尋ねた際、彼女はこんなふうに答えたのではなかったか。

――悲しい……ううん。

——何だかほっとしたの、憶えてる。

それからまた、そのあと自分の産みの母親がすでに亡くなっていることを告げた時の、あの様子。とりたてて深い感慨があるふうでもなく、むしろ冷ややかなくらいに淡々としていた、あの……。

「それじゃあ、珠代さん」

どうにもいたたまれぬ気持ちになりながら、僕は訊いた。

「母の——咲谷由伊の本当のお母さんは、いったい」

「子供を産ませたあとは暇を出して……それで、当時このお屋敷に出入りしていた植木職人の息子さんと引き合わせてねえ、その人と一緒に」

僕は「えっ」と驚きの声を洩らした。

「と云うと、まさかそれは、柳の」

「一緒になった二人は、姫沼の町からは離れたところで……」

「その人の名前は？」

勢い込んで、僕は訊いた。

「母を産んだ、その女性の名前は何といったんですか」

「千枝さん、だったかしらねえ」

「ああ……」

千枝。――亡くなった柳の祖母。

柳家のあの和室で、仏壇の上に飾られた彼女の遺影と対峙した時のことを、僕ははっきりと憶えている。

若い時分にはたいそうきれいな人だったのだろうと思わせるその顔の、おっとりとした微笑みを見上げるうち、そこにふと母、千鶴の面影が滲んで見えたように感じた。当然の判断として僕はすぐにそれを打ち消したのだったが、あれは――あの時のあの印象は、期せずして真実を示し当てていたことになるわけなのか。

「じゃあ、そのあと母が柳家に養女に出されたのは、実のところ、母の本当の母の許へ戻されたという……」

「そういう話になるわねえ」

「その事実を、柳の祖父や母自身は？」

「知らされていなかった、と思いますよ」

珠代はきっぱりとそう答えた。

「あの人は――千枝さんは、あたしも何度か会ったことがあるんだけれど、何て云うのかしらねえ、たいそう芯のしっかりした人でね。英勝さんに対して何ら怨み言を云うでもなし、それでいて、一緒になった旦那さんのことはとっても大事にしていて……だから、そうねえ、あの人なりにいろいろ悩んだ挙句、結局は最後の最後まで、すべてはあの人だけの胸にしまっておく道を選んだんじゃないかしらねえ」

夫である柳の祖父ばかりではなく、実はみずからが腹を痛めた娘である母＝千鶴に対しても、死ぬまで秘密を守りとおした。そういうことだったのか。

「――といった次第でね、波多野さん」

傍らに退いて珠代と僕のやり取りを見守っていた雅英が、やおら口を開いた。相変わらず感情を読み取らせないその顔に、その時かすかにではあるが、柔和な笑みが滲んだような気がした。

「咲谷みつ子とあなたのお母さんの間には、血のつながりはなかったということです。当然ながら、みつ子とあなたの間にも血のつながりはまったくない。従って、仮にみつ子の患った病気が件の奇病であったとしたところで、その事実が、あなたの恐れるその病気の遺伝可能性に、何らかの有意味な関連を持つことはありえない。そんな結論になるわけで……」

……ああ、そう云えば。

何とも複雑な心境で雅英の言葉に耳を傾けながら、一方で唐突に、僕の頭には妙な思いがよぎった。

あの夜、あの路地のそばで見つけたミドリガメ。道の真ん中をのろのろ這っていた……

あれはその後、どうなっただろう。

2

　十月に入って最初の月曜日、その夕刻。

　僕は独り、T＊＊医科大学病院精神神経科病棟の母の病室を訪れた。

　日毎に病状が悪化し、今ではもうベッドに横たわったきり、みずからの意思では指の一本も動かそうとしない母。その真っ白な頭髪は、この一ヵ月ばかりでよりいっそう薄くなってきていて、ちょっと離れたところから見ても地肌の方が断然目立つ。

　ベッドの脇に置いたストゥールに腰掛けながら、僕はそんな母の、もはや完全に人間らしい表情を失ってしまった顔を見つめ、宙に向かって虚ろに開かれた目を見つめ、ほとんど言葉を発することのないひび割れた唇を見つめる。

「母さん」

　声をかけても、反応はまったくと云って良いほどない。

「ねえ、母さん……」

　わずか一年と数ヵ月の間に、こんなにもかつての輝きを喪失してしまった彼女。美しくもなければ優しくもない。微笑むことはおろか、悲しみや寂しさを表現することもない。

――〈簑浦＝レマート症候群〉、通称〈白髪痴呆〉という原因不明の奇病に冒され、日に日にその機能を失っていくばかりの彼女の脳に対して、けれども僕は、以前のような感情を抱くことはない。たとえばそれは絶望であったり痛みであったり怒りであったり、時には苛立ちであったり憎しみであったりもしたものだが、今はもう、そんなふうにはならずに済む。

それは別に、彼女の白髪痴呆が〈家族性〉〈遺伝性〉のものである可能性が低くなったから、といった理由のためではない。僕自身の中にこの病気の原因遺伝子が受け継がれているかもしれないという、その不安や恐れが薄まったためではない。決してそんなことではない――と、少なくとも僕自身は承知している。

「母さん」

物云わぬ母に、僕はそろりと話しかける。

「ねえ母さん、憶えているかい」

上着のポケットから、そして僕はある物を取り出す。

「ねえ母さん……これを」

姫沼の町から持ち帰ってきた、それはあのカッターナイフだった。

今もしもここで、このナイフの刃を僕が押し出したならば。そうしてこの病室に、母が「バッタの羽音」だと誤解したあの音が鳴り響いたならば。

恐らく彼女は――彼女の顔にはまた、凄まじい恐怖の色が広がることだろう。動かない身体を必死になってよじらせようとし、物狂おしい叫びに喉を震わせようとすることだろう。いまだ彼女の内に残存する、四十五年前のあの出来事の記憶がまざまざと蘇ってきて。あの時の激しい恐怖に心のすべてが覆い尽くされて。

やがて訪れる死の、もしかしたら直前の瞬間まで、彼女はその〝最後の記憶〟を持ちつづけなければならないのかもしれない。

「ねえ、母さん」

カッターナイフをポケットに収め、僕は母の顔を覗き込んで囁きかける。

「あれはね、僕だったんだよ……」

そう。あれは他の誰でもない、この僕だったのだ。あの時あなたがあそこで見たのは、そして今もまだ〝最後の記憶〟の中で見つづけているあの殺人者は……それは僕なのだ。あなたの息子であるこの僕、波多野森吾だったのだ。――けれど。

「……ねえ母さん、分かるかい」

分かるはずなど、むろんない。

僕の上着のポケットには今、あの時の使い切りカメラも忍ばせてある。が、ここでそれを取り出してフラッシュを焚いてみようなどとは思わないし、現像に出してそのフィルムに何が写っているのかを確かめてみようとも、みたいとも思わない。何ヵ月か後に母が死んだら、カッターナイフともどもこっそり彼女の棺の中に納めて燃やしてしまおうか、と考えている。

「……ねえ、母さん」

無反応のままこちらを見上げている母の、すっかり艶と張りを失ってしまった額に、僕はそっと掌を当ててみる。

「母さん……」

このかさついた皮膚の下の、脆弱な頭蓋骨のさらに下に収まった彼女の脳。虫喰いだらけの彼女の脳。そのどこかに残っている彼女の〝最後の記憶〟から、彼女の生涯における最大の恐怖とともにしっかりと焼き付いた、血まみれの僕自身の像を探り出そうとするように。

いつかもしかしたら、僕にもこんな時間がやって来るのかもしれない。

もしかしたらそれはやはり、母と同じこの奇病に冒されてのことなのかもしれないし、もっと別の、たとえばアルツハイマー病やその他の痴呆症に冒されてのことなのかもしれない。そういった種類の病気に限らず、もしかしたらそれは、何らかの致命的な病に肉体が冒された結果、その末期に起こる精神症状の中でのことなのかもしれない。何らかの事故で命を落とす寸前の、わずかな猶予の中で発生することなのかもしれない。

いずれそんな、終わりの手前の時間が僕にやって来たとして——。

滅びゆく僕の脳の中にそのとき残る〝最後の記憶〟は、果たしていつの、どのような記憶なのだろうか。

叶(かな)うものならば——と、僕はひそかに願う。

叶うものならばそれは、幼い日の、季節はもう少し秋が深まった頃だったろうか、宵の空に瞬く赤い光に重ねていまだ見たことのない「翼」を夢見た、あの時の記憶であってほしい。

3

翌朝の新聞で僕は、生まれ故郷のあの町で起こっていた連続子供殺しの容疑者が逮捕されたというニュースを目にした。捕まったのは僕と同い年の、地元在住の美容師らしい。同じ社会面ではその記事と並んで、関西のどこやらの町で発生したまた別の子供殺しが報じられてもいた。

さらに翌日、僕は久しぶりに東中野の学習塾に出向いて「有名中学進学コース」の小学生たちを教えたのだが、例の嶋浦充という生徒を初めとする幾人かは相変わらず来ておりず、加えてもう一人、いつだったか僕に「大学ではどんな勉強をしているのか」と質問をしたあの男の子——確か竜田という名だった——の顔も見えなくなっていた。

その夜の孤独な眠りで、僕は夢を見た。こちらに帰ってきてから初めて見る夢だった。

夜中にふと目覚めると、頬を幾筋かの涙が伝っていた。どんな夢を見てそうなったのかは、けれどもどうしても思い出せない。

——了

文庫版あとがき

まず一つ、書かずもがなのお断わりを。

本作は一九九九年の夏から秋にかけての日本を主な舞台とした物語である。従って、アルツハイマー病その他の疾患に関する記述はおおむね、作中の現在において判明していた事実に基づいている。また、九九年当時はまだ「痴呆症（ちほう）→認知症」「看護婦→看護師」などの云い換えがまったく一般的ではなかった。当然の判断として、今回の文庫化に当たってもそれらの語句に手を入れることはしていない。


次に、思い出話を一つ。

角川書店で長編ホラーを書こうという話になって、打ち合わせの席で僕はまず、担当編集者のR女史に三つの案を提示した。今はなき月刊誌『KADOKAWAミステリ』で連載を始めるおよそ一年前——九九年十月某日のことである。

その際、便宜上それぞれの案を「A案」「B案」「C案」と名づけた。大ざっぱにまとめてしまうと、A案は「孤島あるいは山村を舞台に不可解な連続殺人劇が繰り広げられるスプラッタ&フーダニット系ホラー」。B案は「黒い帽子の男に襲われた幼い日の記憶を巡る幻想&叙情系ホラー」。C案は「古い団地を舞台に主人公が恐怖と狂気に冒されていく不条理&鬼畜系ホラー」。この中ではB案が最も地味な話だなと自覚していた。出版社的にもこれは敬遠されそうだなと予想していたのだけれど、「どれがいいですか」と僕が尋ねるのに、R女史はほとんど迷うことなく「これにしましょう」とB案を選んだ。その後B案の構想は、僕自身も当初は予想していなかった具合に膨らんでいって、この『最後の記憶』となった。あの時のR女史の選択はちょっと意外だったが、実を云うと嬉しくもあったし、ある意味で正しくもあった。結果として見て、『最後の記憶』はあの時期の自分がどうしても書かねばならなかった小説だった、と思えるからである。

ボツ(というか、保留)になったA案とC案は、今もって当初の形のまま、ノートにメモだけが残っている。

生きているのは楽しい？

と、作中で幾度も繰り返されるこの問いかけは、たぶん当時の僕の、けっこうストレートな心情の吐露でもあった気がする(もちろん四六時中、そんな自問を続けていたわけではないが)。そして、それに対して僕は、たいていの場合こう答えようとしていた気がする。

楽しい――ことも、時にはある。

生きているのは楽しい？

と、仮にいま誰かに問われたならば、二〇〇七年現在の僕は何と答えるだろうか。

二〇〇〇年秋から二〇〇二年春にかけての連載、二〇〇二年八月の単行本化、二〇〇六年一月の新書化、そして今回の文庫化。期せずしてそのすべてにおいて、前記R女史のお世話になることとなった。一つの長編の最初から最後までを一人の編集者が……というのも、この業界ではなかなか珍しい話だろう。

そのR女史――角川書店第一編集部の三浦玲香さんに、この場を借りて改めて、心より謝意を表しておきたい。

二〇〇七年　五月

綾辻　行人

引用文献および主な参考文献

・大熊輝雄『現代臨床精神医学 改訂第7版』金原出版 一九九七年
・黒田洋一郎『アルツハイマー病』岩波新書 一九九八年
・河野和彦『痴呆化遺伝子―アルツハイマー病の運命に打ち勝つために―』
医薬ジャーナル社 一九九八年
・井原康夫編『アルツハイマー病の新しい展開―分子メカニズムから今日の臨床研究まで―』羊土社 一九九九年
・丸山敬、西道隆臣『人はなぜ痴呆になるのか アルツハイマー病の謎をさぐる』
丸善ライブラリー 二〇〇〇年
・若林研太郎『白髪痴呆と日本の昔話』白毛社 二〇〇一年

解説

ねえ君、生きているのは楽しいかい。

千野帽子

綾辻行人は『最後の記憶』を二〇〇〇年から〇二年にかけて雑誌に連載、加筆のうえ上梓しました。最初から最後まで、《館》シリーズ最長の『暗黒館の殺人』（二〇〇〇—〇四）と併行して書いていたことになります。

主人公は航空力学を専攻する大学院生の〈僕〉波多野森吾。その母・千鶴は五十歳そこそこで若年性痴呆に脳を冒され、急速に記憶を喪失し、ついには家族をすら識別しづらくなっていった。主治医によれば母の脳機能障害は〈蓑浦＝レマート症候群〉で、新しい記憶から、また印象の薄い記憶から、順に消えていくという。それに伴って頭髪が急速に白髪化するところから、この病には〈白髪痴呆〉という通称がある。

その母を執拗に襲う〈最後の記憶〉――それは、外からは断片的にしか窺うことができない、母の幼年期体験に由来していた。稲光のような閃光、精霊飛蝗の飛ぶ音、そして追いかけてくる顔のない〈あいつ〉。
幼い日の母は、どんな体験をしたのか。そして森吾の周囲で殺されたり、行方知れずになったりしていく子どもたちの身に、なにが起ったのか。森吾は幼馴染の藍川唯に促され、励まされて、恐怖の根源に直面すべく、自分の生まれ故郷を訪れる——。

アイデンティティクライシス、そして抑圧された記憶の回帰という、《囁き》シリーズでのサイコホラー風味の手法と題材、そして同シリーズや『時計館の殺人』に見られる「幼心」という主題を、だれしも『最後の記憶』にふたたび見出すことができるでしょう。

森吾の婚約者・亜夕美は森吾と同じく将来有望な研究者で、彼の〈研究者としての優秀な才能を、頭脳を愛し〉、ふたりの〈優秀な〉〈遺伝子を掛け合わせた子〉が生まれるだろうと楽しみにしていました。だから森吾は、母の白髪痴呆が自分に遺伝するかもしれないという〈可能性に目を瞑って、自分の子供を作ることなんて僕にはできない〉と考えます。そして彼女に〈『要点』を説明しただけで、呆気ないくらいすんなりと〉彼女は〈納得〉して、彼のもとを去ったのです。

> みずからを取り巻く〝世界〟という巨大な装置の、どこをどう押せば何がどう動いてみずからに跳ね返ってくるのか、その仕組みを学習していくのが「大人になる」ことだとしたら、幼い頃からいつも、僕は押し方を間違えてばかりいた。（中略）そんな僕で

もやがて、徐々にそれなりの学習を進めていって、徐々に自分なりの折り合いのつけ方を習得していったわけだけれど（中略）そう思うのはしかし、浅はかな僕の幻想にすぎないのかもしれない。もとより僕には、そういう能力が備わっていなかったのかもしれない。（中略）

――いなくてもいいんだよ、無理に。

この春に別れた彼女、中杉亜夕美にしても……そう、彼女は彼女でとても〝大人〟だったのだと思う。〝世界〟の仕組みのある側面をきちんと学習し尽くし、そこで得た揺るぎのない価値観に従って行為や現象に一貫した意味を与えていく――そんな彼女の、云ってしまえば潔いほど功利的な思考のあり方にこそ、いま思えばぼくは魅力を感じていたわけなのだろう。（中略）

――いなくなっちゃえばいいんだよ。

このように森吾は〈世界〉との〈折り合いのつけ方〉に自信を持てません。その寄る辺なさはまた、第Ⅲ部で判明する、生まれ故郷での母・千鶴をめぐるひとつの哀話と共鳴します。すなわち、周囲の要求に応えられない――あるいは応える自信がない――という、世界に居場所のない感じです。波多野親子が抱えてきた寂しさ、寄る辺なさは、綾辻がいくつもの作品で繰返し立ち戻る「幼心」のありようをデリケートに掬い取っています。

＊

森吾は幼いころ、神社の秋祭りの晩、路地の奥に潜む狐の面をつけた謎の人物に〈ねえ君、生きているのは楽しいかい〉と話しかけられたという体験を持ちます。森吾の記憶に取り憑いて離れないこの囁きは、この百年間、〈世界〉と〈折り合い〉がつかない日本の若者たちを呪縛してきました。

石川啄木が『硝子窓』で、文学関係者の若者がよく言う〈何か面白い事は無いか〉という言葉は不吉な言葉だ、と書いたのが一九一〇年。宇野浩二の『屋根裏の法学士』の主人公の決め台詞は〈浮き世が君にはどのくらゐ面白いかね〉。

その大正期に curiosity hunting を「猟奇耽異」と訳したのは佐藤春夫だそうです。〈何か面白い事はないか〉が外に向って文字どおり「奇」の探索となれば探偵趣味の精神となり、この世界に〈面白い事〉がないなら自分で作ってしまえと世界を捨ててしまうなら、佐藤の『美しい町』、その盟友兼ライヴァルだった谷崎潤一郎の『金色の死』、宇野と谷崎の影響を強く受けた江戸川乱歩の『パノラマ島奇談』といった小ユートピア譚となります。後者の「世界に居場所がない」という感慨は、戦争体験を経て中井英夫の〈人外〉の感覚に受継がれ、竹本健治の美しいメタミステリ群を経て綾辻行人に流れつきました。

『最後の記憶』では、母の主治医であるT＊＊医科大学・若林研太郎助教授の名が、「記憶喪失」「アイデンティティクライシス」「母の因果が子に報い」の三点を本書と共有する夢野久作『ドグラ・マグラ』の、九州帝国大学医学部・若林鏡太郎教授を想起させます。

また白髪痴呆の正式名称は〈蓑浦＝レマート症候群〉ですが、江戸川乱歩の『孤島の鬼』で自分が恐怖のあまり白髪になってしまった体験を語る語り手の名が蓑浦です。因みにレマートは逸脱行動論においてラベリング理論を提唱した学者のひとりE・M・レマートでしょう。綾辻は大学院時代、ラベリング理論を研究対象としていました。

第II部冒頭で森吾が、母が育った家を訪ねるとき、藍川唯がカーステレオで鳴らしている〈名を聞いてもまるでぴんと来ない国内のインディーズバンドのナンバー〉、〈痙攣のようなビートに乗せて連射される過激な言葉の断片、あるいはスロウな変拍子のピアノに絡む珍奇な独白、あるいは七〇年代ロックのいびつなパロディめいた狂想曲〉は、私に一九八〇年代末の筋肉少女帯を思い出させました。筋少の結成メンバーであるヴォーカル大槻ケンヂとベース内田雄一郎が有頂天のヴォーカルであるKERA（劇作家ケラリーノ・サンドロヴィッチとして知られる）といっしょにやっていた別ユニット・空手バカボンに、そのものずばり「**から笑ふ孤島の鬼**」という曲があり、筋少でもこれを演奏しています。

余談ですが、綾辻行人は大槻の短篇集『くるぐる使い』の角川文庫版解説を書いています。同書では、乱歩が好んで揮毫した〈うつし世は夢、夜の夢こそまこと〉を標榜する少年の現実嫌悪を描いた「春陽綺談」という乱歩トリビュート作品が読めます。大槻の歌詞や文章が、〈世界〉と〈折り合い〉がつかない少年たちに支持されてきたのは周知のとおり。〈七〇年代ロックのいびつなパロディ〉はきりがないけれど、空手バカボンがキング・クリムゾンの替歌をやっていたことを指摘するにとどめておきましょう。最後に、巻末の文献一覧にある『白髪痴呆と日本の昔話』の昔話。こればかりは私も作者に想像を促されるまで迂闊にも気づきませんでした。第Ⅲ部で森吾を導くのはなにものかを考えれば自ずと答えは明らかです。それでもぴんと来ないなら、作中の上高田の児童連続殺人犯の名、そして塾の帰りに森吾に大学でなんの勉強をしているのかと質問した少年の名を思い出してください。それでもダメなら、塾からいなくなってしまった少年の姓を。むろん〈白髪〉も大ヒントです。

＊

本書の「新書版あとがき」（二〇〇六）で作者は、〈理に落ちる部分と落ちない部分、読者に対して明示的に説明される部分とされない部分〉の〈描き方やバランス取りにおいて（中略）かなりの冒険を試みた〉と書いています。その結果本書は、ホラーの要素、謎解きミステリの構造、ファンタジー的な世界観、クライヴ・バーカー流のグロテスクな場面を持ちながら、どのジャンルにも収まらず、既存のジャンルや型からするりと身を躱す小説となりました。

本書の繊細で儚い読後感はこの、予期される型から絶えずずれていく身のこなしに起因します。「ミステリ」ないし「ホラー」の型に無理に嵌めて読もうとすると、この味わいを逃してしまうでしょう。作者の〈かなりの冒険〉を楽しむも気づかずに通り過ぎるも、ジャンルや型にたいする読者の頭の柔かさしだい、ということになります。

綾辻行人はいわゆる「新本格」ミステリの長男坊、謎解き小説隆盛のきっかけを作った画期的存在として位置づけられています。それはそれで間違いではないのでしょう。しかしながらそのことに、彼自身どこか途惑い、「そんなんじゃないんだ」と苦笑しているのではないかと思えてなりません。

島田荘司『本格ミステリー宣言』などを読むと、松本清張の社会派リアリズム推理小説から綾辻登場までの三十年間に、謎解き小説が鮎川哲也・土屋隆夫らの例外を除いて完全に途絶えていたような気がしてしまいます。けれどじっさいは必ずしもそういうわけではない。何人もの作家が、他ジャンルの小説と併行して、あるいは他ジャンルの見かけの下で、密かに謎解き小説を書き続けてきたようです。

綾辻以降に変化したのは、作品の量や流通形態もさることながら、読者のほうかもしれません。鮎川・土屋などそれまで例外的存在だった生涯謎解き作家にたいするような要求を、謎解き小説でデビューした作家全員に読者が突きつけるようになったのが、「新本格」以降の光景なのです。

綾辻行人にかんして言うと、一九九〇年代型読者は謎解き小説（《館》シリーズ）を「本業」と見なし、《囁き》シリーズのようなサイコホラー寄りのものはセカンドライン扱い、『殺人鬼』連作はどんでん返しがあるから許すとしても、『眼球綺譚』（この作品と緩やかに繋がっていることを『最後の記憶』は第II部で明かします）のようなホラーはしばしば余技と見られがちで、「ホラーもいいけど早く《館》の続きを書け。また例のどんでん返しを読ませろ」のたぐいの言葉をかけられることすらあります。

彼らは口々に「驚きたい」「驚かせろ」と言います。そのくせその驚きは、「過去の自分のミステリ体験で得た驚きの延長にあるものとして処理できるもの」、つまり「既知の驚き」でなければならない（叙述トリック作品ですら「騙しかたがずるい。後味悪い」「こんなの本格ミステリじゃない」と言う人がいるくらいです）。残念ながらそれはただ「驚き」という名のレッテルを貼る作業に過ぎません。

石川淳が書いたように、ほんとうは〈小説のことで云へば、讀みながら二の句のつげないやうな、手ざはり滑らかな作品を、われわれはそんなに有りがたがりはしない〉（「讀書法に就いて」）。〈手ざはり滑らかな作品〉とは、読んでいて、どこでどうおもしろがれば（驚けば、泣けば、萌えれば、怖がれば）いいかが、本文のなかに書いてある小説のこと。どこでどうおもしろがればいいかを、こっちから探して決める過程が、〈本を讀むと云ふこと〉を〈限りなく愉しい〉ものにしているとするなら、〈手ざはり滑らか〉な小説は予めそういう楽しみかたを封じていると言えます。

　どこでどうおもしろがればいいかが本文のなかに書いてあるタイプの小説を好む人——保坂和志『小説の誕生』に出てくる絶妙な言いかたを借りれば、本を〈ファイルに入れるように整理しながら読んでいる〉人——は、一冊一冊の本よりも特定のいくつかの型やジャンルが好きで、具体的にこういう体験がほしいと、小説に求めるものが最初から決まっている。本よりファイルのほうがだいじだから、つねに自分のなかに蓄積された基準に頼って、「本格ミステリとして」「SFとして」「ホラーとして」「ファンタジーとして」「エンタテインメント小説として」しか、小説を読むことができない。TVでお笑いを見るときに、笑い声の効果音を聞いてやっと「あ、ここで笑っていいんだ」と笑うようなものですね。そんなものが読書だとしたら、ずいぶんとご苦労な消化試合だと言えないでしょうか。

　中杉亜夕美は森吾を、原初的な意味での「男として」、とりわけ「優秀な頭脳を持つ男として」「優秀な遺伝子の提供者として」しか見ることができませんでした。その考えが完全に間違っているとは私も思わないけれど、藍川唯が〈人を好きになるのって、そういうことじゃないんじゃないかなぁ〉と言うとおり、ほかの考えかたもある。

同様に、「本格ミステリとして」とか「ホラーとして」とか「エンタテインメント小説として」とか、小説〈を好きになるのって、そういうことじゃないんじゃないかなぁ〉。〈手ざはり滑らかな作品〉をつぎつぎ〈ファイルに入れるように整理しながら読んで〉、本の〈どこをどう押せば何がどう動いてみずからに跳ね返ってくるのか、その仕組みを学習していく〉亜夕美タイプの九〇年代型読者にたいして、果して綾辻行人が、森吾のように〈折り合い〉がつかないと感じているのかどうか、ほんとのところはわからないけれど、彼の小説の魅力がじつはやむにやまれず「…として」（諸ジャンルの要件）からずれ、はみ出していくところにあることは、もっと語られていい。

九〇年代型読者のように「どのファイルにも収まりきれない」とこぼすのでもなく、かといっていわゆる「ポストモダン小説」をめぐる八〇年代の素朴な言説のようにこれを「制度の解体」などという英雄的行為として誇大に持上げるのでもなく、『最後の記憶』では――そしてじつは『暗黒館の殺人』でも――「ずれ、はみ出していく」ことがそのまま小説を衝き動かす原動力になっているのだということに気づくまで読者が成熟するのを、作者はきっと待ってくれているはずです。

二〇〇七年四月　巴里、モンパルナス、カフェ・ド・ラ・プラスにて

本書は平成十四年八月、小社単行本として、
また平成十八年一月、カドカワエンタテイン
メントとして刊行された作品を文庫化したも
のです。

最後の記憶

綾辻行人

平成19年 6月25日　初版発行
令和7年 9月5日　27版発行

発行者●山下直久

発行●株式会社KADOKAWA
〒102-8177　東京都千代田区富士見2-13-3
電話　0570-002-301（ナビダイヤル）

角川文庫 14422

印刷所●株式会社KADOKAWA
製本所●株式会社KADOKAWA

表紙画●和田三造

ISBN978-4-04-385501-8　C0193

◆◇◇

角川文庫発刊に際して

角川源義

第二次世界大戦の敗北は、軍事力の敗北であった以上に、私たちの若い文化力の敗退であった。私たちの文化が戦争に対して如何に無力であり、単なるあだ花に過ぎなかったかを、私たちは身を以て体験し痛感した。西洋近代文化の摂取にとって、明治以後八十年の歳月は決して短かすぎたとは言えない。にもかかわらず、近代文化の伝統を確立し、自由な批判と柔軟な良識に富む文化層として自らを形成することに私たちは失敗して来た。そしてこれは、各層への文化の普及滲透を任務とする出版人の責任でもあった。

一九四五年以来、私たちは再び振出しに戻り、第一歩から踏み出すことを余儀なくされた。これは大きな不幸ではあるが、反面、これまでの混沌・未熟・歪曲の中にあった我が国の文化に秩序と確たる基礎を齎らすためには絶好の機会でもある。角川書店は、このような祖国の文化的危機にあたり、微力をも顧みず再建の礎石たるべき抱負と決意とをもって出発したが、ここに創立以来の念願を果すべく角川文庫を発刊する。これまで刊行されたあらゆる全集叢書文庫類の長所と短所とを検討し、古今東西の不朽の典籍を、良心的編集のもとに、廉価に、そして書架にふさわしい美本として、多くのひとびとに提供しようとする。しかし私たちは徒らに百科全書的な知識のジレッタントを作ることを目的とせず、あくまで祖国の文化に秩序と再建への道を示し、この文庫を角川書店の栄ある事業として、今後永久に継続発展せしめ、学芸と教養との殿堂として大成せんことを期したい。多くの読書子の愛情ある忠言と支持とによって、この希望と抱負とを完遂せしめられんことを願う。

一九四九年五月三日